Bywyd
Gŵr Bonheddig

EMLYN RICHARDS

Gwasg
Gwynedd

Argraffiad Cyntaf — Tachwedd 2002

© Emlyn Richards 2002

ISBN 0 86074 191 5

Cyhoeddwyd ac Argraffwyd
gan Wasg Gwynedd, Caernarfon

CYNNWYS

Y Brynddu

DIOLCHIADAU

Rwy'n hynod ddyledus i'r diweddar William a Margery Grove-White, y Brynddu, am eu cymhelliad a'u cymorth wrth i mi baratoi'r gyfrol hon. Yr oedd William yn ddisgynnydd uniongyrchol, o ochr ei fam, o'r dyddiadurwr ac ymfalchïai yn y ffaith. Ef oedd mab hynaf pedwar o blant Gerald Edward Grove-White ac Anna Rove Hughes-Hunter. Dilynwyd William Grove-White gan ei fab hynaf Robin Grove-White yn y Brynddu ac mae yntau a'i briod, Helen, yn ymfalchïo yn nhras y teulu. Bu'n fantais ryfeddol cael troi a throsi ymhlith rhai o bapurau'r plas.

Y mae dwy gyfrol y dyddiadur dan ofal staff Archifdy'r Brifysgol ym Mangor: Einion Thomas, Helen a Diana a bu'r cwmni a'r cyfarwyddyd a gefais ganddynt yn werthfawr tu hwnt.

Yr oedd gan y ddiweddar Susan Peters, Rhydygroes, Llanbadrig, ddiddordeb anghyffredin mewn enwau caeau ac fe wnaeth ymchwil drwyadl ar y pwnc. Rwy'n ddiolchgar iawn i David, ei phriod, am ganiatáu imi ddarllen ei gwaith – gwaith diddorol a gwerthfawr.

Trefnodd Charles Parry o Lyfrgell Genedlaethol Cymru arlwy o lyfrau ac erthyglau yn ymwneud â Sir Fôn a theulu'r Bwcleaid yn y ddeunawfed ganrif i'm disgwyl pan alwn yn y Llyfrgell. Rwyf hefyd yn ddyledus iawn i Dr Dafydd Wyn Wiliam, Dr Meredydd ap Huw, Llyfrgell Genedlaethol Cymru, Gwenda Carr a'r Athro Ddr Hywel Wyn Owen, Prifysgol Bangor, am sawl cymwynas werthfawr. Diolch hefyd i Brifathrawes a phlant ysgol Llanfechell 2000 am eu gwaith gofalus yn cadw llygad ar y tywydd.

Bu eraill hefyd yn barod iawn i rannu o'u gwybodaeth a'u hatgofion imi: Dewi Jones, y Benllech, Glyndwr Thomas, Cemais, Richard Hughes, Bryniau Duon, Llanfechell ac Owen Jones, Seilo, Cefncoch.

Yn anffodus nid oes gennyf yr un portread na llun o

William Bwcle. Dichon ei fod yn rhy swil neu gysetlyd i ganiatáu peth felly. Ond fe adawodd William Morris inni ddisgrifiad eitha da ohono mewn llythyr at Richard, ei frawd, ar y laf o Fai 1760 (ac a ddyfynnir ar dudalen 12). Fe lwyddodd Wil Rowlands â'i ddychymyg byw o'r briwsion hyn i roi inni lun o William Bwcle a ffurfia glawr teilwng i'r gyfrol; tybed ai dyma'r unig ymdrech? Diolch i'r artist hefyd am ddilyn taith y dyddiadurwr ar draws y Sir gan groesi traethau i'r Llys ym Miwmares, gan nodi'r arosfeydd.

Wrth arlwyo bwrdd y plas daeth Ruth o hyd i ambell rysáit digon diddorol yn y dyddiadur, gan ddyfalu hefyd sawl rysáit o'r ddeunawfed ganrif a ddefnyddid yn y Brynddu yn nyddiau'r dyddiadurwr. Diolch am y bennod hon i roi blas ac arogl i'r hen blasty.

Diolch, yn siŵr, i Wasg Gwynedd am gynnull y cyfan yn ysgub dwt, ac am gefnogaeth Cyngor Llyfrau Cymru.

EMLYN RICHARDS

Rhagair

Mi dybiais droeon y carwn fynd i'r afael â dyddiaduron William Bwcle o'r Brynddu, Llanfechell, Môn. Y mae'n ddyddiadur swmpus sy'n ddwy gyfrol o dros fil o dudalennau o faint pedwar plyg, a'r cyfan yn llawysgrifen fân a thwt yr awdur ei hun. Mynn rhai fod y dyddiaduron ymhlith y dogfennau pwysicaf sy yng nghadw Llyfrgell y Brifysgol ym Mangor (MS. Henblas 18.19). Bu i William Grove-White, disgynnydd uniongyrchol o'r dyddiadurwr, fy nghymell o bryd i'w gilydd i ymgymryd â'r gwaith. Gwyddwn hefyd y byddai fy nghyfaill, Dr Dafydd Wyn Wiliam, yn barod ar bob galwad i'm cyfarwyddo.

Mwynheais bob munud o'r oriau diddan yn darllen y dyddiaduron gan deimlo rhyw ddihangfa ryfedd o ddadwrdd y ganrif hon i lonydd gorffenedig y ddeunawfed ganrif. Yn wir, yr oedd darllen am yr eildro yn felysach fyth. Heb os, yr oedd yn fantais werthfawr fy mod yn adnabod pob tyddyn a phob cae, pob clawdd cerrig a phridd ar stad y Brynddu, ac ar bwys disgrifiad byw William Bwcle rwy'n gweld y tyddynwyr tlawd. Bûm yn Eglwys y Plwyf laweroedd o weithiau gan ryfeddu at ei phensaernïaeth syml a soled. Dychmygaf weld yswain y Brynddu yn eistedd a gwrando'n ddefosiynol ar Richard Bwcle'r person, y tenantiaid hwythau yn eistedd ar feinciau simsan a roddwyd iddynt gan eu meistr tra eisteddai gweddill y dorf ar y brwyn gleision ar y llawr. Mae'r dyddiadurwr wedi gwau'r ffeithiau dibwys hyn yn gelfydd i ddyddiau wythnos, ond erbyn heddiw maent i gyd yn emau gwerthfawr. Nid rhyfedd i'r llenor mawr hwnnw, Dr Thomas Parry, gael ei gyfareddu'n lân gan William Bwcle a'i ddyddiadur.

Cymaint oedd edmygedd yr ysgolhaig hwnnw o'r dyddiaduron fel y mynnodd i Lyfrgellydd y Coleg ym Mangor ar y pryd – Emyr Gwynne Jones – ryddhau'r dyddiaduron am noson. Yr oedd honno yn noson i'w chofio, noson braf o fis Ebrill 1970.[1] Croesawyd y Dr a'r dyddiaduron, ynghyd â chwmni dethol, i'r Brynddu gan William a Margery Grove-White. Daeth miwsig y delyn yn ôl i'r plas, fel yn y dyddiau gynt a fu. Cofnodir yn y dyddiadur am 1 Chwefror 1738: 'my servants are still at the same work of scowering of the hedges, gave 6d to Rice the harpist who was here over the holidays,' a dwy ganrif a hanner yn ddiweddarach clywyd canu gwerin afiaethus Aled Lloyd Davies ar yr un aelwyd. Ond heb os, pinacl yr achlysur neilltuol hwn oedd darllen y dyddiaduron; os bu syniad o 'hanes' ryw dro, wel dyma fo! Yna, yn sydyn, cododd y Doctor ei ben a chwilio parwydydd y neuadd hen – 'Does yma yr un llun o William Bwcle,' meddai. 'Gresyn am hynny.' Disgynnodd ei ddau lygad mawr llonydd ar ŵr y tŷ – 'Dacw fo,' meddai gan anelu'i fys at William Grove-White! Ni flinai Grove-White adrodd hanes y noson honno, ac yn enwedig ddedfryd ei westai.

Roedd yn gwbl naturiol i Thomas Parry weld y tebygrwydd rhwng sgweier y Brynddu a'i hen, hen daid – William Bwcle. Gwyddai am ddisgrifiad y llygad-dyst o'r dyddiadurwr. Fel hyn y rhoes William Morris ddisgrifiad ohono i Lewis, ei frawd, ar 1 Mai 1760, ychydig fisoedd cyn marw William Bwcle: 'Mi a gyrhaeddais y Brynddu cyn ciniaw. Pwy a egorodd ym ddrws y neuadd, ond yr hen ysgweir. Ac yn wir ddiau, rhyfedd oedd gennyf ei weled rhag mor gul yttawdd. Cilffyn o hen ŵr, tenau, gwyneblwyd a chôb fawr am tano wedi ei rhwymo â gwregys lledr cyn dynned ag y gwnâi geneth ddeunaw mlwydd oed y dyddiau gynt.'[2] Roedd y tebygrwydd yn amlycach fyth pan alwais innau i weld William Grove-White ychydig ddyddiau cyn ei farw, ddechrau Tachwedd 2000.

Mae'r noson honno, pan ddaeth y dyddiaduron am dro adref, bellach yn perthyn i hanes y gorffennol, ond rwy'n sicr fod y ddwy gyfrol yn disgwyl yn eiddgar am gael mynd yn ôl i'r hen fro unwaith eto. Ymgais i agor eu tudalennau hen sydd yma a dadlennu rhai o feddyliau'r gŵr bonheddig dan sylw a'i gymdeithas.

Ychydig a wyddom am William Bwcle'r dyddiadurwr ar wahân i'r hyn a gawn yn y dyddiadur. Yr oedd o dras

Bwcleaid y Baron Hill; symudodd Arthur Bwcle, nawfed plentyn i Syr Richard Bwcle a fu farw ym 1572, i Goeden. Priododd Arthur Bwcle â Jane, aeres y Brynddu Llanfechell, hen deulu Cymreig, a dyna sefydlu Bwcleaid y Brynddu. Yr oedd Bwcle'r dyddiadurwr yn ddisgynnydd o'r cyff yma. Mae'n debyg mai ei dad a adeiladodd blasty'r Bryndu tua'r flwyddyn 1670.

Ganwyd William Bwcle ar 4 Tachwedd 1691 a phriododd â Jane Lewis, pumed plentyn Ambrose Lewis – person Llanrhyddlad. Priododd i deulu pur enwog ym Môn y ddeunawfed ganrif. Yr oedd William Lewis, ei brawd hynaf, yn ffigwr amlwg ym mywyd y sir a bu'n gyfaill ac yn gefn da i William Bwcle yn ei helyntion. Cyfeiria'r dyddiadurwr yn gyson at, 'my brother Lewis of Llysdulas' a bu croeso'r aelwyd honno yn gymorth gwerthfawr iddo. Priododd Ann, chwaer Jane, â William Lewis, Trysglwyn, ar gwr mynydd Parys. Bu cryn anghydfod rhwng y dyddiadurwr â'r brawd-yng-nghyfraith hwn. Fel sawl anghydfod, arian oedd yr achos, yn deillio o ewyllys ei wraig a'i chwaer hithau, sef gwraig y Trysglwyn.

Yr oedd Richard Hampton, yr Henllys, Biwmares yn ŵr cefnog iawn ac yn briod â Mary (chwaer arall i Jane ac Ann). Bu farw'r olaf o'r cwpl ym 1728, yn ddi-blant, ac yn naturiol disgwyliai'r nith a'r nai am ffortiwn. Yn lle hynny bu'n ddechrau gofidiau i Sgweier y Bryndu wrth gyfreithio ar ran ei ferch Mary a William ei fab i gael siâr eu mam. Yn gam neu'n gymwys, methodd William Bwcle yn ei ymdrechion bob tro ac, yn lle ennill i'w blant, fe gollodd ffortiwn. Yn wir aeth yr holl fusnes yn obsesiwn ganddo.

Ar ddiwedd y flwyddyn 1734, cydnebydd Bwcle y bu hon yn flwyddyn ryfeddol ac anodd iddo. Cofnododd ar 24 Mawrth 1734: 'a year remarkable for a great deal of crosses and afliction with both my children's behaviour and some friends I thought would never leave me... but leaving me they did.' Anfonwyd bil ato gan William Lewis, Trysglwyn; dyma'r maen melin a fu am ei wddf gydol y blynyddoedd.

Fel y cyfeiriwyd, bu'r plant, William y mab a Mary'r ferch, yn blant anystywallt iawn ac, fel y cydnebydd fwy nag unwaith yn y dyddiadur, buont yn groes drom iddo. Ond bu ef yn dad ac yn fam rhyfeddol iddynt drwy'r cwbl. Cafodd William ysgol breifat yn Nhreffynnon cyn mynd i Lundain i astudio'r gyfraith yn Chancery Lane. Anfonwyd Mary, yn gynnar yn ei bywyd, i Iwerddon ac yno y bu am amser hefo cefnder a pherthynas i'r teulu – William Parry. Yr oedd gan William Bwcle obeithion uchel y byddai ei fab yn cael ei alw i'r bar ac, yn bwysicach fyth, y byddai'n priodi'n dda, fel aer y Brynddu. Yn unol ag arfer yr oes yr oedd gan ei dad ferch ddelfrydol mewn golwg, sef etifeddes Llwydiarth, Llannerch-y-medd. Ond, er i Bwcle a William dreulio noson ar aelwyd groesawus Llwydiarth, ni ddaeth dim lwc o'r ymdrech. Dychwelodd William i Lundain i ddilyn ei afradlonedd yn hytrach na'i astudiaethau, gan wario saith gan punt o arian prin ei dad. Mae'n wir y derbyniodd radd yn y gyfraith yn y diwedd, o dosturi yn fwy nag o gymhwyster, cyn dychwelyd i Lysdulas at ei ewythr. Methodd gael plwc i fynd adre mae'n debyg. Bu farw mab William Bwcle ar ddiwedd Rhagfyr 1751, naw mlynedd cyn ei dad.

Daeth Mary, y ferch, yn aeres y Brynddu wedi claddu ei brawd ar 27 Rhagfyr 1751. Ond rhyw ferch benhurtan ysgafala oedd Mary a dyna paham yr anfonodd ei thad hi at ei gefnder i Ddulyn am ysbaid hir. Aeth i drwbl hefo Fortunatus Wright yno, môr-leidr digon didoriad o deulu o ddistyllwyr mawr yn Lerpwl. O'r tyad plant a anwyd iddi fe enillodd Anna, y ferch hynaf, ffafr a serch ei thaid a hi ddaeth yn etifedd stad y Brynddu.

Achos cyfreithiol arall y bu ef ynghlwm wrtho oedd achos ei fam wrth geisio symud tenant o'i fferm yn Llŷn. Aeth i'r Llys ar ei rhan yng Nghaernarfon ar 6 Ebrill 1749, lle y gwrandawyd yr achos ond, oherwydd blerwch cyfreithiwr ei fam, bu'n rhaid gohirio. Yn y cyfamser cychwynnodd achos cyfreithiol arall, y tro hwn yn erbyn Lloyd y Gwyddel o Hirdrefaig, er mwyn cael llog dros y gyfran a oedd yn ddyledus iddo o ewyllys Catherine, ei chwaer. Bu'r achos hwn eto'n llusgo o ohiriad i ohiriad ac mae lle i gredu fod pob ymgais ac ymdrech ganddo yn cymhlethu'r achosion.

O ganlyniad i'r gwario ynglŷn â'r ewyllys a'r cyfreithio, a blynyddoedd o afradlonedd y plant, gyrrwyd William Bwcle i fenthyca arian a hynny am logau uchel. Daeth y benthyciadau hyn yn achos llawer iawn o boen ac o bryder iddo ac yn gryn embaras ar sawl achlysur. Y mae gwybod am y sefyllfa hon yn egluro'i agwedd a'i ddiffyg amynedd at bobl yn aml. Bu'r dyddiadur yn gyfrwng gwych iddo ollwng stêm mewn cynddaredd yn erbyn y bobl hynny y credai eu bod yn ddauwynebog.

Er enghraifft, ar 20 Medi 1735 cytunodd, mewn cyfarfyddiad yng Nghwt y Dwndwr (cartref y twrnai Morris Lewis) i dalu tri chan punt i William Lewis, Trysglwyn. Nid rhyfedd ei fod yn reit isel ei ysbryd yn ei gofnod ar 4 Ebrill 1736. Teimlai fod ei gyfeillion gorau (yn enwedig William Lewis, Llysdulas) yn amharod iawn i'w helpu i gael arian i glirio'r dyledion oedd arno o ganlyniad i'r ewyllys, er i William Lewis ei berswadio i fynd ymlaen â'r achos. Ar 18 Ebrill 1736 roedd Bwcle yn bur bryderus eto ynghylch ei sefyllfa ar gyfrif ei ddyledion. Anfonodd at y mab iddo ddod adre'n ddiymdroi o'r coleg gan fod y fath bwysau arno i dalu'r ddyled, oedd erbyn hyn yn wyth gant a hanner o bunnau. Yn y diwedd, noson cyn y gwrandawiad ym Miwmares, cyrhaeddodd William o Lundain – doedd ei dad ddim wedi ei weld ers tair blynedd. Ond, erbyn 4 Medi 1738, fe dalodd ei ddyled o £850 a chafodd dderbyneb amdano.

Yn sicr, bu'r dyledion hyn yn faich llethol arno gydol ei oes; eto er ei holl ddyledion a'r pwysau cyfreithiol arno i dalu, ni chollai'r un cyfle i gyfrannu at angen y cardotyn a'r tlotyn a ddeuai i'w ddrws. Heb os, yr oedd ganddo athroniaeth am fywyd sydd yn debyg i hanfod dyddiadur sef 'un dydd ar y tro, bydd yfory yn ddiwrnod newydd'.

Fe adawodd fwnglawdd o ffeithiau a chyfeiriadau i'r hanesydd cymdeithasol, economaidd a llenyddol. Yn wir mae yma ddeunydd diddorol at chwaeth pob darllenydd. Mae yna ryw wefr mewn darllen hen lawysgrifau o law ac o enau'r awdur ei hun – dyma'r papur a dyma'r inc a ddefnyddiodd, a'r ddau fel ei gilydd wedi pylu'n felyn hen.

Ond, er mor hen yw'r papur, daw'r inc yn fyw wrth gofnodi hanes pobl gyffredin a'u bywyd cyffredin, yn ymdrechu i gael dau ben llinyn ynghyd, ac yn methu'n aml. Dosbarth o bobl a fyddai wedi darfod fel pe na buasent yn ddim ond enwau mewn Cofrestri Plwyf, heb gymaint â maen i nodi man eu bedd, a fyddai'r rhain oni bai i'r bonheddwr hwn roi eu hanes ar gof a chadw. Dyma'r werin y bu i'r bonheddwr o'r Brynddu droi a throsi yn eu plith gan gefnogi eu gêm bêl-droed. Yn ei gofnod am 13 Mawrth 1741, rhyfeddodd yn fawr i dîm Llanbadrig gicio'r bêl o fewn tri lled cae i bentref Llanfechell. Yr oedd hefyd yn gystadleuydd brwd a rheolaidd yn yr ymladdfeydd ceiliogod a gwariai'n helaeth i ennill y llwyau arian oedd yn wobrwyon i'r ymrysonfeydd hyn. Yr oedd gŵyl y Sulgwyn yn boblogaidd iawn i'r ymladd ceiliogod a gynhelid, yn fwyaf cyffredin, ym mhlwyfi Llandyfrydog a Llanfaethlu, er yr âi o bryd i'w gilydd i Amlwch hefyd.

Yn ei ddull bonheddig cynorthwyai'r werin trwy alw yn eu tai ac yfed y cwrw a fragent gartref i ennill ceiniog ychwanegol. Ar ei ffordd o Gemais un tro fe alwodd yn nhŷ Wil yr Angau i fwynhau ei gwrw a chwmni cyfeillion. Dathlodd galan gaeaf – 6 Ionawr 1739 – mewn gwledd yn y Brynddu yng nghwmni'r gweision a'r medelwyr, gyda rhai o'r cymdogion ac ychydig fonheddwyr o'r cylch. Buont yn llawn eu miri a'u mwynhad hyd un ar ddeg o'r gloch yr hwyr. Mae'n amlwg ddigon fod William Bwcle yn uchelwr a ddeallai fywyd y distadlaf o'i weision a'i fod yn enghraifft wych o garedigrwydd yr hen Uchelwr Cymreig ar ei orau. Fel y dywed Thomas Parry, yr oedd yn enghraifft o'r hen bendefig Cymreig cyn iddynt Seisnigeiddio.[3] Rhaid cyfeirio hefyd at y nifer o lasenwau sydd ganddo, cynifer â deugain ohonynt, sy'n brawf pellach o'i agosatrwydd at y bobl gyffredin, fel y trafodir ymhellach yn y bennod 'Pigion o'r Pynciau'.

Fel gweinyddwr ei stad daw caredigrwydd William Bwcle i'r amlwg. Gan mai tirfeddiannwr bychan ydoedd ni allai fforddio cael asiant i weinyddu'r stad. Mae'r cofnodion am osod y tyddynnod yn britho'r dyddiadur ac yn rhoi darlun gwerthfawr inni o fywyd cefn gwlad yng ngogledd Môn yn hanner cyntaf y ddeunawfed ganrif. Mae'n amlwg ddigon nad oedd modd i'r tyddynnwr druan fyw ar ei dyddyn, mwy nag y gallai'r crefftwr fyw ar ei grefft. Ymdrechai'r bonheddwr yn ddeheuig i gyrraedd rhyw fath o gytundeb â'i denantiaid. Doedd yr un o'r tenantiaid yn medru talu'r rhent yn llawn mewn arian, ac eithrio tenant cefnog fel William Pritchard, Cnwchdernog. Dyma enghraifft o gofnod am 19 Mawrth 1737:

> I let to Richard ap William Sion Prys that tenement anciently called Yr Orsedd Goch, now called Tyddyn y Creigia, for the term of 11 years at the rate of £3 10s 0d a year with the usual presents of Pullets, 6 chickens and 2 days' reaping and work 6 days in the harvest time for 3d a day.

Yr oedd y tenant hefyd i roi dau ddiwrnod yn y cynhaeaf yn y Brynddu a gweithio chwe diwrnod am dair ceiniog y dydd. Mae'n anodd iawn cael cytundeb mwy cymhleth na hyn!

Fel ffermwr ei hun, gwyddai William Bwcle am yr amgylchiadau yn dda ac, o ganlyniad, gallai gydymdeimlo â'i denantiaid. Yn wir fe allesid galw ei ddyddiadur yn 'ddyddiadur amaethwr diwyd'. Ar un cyfnod yr oedd yn amaethu cryn fesur o dirwedd a oedd yn cynnwys y Brynddu (tri deg chwe erw), Bodelwyn (tair erw ar ddeg), Coeden (tri chant dau ddeg o erwau), ac fe gyfrifid Fferam y Llan a Brynchynni hefyd yn rhan o Frynddu. Yn ystod blynyddoedd cynnar y dyddiadur yr oedd tair fferm yn mhlwyf Llanddeusant hefyd yn rhan o faes ffermio sgweier y Brynddu: sef Clwchdernog Groes (naw deg dau erw), Clwchdernog Hir (cant a deg o erwau) a Chnwchdernog Fawr (cant a hanner o erwau). Erbyn pedwar degau'r ganrif fe osodwyd y tair fferm i William Pritchard, yr Anghydffurfiwr cyntaf a ddaeth i Fôn ac nid rhyfedd i'r cofnod hwn yn y dyddiadur ddod yn gymaint o atyniad i haneswyr (fel y trafodir ymhellach yn y bennod 'Gweinyddwr ei Stad'). Gyda'r holl dirwedd i'w hamaethu mae'n naturiol ddigon fod y dyddiadur yn llawn o gofnodion am waith y fferm, gan nodi'n ddyddiol beth a fyddai ar dro gan y gweision.

Yn y bennod 'Amaethwr Blaengar' byddaf yn trafod sut y bu'n codi gwrychoedd i gau lloc i dyfu haidd neu geirch, a phlannu coed drain gwynion a llwyni eraill i ffurfio clawdd i gadw'r anifeiliaid o'r tir gwair yn ogystal â chodi waliau cerrig. Mae'n debyg fod yma hanes cau'r tir llafur am y waith gyntaf gan fod yma dros ddeugain o enwau caeau sy'n enwau gwreiddiol.

xvii

Mae'n debyg mai'r ffermwr ynddo a greai'r diddordeb dyddiol yn y tywydd yn William Bwcle, gan ei fod o dragwyddol bwys i bob ffermwr a thyddynnwr. Cawn enghreifftiau yn y dyddiadur o sut y byddai'r tywydd yn amharu'n drwm ar brisiau'r ffair a'r farchnad, yn lladd planhigion y bresych, yn dinistrio'r blodau ac, yn waeth na'r cwbl, yn llwgu'r gwartheg. Roedd yr amaethwr yn ddibynnol iawn ar y tywydd yn oes William Bwcle, a does ryfedd fod ganddo gofnod am y tywydd yn ddi-feth bob dydd; yn wir, yr oedd yn obsesiwn ganddo. Cofnododd gwrs y gwynt yn feunyddiol, gan synhwyro, o'i wely weithiau, ei fod wedi newid cyfeiriad ac yntau, cyn codi'r bore, yn medru amgyffred sut ddiwrnod i'w ddisgwyl. Mae'r cofnodion hyn am y tywydd yn gloddfa werthfawr ryfeddol i feteorolegwyr.

Fel ffermwr, ac un a ymorolai am ymborth i'r tŷ, yr oedd y marchnadoedd a'r ffeiriau yn bwysig iawn iddo. Yr oedd yn ymwelydd cyson â'r farchnad wythnosol yn Llanfechell ac, o bryd i'w gilydd, âi i farchnad Llannerch-y-medd, er y cyfeiriodd yn ddigon coeglyd at y fan honno fel Llannerch-y-meddwyn neu Lannerch-y-mwd (12 Ionawr 1737), a haeru y câi well bargen o lawer ym marchnad Llanfechell. Byddai pob dewis o fwydydd yn y marchnadoedd hyn – cigoedd o bob math, ymenyn, caws, gwin a halen ac fe werthid brethynnau ddigon, blancedi, llieiniau a hosannau. Ond ffair Aberffraw fyddai'r fwyaf poblogaidd. O bryd i'w gilydd âi William Davies, y gwas, â'r bustych i ffair Bangor a chael ei blesio'n fawr. Yn ôl y cofnod am 14 Mehefin 1749 fe ddeuai llawer o borthmyn o Loegr i'r ffair hon ac, yn naturiol, mi fyddai hynny yn help i'r trâd.

Nid dyn ei filltir sgwâr oedd William Bwcle, er garwed oedd ffyrdd Sir Fôn yn ôl y Morrisiaid.[4] Croesodd i Ddulyn am chwech o'r gloch y bore ar 11 Hydref 1735 a chostiodd ddeuswllt iddo ar y llong *Wyndham Paignet*. Bu droeon yn y Tŷ Chwarae yno yn gweld *The Beggar's Opera*, *The Tragedy of Don John*, *Tamarlane* a *The Royal Merchant* ac yn prynu llyfrau yno.

Fel tirfeddiannwr yr oedd gan fonheddwr y Brynddu ei bleidlais, ac fe wyddai o argyhoeddiad sut i'w defnyddio. Yn ôl y dyddiadur ar 15 Hydref 1739, cafodd lythyr gan Nicholas

Bailey, y Plas Newydd, yn gofyn am ei bleidlais. Rhoes atebiad heb ymdroi heb addewid, gan fod ei bleidlais ef i fynd i John Owen, Presaeddfed. Disgwyliwn iddo, ar bwys ei dras, fod yn uchel-Eglwyswr ac yn Jacobyn Torïaidd, ond mae'n llawer rhy agos at y Wigiaid i hynny. Y mae'n finiog ei feirniadaeth o lywodraeth Robert Walpole, gan nad oedd hon yn fawr gwell na'r llall. Fel hyn yr ysgrifennodd ar 9 Chwefror 1742:

> This day the Publick news papers gave an account that the second instant that Vile Corruptor Sir Robert Walpole finding a majority in the house against him, went to the King y evening and laid down all his places, vowing never to come again to that House; tis said he is to be made a Peer. But I hope justice will find him out in whatever House he is in. Gave 3s to relive 3 sick persons that were very poor in this parish.

Mae'n amlwg fod William Bwcle â'i fys ar y pyls gwleidyddol a chawn ef yn bwrw ei bleidlais yn ddi-feth ym mhob etholiad ym Miwmares, i ethol aelod dros y Sir neu dros fwrdeistref Biwmares.

Er ei fod yn gyfeillgar â'r werin a'r bobl gyffredin ni fynnai fod y tu allan i gylch ei gymdogion o fonheddwyr a sgweiriaid yn y Sir. Mwynhâi yntau, ar brydiau, hobnobio hefo'r mawrion. Ymunai â'r Ustus Heddwch i giniawa'n hapus yn y Red Lion neu dreulio'r noson yn yfed yn y Bull's Head ym Miwmares. Er y byddai'n hoff o ddathlu Calan ar ei aelwyd yn y Brynddu gyda'r gweision a'r medelwyr a rhyw hanner dwsin o gymdogion, eto, o bryd i'w gilydd, fe ddewisai gwmni tra gwahanol ar aelwyd William Lewis yn Llys Dulas. Yr oedd yn Llys Dulas ar 1 Ionawr 1741 mewn cwmni dethol iawn – 'a great company of customs-house officers and parsons at dinner...' Buont yn gloddesta hyd bump o'r gloch y bore ac, yn ôl ei dystiolaeth, fe lifai'r cwrw'n ffri iawn. Bu yno am dridiau yn mwynhau'r cwmni a'r gyfeddach gydol y nos.

Fel hyn y mwynhâi William Bwcle ei fywyd, gyda throed yn y ddau fyd. Wrth ddarllen y dyddiadur cawn bortread o gymdeithas hamddenol, heb neb na dim i'w chynhyrfu. Cafodd William Bwcle dragwyddol lonydd i gofnodi a dadlennu inni gymdeithas sy'n ddieithr iawn i'n haneswyr. Ni ddaeth effeithiau'r Chwyldro Diwydiannol i Fôn eto, i gythryblu llyfnder bywyd ei phlwyfi mân. Yr oedd William Bwcle yn ei fedd cyn i'r un mwynwr godi copr ym Mynydd Parys a chyn i'r un clap o lo gael ei dorri ym Mhentre Berw na Malltraeth. Ni chyrhaeddodd Ymneilltuaeth ychwaith, ar y dechrau beth bynnag, i aflonyddu rhyw lawer ar gydwybod hamddenol pobl Môn.[5]

Yn wir, rhyw 'uffern o le oedd Sir Fôn a Chymru cyn y Diwygiad Methodistaidd' yn ôl haneswyr. Oni roes Pantycelyn ddarlun du iawn o'r cyfnod hwn?

Pan oedd Cymru gynt yn gorwedd mewn rhyw dywyll farwol
hun,
Heb na Phresbyter na 'ffeiriad, nac un esgob ar ddi-hun.
Yn y cyfnos tywyll pygddu...

Ond fe fynn William Bwcle nad yw'r darlun mor ddu ag y mynn haneswyr. Yn ei gofnodion cwbl onest, gwelwn fod yna fywyd cyn y Diwygiad Methodistaidd, wel yn Sir Fôn, beth bynnag! Mae ganddo gyfraniad neilltuol wrth greu awyrgylch Môn cyn-Fethodistaidd.

Yn y cyfnod tywyll, pygddu hwn yr oedd goreugwyr yr Eglwys Wladol yn bur anfoddog yn wyneb llacrwydd moesol y wlad. Condemniai William Bwcle amryw o arferion y dydd, yn arbennig yr arfer o chwarae Anterliwtiau. Mae'n gwbl ddidostur yn ei feirniadaeth o'r rhain; cwynodd yn fawr ar 26 Mai 1735 nad oedd ond rhyw hanner dwsin yn yr Eglwys y bore Sul hwnnw am fod y bobl wedi mynd i'r arferiad anfoesol o chwarae Anterliwt. Nid oedd neb adref yn Llanfechell y diwrnod hwnnw. Ar fore'r Sulgwyn 1737 roedd ganddo rywbeth tebyg i'w ddweud: 'Few people in church this morning none in the evening, by reason of the abominable Custom of Playing Interludes, which is dull, stupid and artless in the matter. How can anybody of common sense have the patience to behold it. Making people unfit for work for day or two.' Yn wir torrai bartner â'r bobl gyffredin yn ei agwedd gondemniol o'r Gwyliau Mabsant a oedd mor boblogaidd tua amser y Sulgwyn. Tyrrai'r werin i'r Gwyliau hyn ar y Sul gan adael Eglwys y Plwyf yn wag. Yn ei gofnod am 27 Gorffennaf 1740 fe gwynodd y dyddiadurwr eto: 'People of all ages went to Llaneilian Wake to see the dry scul – to scrible on the old stone, playing and juggling in the Study Room and the Cupboard.' Y mae sgerbwd Eglwys Llaneilian yn bur enwog ac, i bobl ofergoelus y ddeunawfed ganrif, roedd Gŵyl Fabsant Llaneilian yn gryn atyniad.[6]

Er ffyrniced ei feirniadaeth, fe gefnogodd sawl ymdrech o eiddo'r Eglwys Wladol i ddyfnhau'r bywyd ysbrydol yn y wlad. I'r pwrpas hwnnw y sefydlwyd 'Cymdeithas er Taenu Gwybodaeth Gristnogol'. Cofnododd William Bwcle, gyda manyldra a pheth balchder, fel y bu i'r person ddarllen tri llythyr yn Eglwys Llanfechell. Dyma'r nodyn ar 8 Awst 1742:

> The Parson published today three letters, one from the King to the Cardinal of Canterbury, the second from him to the other Bishops & the third from the High Priest of Bangor to his lower class of Priests recommending a collection for the Society for propagating the gospel in America it was dated in Nov 2 last just before the meeting of Parliament to perswade people how zealous the King and his ministers were in the cause of Religion.

Yna yn y cofnod am 29 Awst 1742 ceir:

> The Parson preached on Acts Chap 22nd vers. 21st and endeavoured to shew (in order to promote the collection of money for those Priests that are to be sent by Gibson Bishop of London to America to convert those Gentiles to Christianity, which Priests should they be of his [Gibson] principles would make those people little better for their Christianity and very little difference would appear betwixt them and the Popish missionaries) in endeavoured I said, to shew that the sending these English Priests or missionaries by Gibson was of the same nature with that mission of Paul by Jesus Christ as mentioned in the Text and that all people in Britain were oblidged in contribute to wards the maintaining of them; thereby making the vulgar to believe that a collection for the maintenance of that Apostle was made by all the Christians of those times to support him in Grandeur while upon that business of preaching to the Gentiles. But it is certainly fact that the Apostle had no maintenance in those Pagan countries where he preached, nor the least friend or acquaintance to protect him where as these fellows, severall

scores in number have the English Settlements to resort to and the contrivance of the Government there to protect them, and if the Innocency of their lives and reason ableness of their doctrine shall appear to these Gentiles in the same manner as Paul's appeared to the Asian Gentiles they'll make converts in a very little time and at a small expense, which expence in all reason should be supplyed by those persons that choose and send them, and not by persons that have not the least share either in the Electing or approving of them.

Galwai'r person am gefnogaeth i'r Esgob Gibson a oedd yn anfon cenhadon i America er troi'r cenhedloedd at Gristnogaeth a chanmolai William Bwcle sefydlu'r Gymdeithas gan ddymuno i'r cenhadon fod mor llwyddiannus yn yr Amerig ag a fu cenhadaeth yr Apostol Paul i'r cenhedloedd. Gwelai yn y fenter hon gyfrwng a fyddai'n rhoi addysg i blant y werin.

Yn wir bu William Bwcle yn hynod gefnogol i addysg a chroesawai bob ymdrech i addysgu'r plant. Mor gynnar â 1716 bu John Bwcle o'r Garnant yn cadw ysgol fechan yn Llanfechell ac fe delid iddo ddeugain swllt y flwyddyn am ei waith fel athro. Cadarnheir hyn mewn cofnod gan William Bwcle ar 27 Awst 1740. Yn ôl y dyddiadurwr ar 22 Hydref 1734, fe ddaeth John Bwcle i'r Brynddu ym 1734 i ofyn am ei gefnogaeth gan ei fod yn un o ymddiriedolwyr ewyllys Richard Gwynne, Rhydygroes, a alwai am ysgol ym mhlwyfi Llanbadrig a Llanfechell. Cofnododd ar 17 Tachwedd 1742 iddo dderbyn rhent Nantglyn, y tyddyn a adawodd Richard Gwynne yn ei ewyllys ar gyfer cynnal ysgol yn Llanfechell a Chemais. Ar 18 Tachwedd 1742 nododd iddo roi rhent Nantglyn i Mrs Dalilah Evans, meistres ysgol Llanfechell.

Pan ddeuai Ysgolion Griffith Jones Llanddowror heibio, caent gefnogaeth galonog gan William Bwcle, a beiai ef y personiaid am eu gwrthwynebu a'u galw'n fagwrfa Methodistiaeth. Dyma gofnod ar 13 Awst 1748:

Today I visited the itinerant Charity School that is kept at this time in Caban House, where there used to be 20 children, after these (being children of these neighbouring parishes) are taught to read Welsh which they will perfectly well in 6 months, they are taught the Church Catechism and the explanation of it, and reading the Old and New Testament, they are likewise taught to write. This School is chiefly supported by South Wales Gentlemen and Englishmen. The clergy are generally all against these intinerant schools and do all they can to depreciate them calling them the nurseries of the Methodists.

Mae'n weddol naturiol y byddai'r clerigwyr hyn yn wrthwynebus i unrhyw un am sefydlu ysgol yn Llanfechell, gan y bu yma draddodiad hen o addysgu'r plant. A rhag bod yn rhy lawdrwm ar y clerigwyr, dylid cofio y bu Griffith Jones yn ddibynnol iawn ar y clerigwyr gorau i drefnu ei ysgolion. Yr oedd y rheithor o Landdowror yn ddigon o gadno i gadw ar yr ochr iawn i'w gyd-glerigwyr. Mae'n wir fod y Morrisiaid yn bur amheus o gymhellion Griffith Jones, eto canmolant hwythau 'ein hysgolion Cymreig ni'. A chofier bod arch-elyn y Methodistiaid ym Môn, Thomas Ellis, Ficer Caergybi, yn bur amddiffynnol o'r ysgolion newydd – 'it is strange that any Christian should oppose them,' meddai. Ac, fel y gwelsom, fe gofnododd William Bwcle gyda balchder am ddyfodiad yr ysgol i Lanfechell. Yr oedd y bonheddwr hwn am i bob plentyn gael addysg, os oedd hynny'n bosibl. Rhoes gefnogaeth ariannol i sawl un o ieuenctid Llanfechell gychwyn ar gwrs addysg. Fel y cofnodir am 16 Mai 1749:

> About 4 in the evening I went to Thomas Sion Rolant's house (The Fuller of Cefncoch) who teaches Psalm Singing in the Parish and sings with them every Sunday and holy day. There were many parishioners there and some of other parishes, had met to drink his ale and to give him what they thought proper, some more some less according to their circumstances and inclinations. I gave him 10s and 1s to Hugh ab William Gabriel a boy that attends the stables and who is going to him to be taught. Paid besides 6d for Ales and was at home soon after 9.

Nid rhyfedd felly fod croeso mawr yn Llanfechell i'r Ysgol Gylchynnol, yn arbennig gan y bonheddwr o'r Brynddu. Tybia rhai mai o'r gefnogaeth hon o'i eiddo y tarddodd ei gydymdeimlad â'r Ymneilltuwyr a'r Methodistiaid.[7]

[1] 'Y Delyn yn y Brynddu', *Herald Môn*, 21 Ebrill 1970.

[2] *Morris Letters II*, t. 199.

[3] Parry, Thomas, *Baledi'r Ddeunawfed Ganrif*, Gwasg Prifysgol Cymru, 1935.

[4] *Morris Letters II*, t. 341.

[5] Parry, R. Ifor, 'Dyddiadur Dyn Diwyd', *Y Dysgedydd*, 1953, tt. 157–162.

[6] *Richards*, Ruth, 'Y Farn Fawr', *Barn* rhif 439, Ebrill 2001; 'Eglwys Llaneilian', pamffled gan J. O. Hughes.

[7] Williams, John Lewis, Historical Research Notes and Notebook, *Y Ddeunawfed Ganrif ym Môn o Ddyddiadur William Bwcle*. Archifdy Caernarfon. XM/2965/14.

DYDDIADURA

Yn ei olygiad ar ddyddiadur enwog James Woodforde, *The Diary of a Country Parson 1758–1802*, dyma ddywed John Beresford, 'mae dyddiadura ar ei orau yn grefft anodd a phrin'.[1] Fe allasai ychwanegu ei bod yn grefft gwbl unigryw o lenydda hefyd. Y mae dyddiadura'n ddull cwbl wahanol i bob dull arall o ysgrifennu. Fe hawlia pob math o ysgrifennu o leiaf rhyw fath o gynneddf neu allu llenyddol, ond ni fyddai neb yn cwestiynu nac yn amau ei allu llenyddol ei hun i gadw dyddiadur. Yn hyn o beth, mae'r dyddiadur a'r llythyr yn perthyn yn agos i'w gilydd, mae'r ddau o fewn gallu a chrebwyll pawb all sgriblan ar bapur, ac mae gan bawb yr un fantais â'i gilydd i gadw dyddiadur. Mae digonedd o enghreifftiau i'w cael yn y doreth o ddyddiaduron na chyhoeddwyd a'r rheiny gan bobl o bob oed, gradd a gallu. Pobl yw'r rhain na feiddiant ysgrifennu'r un gair i'w gyhoeddi i eraill ei ddarllen gan na honnant unrhyw gymhwyster llenyddol. Ac eto, wedi cau'r drws ysgrifennant i lawr ar gof a chadw hynt a helynt y dydd, heb chwennych mynd yr un cam pellach na'r awr honno, gan nodi myrdd o fanylion am feddyliau, emosiynau a gweithgareddau'r diwrnod hwnnw. Byddai'r cofiannydd a'r hunangofiannydd yn chwynnu ac yn brig-dorri'n ofalus lawer o'r rhain gan mai yn nhermau blynyddoedd y gwêl y ddau gofiannydd fywyd o'i gymharu ag un dydd ar y tro y dyddiadurwr. Fel y gwelwn yn gyson yn nyddiadur William Bwcle, mae'r un dydd hwnnw mor wahanol i'r dydd sy'n ei ddilyn, a dyna pam fod dyddiadur fel ffurf mor onest a'r awduron yn ymddwyn yn gywir fel y gwnânt mewn bywyd go-iawn. Y llythyr yw'r unig ffurf o ysgrifennu personol sy'n cymharu â'r dyddiadur, er y bwriadwyd y llythyr i'w ddarllen gan arall a'r berthynas fyddo rhwng y gohebwyr a'i gilydd yn ddylanwadol.

Daw llawer iawn o gymeriad, argyhoeddiadau ac amgylchiadau William Bwcle i'r amlwg yn ei ddyddiadur; eto ni ddylid ei gamgymryd am hunangofiant lle byddai'r digwyddiadau a'r achlysuron wedi'u trefnu a'u tocio ar gyfer eu cyhoeddi. Mor wahanol yw arddull dyddiadurwyr; mae'r ailadrodd di-drefn a blêr yn gwbl nodweddiadol ohonynt. Waeth heb â disgwyl cywirdeb arddull a gwaith gorffenedig yma. Yn hytrach, casgliad o atgofion wedi eu taflu at ei gilydd yn frysiog bob dydd yn unol â phwrpas yr awdur yn unig a gawn. Fel y dywed William Matthews, mae dyddiadur sy'n dilyn patrwm sefydlog yn mynd yn waith llenyddol ac yn peidio â bod yn ddyddiadur.[2]

Ar y cyfan mae'r dyddiadurwr yn ysgrifennu'n gwbl ddigymell ac yn wir y gwahaniaeth amlycaf rhyngddo a phob awdur arall yw'r ffaith nad oes arno ddylanwad dyddiadurwyr eraill. Mae'r cofiannydd yn ymwybodol iawn o gofiannau eraill a bydd pob nofelydd wedi'i drwytho yng ngweithiau nofelwyr eraill ac, o bryd i'w gilydd, daw'r patrymau hyn i'r amlwg yn eu gweithiau. Ond am y dyddiadurwr, fe anturia hwn yn dawel, heb reol i'w dilyn na model i'w efelychu, na darllenydd mewn golwg.

Go brin y gwyddai William Bwcle am unrhyw ddyddiadur, heb sôn am ddarllen un. Mae'n wir i Robert Bwcle o'r Ddronwy, Llanfachraeth, Môn, gadw dyddiadur gan mlynedd ynghynt (1630–36), ond rhyw gopi bychan llipa oedd hwnnw a gariai Robert yn ei boced i'w atgoffa am ddyledion ambell ddyddynnwr iddo, os nad i'w atgoffa'i hun o sawl dyled i eraill. Mae'n syndod i'r dyddiadur bach gwerthfawr hwnnw oroesi o gwbl a go brin y cafodd bonheddwr y Brynddu olwg arno erioed. Nid rhyfedd felly fod ei ddyddiadur, fel sawl un arall, heb ei ddifwyno gan gonfensiynau a ffasiynau, a bod ynddo iaith lafar ystwyth.

Yr ydym yn ddyledus iawn i William Matthews am ei gasgliad rhyfeddol o ddyddiaduron o Brydain, rhai cyhoeddedig ac anghyhoeddedig, rhwng 1442 a 1942.[3] Fu erioed ymchwil mwy trylwyr na hon, a phrawf o lyfrgarwch anhygoel. Yn naturiol fe enwa'r enwocaf ohonynt, sef dyddiadur James Woodforde. Er mai person plwyf cyffredin cefn gwlad Weston yn Swydd Norfolk ydoedd, eto bu i'r dyddiadur hwn anfarwoli'r person a'i blwyf. Cawn gyfarfod â rhai o gymeriadau'r plwyf, yn gymdogion, yn weision a morwynion ac, yn bennaf, y teuluoedd oedd yn ymdrechu byw ar ddiwedd y ddeunawfed ganrif. Cawn ganddo hefyd fanylion personol am fanion cyffroadau a helyntion ym mywyd pentref bychan. Yn wir, dyma ddarlun ffotograffig o fywyd cefn gwlad yn y gornel ddwyreiniol honno o Loegr yn y ddeunawfed ganrif – darlun na lwyddodd yr un hanesydd nac unrhyw artist i roi inni amgenach darlun. Nid rhyfedd i William Matthews a phob Sais arall ymffrostio mai dyma'r dyddiadur Saesneg gorau o'i fath a gyhoeddwyd hyd yn hyn, a go brin fod modd rhagori arno.

Yn yr un casgliad ac yn yr un ganrif cawn enw William Bwcle, a dyma ddywed yr awdur am y dyddiadur hwn: ' … a most lively and illuminating record of the life of a Welsh Squire'. Oni allwn ninnau ymffrostio fod gennym ninnau glasur o ddyddiadur gan Gymro twymgalon, a'i fod yntau, fel James Woodforde, wedi rhoi pentref bychan yng nghwr eithaf gogledd Môn ar y map?

Ond mae dyddiaduron eraill o'r un ganrif fyddai'n cymharu ac yn ieuo'n fwy priodol ag eiddo'r gŵr o'r Brynddu. Un o'r rheini yn siŵr fyddai dyddiadur Shon William Prisiart (1749–1829) o Blas y Brain, Llanbedr-goch, Môn.[4] Er ei fod ddeng mlynedd ar hugain yn ddiweddarach na William Bwcle, mae'r ddau ddyddiadur yn rhyfeddol o debyg i'w gilydd. Rhyw fflachyn bratiog yn cynnwys y rhan helaethaf o'r flwyddyn 1797 yw eiddo Shon Prisiart. Yr oedd Shon, fel William Bwcle, yn ffermio cryn fesur o dir yn y cwmwd yma o Fôn. Bywyd a gwaith y fferm a gaiff ei sylw yntau a marchnadoedd y sir, gan gwyno'n aml am y prisiau gwael. Yr oedd cau a chodi cloddiau cerrig cyn bwysiced gwaith ym Mhlas y Brain ag a oedd yn y Brynddu. Talodd Shon bedwar swllt a chwe cheiniog i Gruffydd William, Llys y Grampog, am godi'r clawdd cerrig ar y bonc wrth y Sgubor Ddu, a rhoes chwe cheiniog yn ychwanegol iddo am dywychu clawdd pridd. Rhoes geiniog i lefnyn o hogyn am gadw'r brain o'r 'bythatwys' (hen arferiad cyffredin yn y ddeunawfed ganrif). Mae'n amlwg fod Shon Prisiart yn ddyn cyfrifol ac yn gytbwys ei farn gan y gelwir arno ef, a William Jones y Nant, i gerdded y terfynau ac i ddosbarthu'r tir comin a'r tir diffaith ym mhlwyfi Llaneugrad a Llanfair Mathafarn Eithaf. Ar 8 Hydref 1797, yn ôl y cofnod, bu'n prisio Parc Cefnbychan gan nodi yn ddiddorol iawn, ddau bris. Prisiwyd y Parc yn bymtheg swllt y cyfair heb ei sychu ac yn un swllt ar bymtheg wedi ei sychu a'i drefnu. Fel William Bwcle fe gofnododd yntau am stormydd y gaeaf yn dryllio llongau'r môr ym Moelfre, Benllech a Thraeth Coch. Fe nododd yntau yn ddyddiol ansawdd y tywydd, sy'n brawf pellach mor ddibynnol oedd amaethwyr yr oes honno ar yr hinsawdd. Mor ddiweddar â 10 Mai 1879 fe gwynai fod eira trwchus ar fynyddoedd Sir Gaernarfon ac, ar 10 Tachwedd yr un flwyddyn, fe dagodd lluwchfeydd eira bob trafnidiaeth ar Ynys Môn. Fe wyddai ffermwr Plas y Brain yntau, fel y gŵr o Lanfechell, am hynt a helynt y byd mawr y tu allan i Fôn, sy'n brawf eu bod yn darllen y papurau newydd. Diddorol yw ei gofnod am alw'r gwirfoddolwyr rhyfel i gyfarfod yn Llannerch-y-medd.

Fel yn nyddiadur William Bwcle, mae gan Shon Prisiart yntau gyfeiriadau teuluol, rhai digon dwys a thrist. Ar 10 Mai 1797, fe gyfeiriodd mewn tristwch at angladd ei briod, gan ei adael yn weddw gyda dau o blant. Allweddol iawn yw'r tebygrwydd yn amgylchiadau teulu'r ddau ddyddiadurwr. Yr oedd y ddau yn ddigon cefnog i roi ysgol gyson i'w plant. Cofnododd Shon Prisiart iddo dalu coron am ysgol i William ac Elizabeth i Robert Roberts, a gadwai ysgol yn Glasinfryn.

Ond, os bu i'r byd aros yn ddigyfnewid yn chwarter olaf y ddeunawfed ganrif, bu peth newid ym myd crefydd. Tra bod gan William Bwcle beth cydymdeimlad â'r grefydd newydd a oedd yn cyniwair ym Môn tua diwedd ei oes, cofnododd Shon Prisiart am oedfa fawr yn Llannerch-y-medd lle y bu'n gwrando ar Jones Rhoslan yn pregethu a bu iddo hyd yn oed adeiladu capel ar ei dir ym 1820 a rhoi ei fenthyg i'r Methodistiaid.[5]

Mae'n syndod wrth symud i eitha'r de, i Fro Morgannwg, a chael fod William Thomas (1727–1795) yn ei ddyddiadur ef yn portreadu cymdeithas o bobl ddigon tebyg i bobl Môn.[6] Yr oedd yntau wedi ei fwydo ym mywyd hamddenol cefn gwlad, sef fel ysgolfeistr yn Llanfihangel-ar-Elai. Cadwodd ddyddiadur manwl yn ddyddiol am dros ddeng mlynedd ar hugain, o 1762 i 1795, yn cynnwys manylion hynod am ddwyrain Morgannwg yn y cyfnod hwn. Fel hyn yr ysgrifennodd yr Athro G. J. Williams mewn adolygiad ar y dyddiadur: 'Dylai ein haneswyr lleol wybod mai yn y dyddiadur hwn y ceir y defnyddiau pwysicaf ar hanes Bro Morgannwg yn y ddeunawfed ganrif.'[7] Mae'r un peth yn hollol wir am ddyddiadur William Bwcle am hanes Môn yn yr un ganrif, fel y cydnebydd Helen Ramage yn *Portrait of an Island – Anglesey in the Eighteenth Century*, ac ar waethaf haeriad Ifor Parry: 'Oherwydd fod Môn mor ddiarffordd, nid yw dyddiaduron William Bwcle yn ddarlun o fywyd Cymru gyfan cyn y Diwygiad.'[8] Cred Keith Thomas wedyn fod haneswyr Cymru gyfan yn genfigennus o haneswyr Bro Morgannwg am gael y fath drysor o ffeithiau a chyfeiriadau mor fuddiol. Dylai fod wedi cynnwys haneswyr Môn yn eu plith.[9]

Yn wahanol i Shon William Prisiart, yn Saesneg yr ysgrifennai William Bwcle a William Thomas ill dau gan mai Saesneg oedd iaith ysgrifenedig ysgolfeistri a sgweiriaid. Ond mae'r ddau yn ymwybodol iawn eu bod yn byw mewn cymdeithas gwbl Gymreig a theimlai'r ddau eu bod yn rhan annatod o'r gymdeithas honno. Wrth gyfeirio at farwolaeth Thomas Price, rheithor Merthyr ym 1763, fel hyn y cofnododd William Thomas yn ei ddyddiadur: '... a Welshman by birth from Cwm Tolly yet could not serve his Church in Welsh but kept a curate, a Welshman'. Dyma awgrym nad oedd modd i'w gynulleidfa ei ddeall yn pregethu mewn iaith estron. Am yr un rheswm bu William Bwcle yn hynod feirniadol o bregethu'r person gydol y blynyddoedd a phan ddaeth John Evans, y ciwrat, i Eglwys Llanfechell wedi marw'r person, parhaodd beirniadaeth y bonheddwr o'r Brynddu. Ar nos Sul, 17 Medi 1758, brysiodd William Bwcle o'r Eglwys heb brofi diferyn o gwrw'r offeiriad. Cofnododd yn ei ddyddiadur, mewn dicter, i'r offeiriad godi'i destun o'r Salmau, ond heb rybudd na rheswm, pregethodd yn Saesneg! Yr oedd cydymdeimlad y bonheddwr â'r gynulleidfa syml am na ddeallent yr un gair. Yn ôl gŵr y plas nid oedd yn hawdd iawn ei ddeall yn Gymraeg!

Nid yn unig roedd y gymdeithas ym Mro Morgannwg ac ar

Ynys Môn yn debyg i'w gilydd yn y cyfnod hwn, roedd agwedd y ddau ddyddiadurwr yn debyg hefyd. Yr oedd y ddau yn byw mor agos at y bobl gyffredin fel eu bod yn ddigon hy i alw pawb wrth lasenw, a rhai o'r enwau hynny'n hynod o awgrymog. Cyfeiriodd William Thomas at ryw 'Wil Trydydd' gyda'r eglurhad: 'for that he was the third base son of his mother and each of them were called William'. Cyfeiriodd William Bwcle yntau at enw digon tebyg. Cofnododd ar 4 Hydref 1751: 'Pd to a Grand Daughter of Hugh Lewis Tri-Thri 12s for dressing feathers of 12 beds.'

Roedd y ddau yn unfryd unfarn yn eu beirniadaeth o'r gwyliau mabsant oedd mor boblogaidd yn y ddeunawfed ganrif, ym Môn a Morgannwg. Condemniodd William Thomas y gwyliau hyn fel paganiaeth feiddgar, ac mae'n llawenhau wrth weld y tyrfaoedd yn lleihau o flwyddyn i flwyddyn, neu o leiaf yr oedd yn ei berswadio'i hun o hynny. Mor gynnar â 1736 mae William Bwcle yntau'n cofnodi am y Sul, 21 Mawrth 1736: 'The Parson preached on Matthew ch 6. verse 33. – a dry insipid discourse that could not raise the thought nor invite the attention of any one in Church. I believe today being Llanbadrick wakes where there use to be foot-ball – to-day there was no football.' Fel y nodais yn y Rhagair manteisiai ar bob cyfle i gondemnio'r fath arfer â dathlu'r gwyliau hyn gan eu bod yn gwacáu'r Eglwys a'r pentrefi.

Yn ddiddorol iawn fe wahaniaetha'r ddau yn eu hagwedd tuag at yr arfer cyffredin o ymladd ceiliogod. Mae'n amlwg fod yr arfer yn boblogaidd iawn ym Môn ac ym Mro Morgannwg a gresynna William Thomas fod y tyrfaoedd yn tyrru i weld peth mor ffiaidd a chreulon. Fel hyn y cofnododd ar 16 Mawrth 1762:

> This two days a great cock match was fought by Twlc yr Hwch 21 cocks a side for 10s 6d. ye battle by Edwd. William ye Inkeeper at the Twlc. Lewis William ye feeder and others of ye one side and ye Innkeeper of Ton Dwylis, Thomas Wm Water of Carephilly ye feeder of the other side.

Dyma ddedfryd y dyddiadurwr: 'Such work brings but ye curse of God upon ye generation.'

Ar y llaw arall yr oedd William Bwcle o'r Brynddu yn gystadleuydd rheolaidd yn yr ymladdfeydd ceiliogod. Ymffrostiodd yn ei gofnod am 4 Mehefin 1734 iddo ennill yr ymladdfa gyntaf yn Llandyfrydog ac ennill llwy arian – enillodd William Hughes, person Llantrisant lwy arian hefyd. Rhoes hanner coron i Owen Warmingham am fwydo'r ceiliogod a chyrhaeddodd adref rhwng naw a deg o'r gloch y nos wedi ennill dwy lwy arian. Roedd yr ymladdfa wedi costio wyth swllt iddo, ond fe enillodd chwe swllt ar fetio. Cofnododd eto, ar fore oer 29 Ebrill 1739, iddo droi allan tua deg yn y bore am Landyfrydog. Cyrhaeddodd yno ganol dydd a'r ymladdfa'n dechrau am un o'r gloch. Buont wrthi, un ar bymtheg o geiliogod yn ymladd, hyd saith o'r gloch yr hwyr! Enillodd un ymladdfa ac ennill un llwy. Gwariodd swllt am fwyd a swllt am ddiod. Cyrhaeddodd adref am ddeg o'r gloch – tipyn o ddiwrnod!

Ond er y gwahaniaeth yn eu hagwedd at ymladd ceiliogod, fe gytunent, yn siŵr, fod y tywydd a'r hinsawdd yn eithriadol o bwysig i fywyd cefn gwlad. Nid pobl a'r gymdeithas oedd unig ddiddordeb y ddau hyn; yr oeddynt yn graff eu sylw o fyd natur a'i holl ryfeddodau a synhwyrent fod dyn ac anifail yn hollol ddibynnol ar y byd hwn. Fe gyfyd y cofnodi dyddiol a manwl o'r tywydd oherwydd eu pryder am y tyddynwyr a'r ffermwyr oedd angen yr hinsawdd i hau, i dyfu ac i gynaeafu. Os methai'r cynhaeaf, fe effeithiai ar y farchnad. Mewn byd mor dlawd yr oedd costau a phrisiau yn chwarae rhan hollbwysig yn hanes eu bywyd. Nid rhyfedd fod William Bwcle yn cofnodi'n rheolaidd yn ei ddyddiadur bris y farchnad mewn gwenith, haidd, ceirch a chig o bob math.

Cyn gorffen cymharu'r dyddiaduron, cystal i ni gael golwg ar un arall, rhyw hanner ffordd rhwng Môn a Bro Morgannwg, sef un o Ddolgellau a'r cylch yn Sir Feirionnydd. Y tro yma eto cawn gip ar ddyddiadur cefn gwlad ar ddiwedd y ddeunawfed ganrif ond yn nyddiadur Elizabeth Baker (1716–1799) cawn olwg ar gymdeithas gwbl Gymreig trwy lygaid Saesnes, a hithau heb yr un gwreiddyn yn y fro honno. Mae ei dyddiadur enwog o ddeg cyfrol, yn ei llawysgrif gelfydd ei hun, yn y Llyfrgell Genedlaethol.[10]

Cawn ganddi olwg ar fywyd yn nhref Dolgellau a'r cyffiniau yn y blynyddoedd o 1778 i 1786. Ond yn wahanol i'r ddau William, roedd cymdeithas gwbl Gymreig yn ddirgelwch llwyr iddi. Methai'n lân â deall na dygymod â'r gymdeithas honno lle'r oedd meistr a gwas, meistres a morwyn, yn medru byw mor glòs a chyfeillgar, ac yn wir mor hy ar ei gilydd. Ac yn fwy o ddirgelwch fyth, cymdeithas yr oedd y sgweier yn cymryd diddordeb personol yn y distadlaf o'i denantiaid. Yn yr un modd yr oedd Elizabeth Baker yn feirniadol iawn o'r angladd Cymreig dagreuol. Fe gredai nad oedd yr ymweliadau â theuluoedd mewn galar yn ddim amgen nag ymyrraeth fusneslyd ar breifatrwydd y trallodus. Proffwyd-odd y ddyddiadurwraig hon y byddai'r arferiad barbaraidd hwn fyw tra cedwid yr iaith Gymraeg yn fyw!

Rhydd ddisgrifiad dramatig o angladd modryb i Hugh Vaughan ar 21 Awst 1780. Wrth i'r angladd symud yn araf dros bont y dref seiniai cnul tawel eglwysi'r dref a Llanelltyd. I ychwanegu at ddifrifwch yr orymdaith canai'r dorf o'i hochr hi. Pan ddaethant yn nes sylwodd Elizabeth ar addur-niadau'r galarwyr – rhubanau, sgarffiau, bandiau hetiau a theiau anarferol o hir wedi'u clymu â rhuban caru!

Er mai angladd cwbl breifat gafodd Hugh Vaughan ei hun wedyn ar 29 Ionawr 1783, ni fu'r fath baratoi erioed. Galwyd ar deilwriaid y sir i wneud siwtiau i'r gweision, tra cyrchai'r perthnasau i Gaer i sicrhau'r ddiwyg orau. Cesglir oddi wrth y dyddiadur fod y cyfan yn ddirgelwch llwyr i Elizabeth Baker.

Mor wahanol yr edrychai William Bwcle ar yr un gymdeithas yn Llanfechell, cymdeithas yr oedd ef yn rhan ohoni. Mynnai ef i'r berthynas rhyngddo a'i denantiaid fod yn rhydd a hyf ac, os na fedrai ef ei hun fynd i angladd neb o bwys ar Ynys Môn, fe sicrhâi y cynrychiolid ef gan ei fab neu gan William Davies y gwas, gan roi swllt, ar ei ran, i'r person a wasanaethai, a chwe cheiniog i'r clochydd. Pan fu farw'r Arglwydd Bwcle o Baron Hill, cafodd wahoddiad swyddogol i fod yn un o'r cludwyr, anrhydedd eithriadol. Dyma'r hyn a ysgrifennodd yn ei ddyddiadur am 24 Mawrth 1739: 'Came to town [Biwmares] by 10 and having cleaned my boots and put on my very best wig... before we left Baron Hill we the bearers had cake and wine.' Yn yr un modd mewn angladdau llawer mwy cyffredin yn Llanfechell byddai gŵr y Brynddu yn rhannu yn eu gofidiau ac yn cyfrannu'n hael i'r galarwyr. Yn wir fe roes ddau swllt i un wraig dlawd i brynu amwisg iddi gladdu'i gŵr yn barchus (31 Ionawr 1740).

Yn wahanol eto i'r ddau ddyddiadurwr arall yr oedd Elizabeth Baker yn derbyn, os nad yn mwynhau, gwasanaethau'r Plygain. Dyma fel y nododd yn ei dyddiadur am 24 Rhagfyr 1785: 'Equipping in my Great Coat and woollen gloves I set forth to celebrate what is here named – A Plugen.' Mae'n amlwg iddi fwynhau'r gwmnïaeth yn y gwasanaeth hwnnw ac yn enwedig y gloddesta a oedd ynglŷn â'r holl beth. Mewn cofnod am wasanaeth y Plygain yn Eglwys Llanfechell ar 24 Rhagfyr 1734 dyma ddywed William Bwcle: 'A very superstitious service in Church last night called Plygain – a Popish custom. The old custom remains in Llanfechell Church.' Mae'n amlwg na fyddai William Bwcle yn mynd i un o'r gwasanaethau hyn.

Ond mae'n naturiol ddigon y byddai Saesnes, a fagwyd mewn cymdeithas gwbl wahanol yn Lloegr, dan gryn anfantais i roi disgrifiad o'r gymdeithas a oedd yn Sir Feirionnydd yn y cyfnod hwn. Ar adegau byddai raid iddi gael cyfieithydd wrth ymwneud â'r tyddynwyr a'r gweision a'r morynion, a'r rhelyw o'r crefftwyr. A pha ryfedd, pan gofiwn na fedrai David Griffith, ei landlord, yr un gair o Saesneg. Ac eto, er yr holl anfanteision hyn, fe lwyddodd Elizabeth Baker yn rhyfeddol i roi darlun mor gywir o'r gymdeithas – cymdeithas hamddenol o bobl gyffredin a'u bywydau cyffredin a thlawd, fel pobl Llanfechell ym Môn a phobl Llanfihangel-ar-Elai ym Mro Morgannwg. Fe sylwodd hithau, dichon gydag edmygedd, ar 18 Mehefin 1780: 'A poor widow, as it is a frequent cystom brew'd and her Neighbours came to drink it by way of contribution each laying down sixpence!' Pwy a ŵyr na fu hithau, fel William Bwcle yn nhŷ Wil yr Angau, ar rai o'r aelwydydd croesawgar hynny, gan dalu chwe cheiniog am jwgiad o gwrw cryf iddi ei hun ac, ar yr un pryd, estyn cymorth i rywun oedd mewn angen.

★ ★ ★

Beth tybed sy'n ysgogi rhai pobl i gadw dyddiadur? Pam y llafuriodd William Bwcle i ysgrifennu ei ddyddiadur? Yr oedd yn gofyn am gryn stamina a thipyn go lew o benderfyniad i ddal ati. 'Y cymhwyster gorau i ddyddiadura,' meddai Barbara Castle yn ei rhagymadrodd i un o ddyddiaduron Tony Benn, 'yw tymer cymhedrol, meddwl chwim a chryn dipyn o synnwyr digrifwch' ac, heb os, yr oedd y cymwysterau hyn gan William Bwcle. Gan ei bod yn orchwyl mor gyson a maith efallai fod a wnelo grym arferiad lawer â'r holl beth. Fe ddywedir i'r Frenhines Fictoria gychwyn cadw un yn dair ar ddeg oed ac Elizabeth Fry tua'r un oedran. Plentyn pur ifanc oedd y brenin Edward VI yntau pan ddechreuodd ac mae'n debyg y bu cymhelliad ar Gladstone i gydio yn yr arferiad pan oedd yn ddisgybl yn Eton. Yn rhyfeddol iawn, yn ôl yr hanes, bu i'r rhan fwyaf a ddechreuodd ar yr arfer yn ifanc ddal ati hyd derfyn eu hoes. I lawer daw'r arferiad yn bleser ac yn orchwyl dyddiol di-feth mewn bywyd.

Ymddengys dyddiadur William Bwcle ei fod ef yn reit ddefodol ynglŷn â'r gwaith gan gofnodi'r digwyddiadau a'r ffeithiau tra byddant yn fyw yn y cof ac ysgogiad y foment ar waith. Fel y dywedodd y dyddiadurwr enwog Charles Greville (1794–1865) yn y rhagair i'w ddyddiadur '... fy mwriad ydi awgrymu'r pethau bach od a godais i fyny heddiw, pethau nad ydynt yn wybyddus i neb arall.' Y pethau hynny a fyddai wedi eu hageru i'r pedwar gwynt os nas rhwydir yr awr hon. Dyma ydi llawer o ddeunydd dyddiadur William Bwcle a dyna a'i gwna mor real a diddorol. Fe olygodd gryn ymroad i gynnal a chadw dyddiadur fel hyn – yn achos William Bwcle am gyfnod o chwe blynedd ar hugain, heb fethu diwrnod. Ym mhob helbul a helynt, Sul, gŵyl a gwaith, fe ysgrifennodd mor gyson a defodol â dweud pader.

Ar bwys y trefnusrwydd a'r ddisgyblaeth a geir wrth ei ysgrifennu y gwelodd y diwygwyr yn y ddeunawfed a'r bedwaredd ganrif ar bymtheg werth neilltuol mewn dyddiadura. Rhoent bwys mawr ar ddisgyblaeth a chredent y byddai'r dyddiadur yn gyfrwng i ddychweledigion gyffesu eu pechodau. Y mae dyddiaduron Howell Harris (1714–1773) yn enghraifft dda o'r defnydd hwn.[11] Rhydd lawer iawn o ofod yn ei ddyddiaduron swmpus i'r cyffesion a arweiniodd at ei dröedigaeth, a cheir yr un elfen yn y pregethau sydd hefyd yn rhan ohonynt. Mae'n amlwg y câi'r dyddiadurwyr hyn ryw foddhad rhyfeddol wrth gyffesu eu drygau a'u pechodau a chredent y byddai'r math hwn o hunan-ddadansoddiad yn arwain at hunanddisgyblaeth. Y mae toreth o'r math hwn o ddyddiaduron crefyddol gan y tadau Methodistaidd i'w cael, sy'n feichus iawn i'w darllen ond eto a fwriadwyd i'w cyhoeddi. Mae'n wir nad oedd Howell Harris am i'w ddyddiaduron fod yn gofadail iddo ef ei hun ond mae'n amlwg y bwriadai iddynt gael eu cyhoeddi a'u lledaenu. Mae ganddo sawl cyfeiriad hwnt ac yma ynddynt: '... fel y gwêl y genhedlaeth sydd yn dod ar ei hôl...'[12]

Fe wyddai Harold Wilson yn dda am rym dyddiadur a fwriadwyd i'w gyhoeddi, gan iddo deimlo sawl dyrnod gan gyn-sêr ei gabinet – cymeriadau y daeth eu dyddiaduron yn dra enwog: rhai fel Richard Crossman, Barbara Castle a Tony Benn. Yn wir yr oedd dyddiadura yn obsesiwn gan Tony Benn – fe luniodd gynllun ei ddyddiadur pan oedd yn bymtheg ar hugain oed hyd at y flwyddyn 2025, pan fyddai'n gant oed!

Gall yr ysgogiad i gadw dyddiadur felly fod yn un mwy hunanol, a'i ystyried fel darpariaeth ar gyfer anfarwoldeb, fel deunydd hwylus ar gyfer cofiant neu hunangofiant. Bydd y dyddiadurwr yn yr achos hwn yn casglu ac yn cofnodi'r digwyddiadau yn weddol gyson ac yna, ymhen amser, yn golygu'r casgliad gyda'r bwriad o'i gyhoeddi. Neu, os nad oes ganddynt olwg ar gyhoeddi'r dyddiadur, y maent, rhag ofn i rywun ddigwydd cael gafael arno, yn golygu'r casgliad gan chwynnu a thocio er mwyn ei gael mewn golau llawer iawn mwy derbyniol.

Ni chafodd William Bwcle, y tirfeddiannwr bychan, gofiant ac, fel y gwyddom, does yr un portread ohono ar ganfas, yn wahanol i arferiad yr oes. Ond fe'i hanfarwolwyd, yn fwriadol neu'n anfwriadol, yn ei ddyddiadur enwog. O ganlyniad nid oes yr un ymchwilydd na hanesydd fyth yn cyfeirio ato heb ei wahaniaethu oddi wrth bob Bwcle arall drwy ei alw'n 'ddyddiadurwr'. Ac fel y bu i'r Frenhines Fictoria hawlio'r bedwaredd ganrif ar bymtheg iddi hi ei hun, felly y bu i'r dyddiadurwr o Fôn hawlio sleisen dda o hanes yr ynys honno yn hanner cyntaf y ddeunawfed ganrif.

Cofnodi achlysuron a digwyddiadau neilltuol yn eu hanes eu hunain a wna dyddiadurwyr eraill, cadw'r atgofion gwerthfawr rhag mynd i abergofiant. Bellach wrth gwrs mae gennym gamerâu a fideo i drysori'r achlysuron neilltuol hyn a chaiff yr ysfa i gofnodi ei bodloni yn y dechnoleg newydd.

Cawn un enghraifft dda o ymbwyllo cyn cofnodi gan William Bwcle: fe gofnododd ar 15 Awst 1739 hanes damwain erchyll pan gollwyd tri ar ddeg o fywydau ar y môr pan ddaliwyd cwch mewn storm wrth groesi'r culfor enbyd rhwng y Sgeris a'r Henborth yn Llanfair-yng-Nghornwy. Fel hyn y dechreuodd ei gofnod am y digwyddiad hwn: 'Having now some certainty of a melancholy accident that happened two months ago, I am now to give an account of it.' Fe gymerodd ddeufis i'r manylion ddod yn wybyddus. Deuwyd o hyd i'r cwch yn ddrylliau ar y creigiau yn Whitehaven ond ni welwyd dim golwg o'r criw, yn fyw nac yn farw. Dyma'r cofnod hiraf sydd gan William Bwcle yn ei ddyddiadur ac mae'n amlwg iddo oedi'n bwyllog cyn dweud y stori drist. Mae'n amlwg na theimlai fod modd cofnodi'r fath drasiedi nes i'r hanes oeri peth ac i ambell gwestiwn ddod o hyd i ateb. Eithriad prin iawn yw cofnod o'r natur hwn ganddo. Ond, tybed, gan fod y cofnod mor fwriadol ofalus, nad oedd William Bwcle yn bwriadu i rywun, ryw ddydd, ddarllen ei ddyddiadur?

Ond nid yw pawb am gyhoeddi eu sylwadau personol a phreifat i'r byd a'r betws ac yn y bôn, rhaid cofio mai dyn tawel a swil oedd William Bwcle. Mae rhai yn falch o'r dyddiadur i roi cyfle i ryw ysfa ysgrifennu sydd ganddynt. Yr ysfa honno y cyfeiria'r ddyddiadurwraig Fanny Burney (1781–1819) ati fel, ' …itch to record'. Ac oni chyfeiriodd y Cymro twymgalon hwnnw, John Evans (1815–1891), rheithor Llanllechid yn *Y Brython*: 'Y mae ysfa yn fy ewinedd i ysgrifennu.' Rhydd y math hwn o ddyddiadura gyfle a rhyddid braf i roi popeth ar bapur, heb neb i feirniadu'r iaith, yr orgraff na'i gynnwys. Nid dyddiadur y gwleidydd yn chwilio am glod ac anfarwoldeb sydd gan William Bwcle; roedd ei gymhelliad yn llawer dyfnach na hynny, ac yn siŵr nid grym arferiad a ddysgodd er yn blentyn, oedd yn gyrru'r dyddiadurwr hwn.

Yr oedd William Bwcle yn ŵr gweddw ers ugain mlynedd pan ddechreuodd gadw'i ddyddiadur. Bu farw ei wraig ar enedigaeth William, y mab, ym 1713 ac fe'i gadawyd yn weddw gyda dau o blant bychain ac yntau ond yn ddwy ar hugain mlwydd oed. Yn wahanol i'r arfer, nid oes yr un gair o sôn i William Bwcle geisio gwraig arall, er y byddai gwraig gefnog wedi ateb ei broblemau ariannol yn siŵr. Gwell oedd ganddo fod yn dad a mam i'r ddau blentyn, rhai digon anystywallt. Fel y gwelsom bu William yn bur afradlon a gwastraffus a Mary yn ferch hynod o anhydrin; cafodd ei siâr o anghydfod teuluol a gorfu iddo ymgyfreithio'n ofer gydol y blynyddoedd. Ond fe wynebodd ei bryderon yn dawel gan guddio llawer o'r gwir rhag ei fam oedrannus, a rhag ei blant. Wedi ugain mlynedd helbulus ac anodd, a hynod o unig, y troes y bonheddwr hwn ati i gadw dyddiadur.

Wrth chwilio am y cymhelliad a droes William Bwcle yn ddyddiadurwr, byddai'n werth sylwi ar ysgrif ddadlennol gan Olygydd y *Church Times* ar y testun 'The Editorial Table: Diaries and Dogs'.[13] Sôn y mae'r awdur am y cymeriad hwnnw a gaiff drafferth i ddadlennu cyfrinachau patheolegol ei galon yn gyhoeddus, neu yn wir mewn cwmni dethol. Am bob un a all ymlacio'n rhydd mewn llifeiriant geiriau mewn cwmni, mae llaweroedd a fyddai'n hapusach i dynnu i'w cragen a mynd adre'n dawel i gwmni di-embaras y dyddiadur, neu'r ci! Ni fu'r dyddiadur na'r ci erioed yn feirniadol o ymdrechion dyn, a gall rhywun ymddiried gemau ei ddoethineb a pherlau ei syniadau i'r ddau wrandäwr mud yma, sydd mor wahanol i lygaid a chlustiau beirniadol ac annystyriol y cwmni y cefnodd arnynt. Yn ôl y golygydd, mae'r dyddiadur yn barod i wrando ar bob cyffes bersonol a phob cyfrinach breifat na feiddia'r dyddiadurwr eu trafod yn gyhoeddus. Credir bod toreth o ddyddiaduron nas cyhoeddwyd ond a guddiwyd ac a gladdwyd yng nghefn droriau, neu a losgwyd yn ulw. O gymharu â'r nifer a ysgrifennwyd, ychydig iawn a gyhoeddwyd.

Tybed a fyddai William Bwcle yn gweddu i'r disgrifiad hwn o gymeriad ac mai dyma pam iddo droi at y dyddiadur?

Dichon y câi yntau, fel amryw arall, ryw fath o falf-ollwng er mwyn ymlacio'n braf wrth ail-fyw'r diwrnod ar ei ben ei hun. Yn wir, cofnododd yn bwyllog holl ddigwyddiadau'r dydd; mae'n siŵr y daeth gwên i'w wyneb weithiau, gwg dro arall, llid weithiau wrth ddyfalu beth fyddai tynged ei blant. Cofiodd rialtwch diniwed y plwyfolion, cofiodd am y chwe cheiniog a roes i'r cardotyn tlawd a'r swllt i'r tyddynnwr a gollodd ei fuwch. Ar dudalennau mud y dyddiadur tywalltodd ei siomiant a'i feirniadaeth o'i berthnasau a'i deulu a'i gadawodd ar drugaredd didostur y gyfraith. Pwy a ŵyr faint o ollyngdod a gafodd wrth fynegi ei frôl a'i feirniadaeth ar bobl, ar sefydliadau ac ar amgylchiadau?

Byddai'n deg credu mai dyma paham y trefnodd i gael astudfa fechan, wedi'i dodrefnu'n bwrpasol, iddo gael encilio yno bob nos i'r orchwyl o gadw'r dyddiadur. Mae ganddo gofnod manwl iawn am baratoi'r 'closed' fel mae'n ei galw. Yn ôl y cofnod am 24 Awst 1734, fe gostiodd yr holl waith gryn arian: talodd i Hugh Williams, y Saer, am chwe wythnos o waith yn ôl wyth geiniog y dydd, £1 6s 8d; fe dalodd £1 7s 4d i'w fab am ddeugain ac un o ddyddiau gwaith a thalodd, yn ôl pedair ceiniog y dydd, i John ap William Roberts, ei brentis. Mae'n amlwg fod gan William Bwcle gynlluniau arbennig ar gyfer y fyfyrgell fach hon, ac mae fel pe bai am eu rhoi ar gof a chadw gan mai dyma un o'r disgrifiadau manylaf sydd ganddo yn y dyddiadur. Yr oedd yn rhan o'r gwaith i gael blychau arbennig yn y closed, ond y newid mwyaf yn siŵr fu codi'r palis pren rhwng llofft y Tŷ Llaeth a'r closed, sydd i'r gorllewin. Gwnaeth y saer fwrdd a desg ysgrifennu ac ynddi ddroriau lawer, yn bwrpasol ar gyfer yr ystafell fechan gyda'i ffenestr fwaog, fel yr un yn yr ystafell uwchben y Tŷ Llaeth. Dyma'r encilfa y bu gan y dyddiadurwr law mor amlwg yn ei chynllunio ac mae gwaith crefftus Hugh Williams o Lannerch-y-medd i'w weld yno o hyd. Ar ôl tair blynedd roedd dyddiadura wedi gafael yn William Bwcle ac, yn wir, wedi profi'n therapi fuddiol iddo. Dyma'i eiriau wrth gofnodi hanes yr ystafell fach: '...he laid out for drops and buttons fod my new desk in the Closet'. Mae'n amlwg oddi wrth y geiriau hyn mai ef a gynlluniodd y closed ac, heb os, i bwrpas y dyddiadur y'i gwnaed.

Ond ni ddylid meddwl amdano fel rhyw feudwy anghymdeithasol chwaith; yn wir roedd i'r gwrthwyneb yn hollol. Yr oedd yn mwynhau cwmni pobl o bob gradd a dosbarth. Roedd yn adnabod trigolion Llanfechell – y rhan fwyaf ohonynt yn denantiaid ar ei stad – a galwai hwy wrth eu henwau cyntaf, neu lasenw gan amlaf. Byddai hefyd yn paratoi'n ofalus cyn cychwyn ar ei daith fisol i Fiwmares, i'r Sesiwn, gan edrych ymlaen yn eiddgar at gwmni'r byddigion a'r sgweiriaid yn y Llys, ac yn y Bull's Head gyda'r nos. Ond, er y gwmnïaeth hon a gâi William Bwcle, nid oedd ef y math o gymeriad a fedrai fynegi ei bryderon na lleisio'i feirniadaeth yn gyhoeddus. Fe wyddai ef cystal â neb mor gyfnewidiol y gallai pobl fod ac mor siomedig yw cyfeillion. Mae'n debyg mai teulu Llys Dulas ac William Lewis fu agosaf ato, ac eto pan alwodd yno ar ôl priodas ei ferch â Fortunatus Wright, dyma a gofnododd yn ei ddyddiadur am 8 Mai 1738: ' ... nobody asked about my daught'. Yr oedd yn ormod o fonheddwr i'w beio yn eu hwyneb, yn lle hynny aeth adref ac, wedi cau ei ddrws, rhoes fynegiant i'w siomiant, siomiant tad.

Mae'n wir ei fod mor wrthwynebus â neb i briodas ei ferch. Fe ddaeth Fortunatus Wright i'r Brynddu ar 17 Mawrth 1738 gyda Dr Richard Evans, Llannerch-y-medd, a chanddo lythyr o gymeradwyaeth gan ei gefnder, William Parry o Ddulyn. Ond, er y gymeradwyaeth i'r bragwr a'r distyllwr o Lerpwl, ac er bod ganddo stad gwerth £140, yr oedd bonheddwr y Brynddu yn bur amheus ohono.

Yn ddiddorol iawn, mae'r ugain llinell sy'n dilyn y cofnod hwn yn y dyddiadur wedi'i sgriffinio a'i ddifwyno. Paham, tybed? Efallai, wedi'r cwbl, y bwriadai William Bwcle i'w ddyddiadur gael ei gyhoeddi, ond fyddai wiw i neb ddarllen ei feirniadaeth gignoeth o'i fab-yng-nghyfraith. Dichon i'w gynddaredd fynd yn drech nag ef. Fel hyn y cyfeiriodd at y llythyr a dderbyniodd gan ei ferch yn gofyn am ganiatâd i briodi Fortunatus Wright ar unwaith a thrwy hynny arbed helbul pellach, ac os na fyddai yn rhoi ei ganiatâd yna yr oedd i anfon amdani i ddod adref. Rhoed arno ryw wltimatwm creulon. Talodd ddeuswllt i'r llanc o Gaergybi a ddaeth â'r llythyr iddo, a dyma'i ymateb yn ei gofnod am 21 Mawrth

1738. Go brin y byddai Bwcle wedi defnyddio'r math hwn o eirfa yn wyneb Fortunatus na Mary, ei ferch. Ond ni fyddai'r dyddiadur mud na Ranter, y ci, fyth yn yngan gair wrth neb. Erbyn trannoeth yr oedd wedi tawelu ac fe gofnododd, yn llawn dwyster ar 22 Mawrth 1738: 'This day my daughter was marryed to Mr Fortunatus Wright, being the same day of the month that I marryed to her mother tho' she knew nothing of it.' A dyna'r unig gyfeiriad a geir ganddo at ei wraig. Yn wir, ni soniodd air am y cyd-ddigwyddiad wrth ei ferch chwaith ond fe'i rhoes yn ei ddyddiadur.

Ar wahân i bryderon ynglŷn â'r plant, cafodd William Bwcle ei siâr o gweryla cyfreithiol ynglŷn ag ewyllysiau'r teulu hefyd. Bu'n cyfreithio'n hir ac yn gostus â dau deulu, ei frawd-yng-nghyfraith William Lewis, Trysclwyn, a theulu Hirdrefaig, Llanffinan. Credai William Bwcle y dylai cymynrodd o ewyllys Mary Hampton Henllys, modryb ei wraig, ddod i'w ferch. Ac, fel y cyfeiriodd yn ei ddyddiadur am 22 Ebrill 1734, yr oedd ei ferch wedi ennill yr achos yn Llys Bangor ac yn Llys y Bwâu, Caergaint, ond cafodd y ddau benderfyniad hyn eu gwyrdroi gan y Llys Dirprwyol, a hynny trwy ddylanwad pwysau gwleidyddol yr Aelod Seneddol, David Williams, ar ran Lewis Trysclwyn. Nid rhyfedd i William Bwcle agor y llifddorau yn ei gynddaredd ar yr Aelod Seneddol hwnnw. Yr oedd yr achos wedi costio mil o bunnoedd iddo. Yn y cofnod hwn rhoddodd Bwcle iddo ddau lasenw: 'This day Hugh Williams of Nantanog who lives in Chester, alias Hugh Quinto, alias Hump-back, who was a member of Parliament ...' Ar sail ein hadnabyddiaeth o William Bwcle gwyddwn na fyddai o fyth yn sibrwd y fath feirniadaeth gignoeth i wyneb ei elynion ond, wedi taith hir yn marchogaeth adref o Fiwmares a phawb a phopeth fel pe baent yn ei erbyn (a chofier yr oedd colli mil o bunnoedd yn golled fawr iawn), mi roedd yn dda ganddo weld a chlywed croeso Ranter pan gyrhaeddodd adref a dringo i'r ystafell fach ar y grisiau i dywallt ei enaid blinedig.

Y mae'r dyddiadur hefyd yn frith o feirniadaethau wythnosol ar bregethu'r person a cheir ysmaldod weithiau yn gymysg â'r gwawd ynddynt. Mae hyn yn gryn syndod o gofio fod y person ac yntau yn eithaf ffrindiau ac yn gymdogion da i'w gilydd a William Bwcle yn eglwyswr selog. Yr oedd Richard Bwcle, y person, yn gryn ysgolhaig – oni fu'n cynorthwyo Richard Morris i ddwyn allan yr argraffiad o'r Beibl a gyhoeddwyd ym 1752? Heb os fe wyddai William Bwcle am farn uchel-lenorion Môn am berson Llanfechell. Fel hyn y cyfeiriodd William Morris ato mewn llythyr at ei frawd Richard: 'hen ŵr diniwed, cywraint, llariaidd, cwrtais, Cymroaegydd goreu mae'n debyg ym Môn'.[14] Ar ôl yr oedfa, bron bob nos Sul, cyfarfyddai gŵr y plas â'r person i drafod llenyddiaeth a'r iaith Gymraeg gan fwynhau cwrw'r person! Ond, yn syth wedi cyrraedd adref, byddai William Bwcle yn chwipio'r person druan mewn beirniadaeth ffyrnig o'i bregethau. Diolch byth, bu farw'r person o flaen y dyddiadurwr!

Dyma a gofnododd ar nos Sul, 20 Gorffennaf 1735: 'The third Sunday without a sermon – every other Sunday he should give a sermon.' Dim ond ar y naill Sul y disgwylid i'r person bregethu ond mae'n amlwg nad oedd Richard Bwcle yn cadw at hynny, hyd yn oed. A phan gafwyd pregeth ar 17 Medi 1738: 'Very short sermon today which lasted fourteen minutes, we will have the other half in two weeks.' Wedi gwrando ar ei bregeth ar y Sul, 28 Mehefin 1739: 'should we lay people have to listen to this preaching – till God will change the behaviour of these Clergys.' Nid yn unig yr oedd pregethu'r person yn ddiffygiol, roedd ei ofal dros ei bobl yr un mor ddiffygiol. Bu Rowland ap William Probert farw wedi hir waeledd ac fel hyn yr ysgrifennodd Bwcle yn ei ddyddiadur noson yr angladd, 16 Medi 1739:

> ... a very great congregation today at Llanfechell Church and the Parson had a very good offering at the burying of my Tenant Rowland ap Wm Probert of Tyddyn Prys a laborious honest labourer and tho he had been very long ill, I did not hear that he was once visited by the Parson, so that the money he had today he little deserved.

Gwrthdystiodd yn chwyrn yn ei gofnod am 3 Medi 1738 iddo dalu pedair ceiniog ar ddeg yn y bunt o dreth Eglwys am ei dyddyn, y Garreg Lefn, ym mhlwyf Llanbadrig a hynny er mwyn atgyweirio hen Eglwys fach hyll a diolwg Llanbadrig. Ond, ar y nos Sul y bu farw'r person, 13 Mawrth 1757, yr oedd William Bwcle yn barod iawn hefo'i deyrnged uchel iddo fel cymeriad cryf a gafodd addysg dda. Ond, er ei ganmoliaeth, mynnodd ei gondemnio y noson y bu farw am ei dueddiadau pabyddol a'i agwedd lac at seremonïau ofergoelus.

Bu ei feirniadaeth o'r ciwrat, John Evans, olynydd Richard Bwcle, yn ffyrnicach fyth. Wedi gwrando arno ar 24 Awst 1758, dyma a gofnododd: 'The curate sermon tonight a sign of dullness and no knowledge of Scripture.' Yn wir yr oedd y ciwrat druan mor anobeithiol yn ei olwg fel y'i gorfodwyd i nodi ar nos Sul, 11 Mawrth 1759: The curate preaching being so dull I will not take note of his texts any more.' Ac yn wir dyna fu ei sylw olaf am bregeth o Eglwys Llanfechell wedyn.

Ond nid y personiaid yn unig a gafodd flas ei feirniadaeth. Pan ddaeth Herring, esgob Bangor, i Lannerch-y-medd ar y Sul, 13 Gorffennaf 1742, i wasanaethu Conffermasiwn: '...many went from this parish to offer their sinful heads to his pious Paw'. Ond mae'n amlwg fod y dyddiadurwr mewn cryn hwyliau y nos Sul honno, 14 Mawrth 1736, pan ddychwelodd o'r Eglwys yn cwyno nad oedd pregeth:

> No sermon today at Llanfechell tho there was one due. Every Parson and Curate in this country make good the old saying that Priests of all Religion are the same that is why have the like sameness in Pride, ostentation, neglect of duty and covitousness – no people perhaps more tenacious of their due and nobody more remiss in their Duty.

Nid beirniadu a chystwyo yn unig sydd yn ei ddyddiadur. Yn gymysg â'r beirniadu ceir canmoliaeth: canmol gwasanaeth ffyddlon ei weision yn ymdrechu i gario'r glo o Gemais yn y gwres, dotio at waith celfydd John Bengam yn codi wal gerrig a sôn am roi cil-dwrn sylweddol i Jane Owen o Fynaddfwyn am ei gofal o Anna. Pan welai ambell gynforwyn yn y ffair, byddai'n cofnodi yn ei ddyddiadur mor falch ydoedd o'i gweld ac iddo roi swllt yn anrheg iddi.

Ni lwyddodd neb i'w dewi ac fe ddaliodd ati i ysgrifennu yn y dyddiadur, er gwaethaf ei iechyd bregus ar ddiwedd ei oes. Bu'n cwyno'n gyson a bu'n bryderus ryfeddol am ei iechyd oddi ar haf 1759. Fe gofnododd ar 16 Tachwedd 1759:

This day brings down my troublesome days to 68th, entering to day on the 69th year of my age, having very bad health all this last summer and autumn, I did not expect to see this day, but Almighty God has preserved me hitherto whom I beseech to give me his grace that in whatsoever state my health the reminder of my days may be, I may pass it away in peace and that no sins unrepented of may assault my soul and disturb my peace. Amen.

Erbyn mis Ebrill y flwyddyn ddilynol cwynodd fod ei afiechyd yn codi ofn arno. Yr oedd ei aelodau'n teimlo'n llipa a diffrwyth, fel pe bai'r Parlys arno. Ond fe wellodd a chlywodd y gog eto eleni ar 22 Ebrill a gwelodd y wennol rai dyddiau ynghynt. Bregus iawn fu ei iechyd gydol haf 1760 a châi blyciau o gryndod. Yr oedd y daith o Lanfechell i Landdeusant yn ormod iddo erbyn hyn, yr oedd mor flinedig a châi waed-gyfog a oedd yn achos pryder mawr iddo a theimlai'n isel ei ysbryd ryfeddol. Cofnododd am 6 Gorffennaf 1760: 'I am very sick.' Cadarnheir hyn mewn llythyr gan William Morris at ei frawd, Lewis, ar 30 Awst 1760: 'Y mae Mr Bwcle o'r Brynddu, meddent, yn bur sâl bydd colled am hen ŵr gonest...'[15] Ar 28 Hydref y flwyddyn honno fe gladdwyd William Bwcle.

Er ei waeledd a'i wendid nychol fe ddygnodd arni hyd o fewn mis i'w farw i gadw'i ddyddiadur. Mae'n syndod sut yr oedd ganddo'r nerth na'r amynedd i edrych arno heb sôn am gofnodi gyda'r un manyldra ag yr oedd ganddo bum mlynedd ar hugain ynghynt. Ar 27 Medi 1760 fe wyddai beth oedd y dynion yn ei wneud, sef codi cerrig yn Bryniauduon i walio'r afon sy'n derfyn rhwng Brynclynni a Thyddyn Mieri. Pam, tybed, y daliodd ati i'r eithaf i gofnodi'r un manylion ac yntau yn y fath gyflwr? Heb os, fe wyddai'n burion ei fod yn marw bob dydd. Mae'n rhaid fod yr orchwyl, a gychwynnodd ar 30 Mawrth 1734, yn golygu llawer iawn iddo a'i fod yn cyfrif y ddefod yn hollbwysig. Mae'n amlwg iddo wneud ymdrech lew iawn i ddal ati ac, er ei wendid i gyd, ni wyrodd ac ni chamodd ei lawysgrif i'r diwedd. O gofio natur ei waeledd, y câi ffitiau o gryndod di-reol, sut yn y byd y llwyddodd i ddal y pìn ysgrifennu mor ddiwyro?

Yn ei adolygiad ar ddyddiadur Gilbert White, fe

gyfeiriodd Walter Johnson mewn rhyfeddod at lawysgrif ddiwyro'r dyddiadurwr hwnnw yn ei gofnod olaf un: 'There is no falling off in White's handwriting... even on the last page.' Cofnododd White, ar 13 Mehefin 1793, fod y ddaear mor galed fel na ellid hau dim; bu farw ar 26 Mehefin.[16] Yntau, fel William Bwcle yn ystod ei fisoedd olaf, yn ddyn gwael iawn. Beth bynnag yw'r cymhelliad i neb i gadw dyddiadur, mae'r hyn sy'n pery iddynt ddal ati yn rym nerthol iawn.

[1] Woodforde, James, *The Diary of a Country Parson 1758–1802* (gol. John Beresford), Llundain, 1924.

[2] Matthews, William, *British Diaries: an annotated bibliography of British Diaries written between 1442 and 1942*, Cambridge University Press, 1950.

[3] *ibid.*

[4] Bangor, MSS 2124–2129.

[5] Pritchard, John, *Methodistiaeth Môn*, Amlwch, 1888.

[6] *The Diary of William Thomas*, Llyfrgell Rydd Caerdydd MSS 4.877.

[7] Williams, G. J., 'Dyddiadur William Thomas o Lanfihangel-ar-Elai', *Morgannwg*, cyfrol I, tt. 13–30.

[8] Parry, R. Ifor, 'Dyddiadur Dyn Diwyd', *Y Dysgedydd*, 1953, tt.157–162.

[9] Denning, R. (gol.), *The Diary of William Thomas*, cyflwyniad gan Keith Thomas, South Wales Record Society, Rhydychen, 1950.

[10] 'The Diary of Elizabeth Baker – Dec 1778–March 1786', *Peniarth*. Llyfrgell Genedlaethol Cymru, MSS 416A.

[11] *Cylchgrawn Cymdeithas Hanes Methodistiaid Calfinaidd*, Cyfrol 2, 1917.

[12] *ibid.*

[13] 'The Editorial Table: Diaries and Dogs', *The Church Times*, Ionawr, 1945.

[14] *ML I*, t.167.

[15] *ML II*, t.245.

[16] Walter Johnson (gol.), *Gilbert White's Journal*, Routledge and Kegan Paul Ltd, 1970.

MEDDYGAETH

Bu afiechydon a gwaeledd yn ddirgelwch ac yn achos pryder i ddyn erioed er ei ymdrech i'w goddiweddyd. Mewn oes wyddonol daliwn i gychwyn pob ymgom gydag ymholiad ynghylch iechyd neu afiechyd y naill a'r llall. Onid y tywydd ac iechyd yw prif destun sgwrs pobl? Mae'n gwbl naturiol y byddai'r dyddiadur yn ddelfrydol i dderbyn cwynion a phob math o ddisgrifiadau am afiechydon, boed yn beryglus neu'n ddibwys. Mae'r dyddiaduron cyson i gyd bron yn cyfeirio, rhai gyda chryn fanylder, at gyflwr iechyd y dyddiadurwr ac nid yw William Bwcle yn eithriad.

Yn wir, ni chyll ddiwrnod na chyfeiria'n gyson at afiechydon ac fe gofnododd hefyd yr effaith a gaent ar gymdeithas ei ddydd. Ac, er bod llawer iawn o'r afiechydon yn ddieithr ac yn ddienw, eto fe ymdrechwyd i gael meddyginiaeth, er yn aflwyddiannus iawn.

Mae gan William Bwcle sawl cyfeiriad at afiechydon undydd unnos, sy'n brawf ei fod yn bur ddrwg ei ddioddef. Gadawodd dref Biwmares ar 5 Medi 1736, gan alw yn Llys Dulas yn ôl ei arfer ac, wedi pryd da o fwyd yno, gadawodd a throi am adref i'r Brynddu. Erbyn cyrraedd yr oedd ei wyneb yn bur chwyddedig a'r ddannodd bron â'i ddrysu, a chredai mai marchogaeth yn gyflym trwy'r gwynt fu achos yr aflwydd. Ond na feier William Bwcle am gwyno, gan nad oedd deintyddiaeth wedi'i eni bryd hynny. Fe allesid gofyn i unrhyw un a oedd yn barod, ac yn ddigon mentrus, i dynnu dant a byddai'r canlyniadau yn erchyll yn aml. Fe soniodd Elizabeth Baker am grwynwraig a adawodd i rywun anghelfydd dynnu dau ddant iddi ac fe chwyddodd ei hwyneb a throi'n ddulas fel pa bai wedi ei dyrnu. Mae'n amlwg o'r dyddiadur i ddannodd sgweier y Brynddu ddiflannu heb iddo orfod cael triniaeth o'r fath.

Ar 10 Hydref 1735 aeth William Bwcle a rhai o'i gymdogion am Gaergybi i fod yn barod trannoeth i hwylio i

Iwerddon. Tueddai i or-yfed mewn cwmni o gyfeillion ac mae'n amlwg mai dyna fu ei hanes y noson honno. Fel hyn y cofnododd am drannoeth, 11 Hydref 1735: 'Very sick all day after last night's debauch.' Treuliodd wythnos ddigon prysur yn Nulyn yn byw yn fras, gan giniawa ac yfed. Mae'n debyg bod ei gefnder, William Parry, o'r ddinas honno, yn bartner yfed da iddo a gwariai'n eithaf ffri, fesul chwe cheiniogau, ar gwrw'r Gwyddel. Yn wir fe wariodd bedwar swllt a chwe cheiniog yn ei lety am bwnsh. Nid rhyfedd iddo gwyno'n ddrwg ar 24 Hydref 1735 ei fod yn dioddef o'r dolur-rhydd a'i gwanhaodd yn ddirfawr. Collodd bob archwaeth am fwyd a diod! Ond gwyddai William Bwcle yn dda am feddyginiaeth i'r math hwn o anhwylder a greodd ef ei hun. Cofnododd iddo drannoeth: '…paid 4d for ¼ of opium', a dyna feddyginiaeth unwaith eto iddo. Ond, ymhen yr wythnos, fe yfodd chwart o win a gostiodd iddo swllt ac wyth o arian Gwyddelig. Tybed a oedd a wnelo hynny rywbeth â'r annwyd mawr a gafodd ac y cwynodd gymaint yn ei gylch ar 4 Tachwedd 1735?

Yn ôl ei gofnod am 11 Chwefror 1742, cwynai am ryw gnofa sydyn yn ei fol, gan deimlo'n oer a chrynedig. Yn ei ddychryn aeth i'w wely – yr oedd y 'gwely' yn rhan hanfodol o bob presgripsiwn yn oes William Bwcle. Cododd ei dymheredd ac ymddangosai, yn ôl tyb y claf, mai'r acsus oedd arno – un o deulu'r ffliw. Ond fe wyddai am feddyginiaeth y tro hwn eto. Aeth ati i'w ddoctora'i hun gyda Elixir Vitriol, a daliodd i gymryd y ffisig yma ac ymprydio, gan fyw ar beint a hanner o Cordinus Whey yn boeth bob nos wrth fynd i'r gwely. Mae'n amlwg mai un o afiechydon yr undydd unnos oedd hwn eto, fel y dolur gwddw drwg a gafodd dros y Nadolig y flwyddyn honno. Ar 21 Rhagfyr 1742 bu'n effro drwy'r nos a'i wddw'n boenus ryfeddol. Erbyn diwedd yr wythnos yr oedd pethau yn go ddrwg a chymerodd ddos dda o Hiera Piera, fel y cofnododd, 'to move the morbifick mater'. Ni fu sôn am yr aflwydd wedyn a chawn ef yn dathlu Calan 1743 yng nghwmni ei gymdogion tan ddau o'r gloch y bore.

Anhwylder arall a oedd yn boblogaidd yn nyddiaduron y cyfnod oedd iselder ysbryd. Yr oedd afiechyd meddwl o unrhyw fath yn gŵyn breifat iawn na fyddai neb yn trafod nac yn ysgrifennu yn ei gylch. Dim ond yn gymharol ddiweddar y bu ysgrifennu am y cyflyrau hyn.

Yr oedd y dyddiaduron personol a theuluol yn gyfrinachfa ddelfrydol i ddadlwytho'n breifat enaid trymlwythog lle gallai'r dyddiadurwr gymryd golwg wrthrychol arno'i hun. Y mae dyddiadur un fel Jane Welsh Carlyle (1801–1866) yn enghraifft dda o'r math hwn o ddyddiadura. Dadansodda Jane ei chyflwr o iselder yn gwbl agored a phersonol, er bod ganddi gofnodau sy'n llawn hiwmor a doniolwch hefyd. Bellach, gyda dyfodiad seicdreiddiad daeth y math hwn o ddyddiaduron yn boblogaidd fel eiddo Barbellion, *The Diary of a Disappointed Man* (1919).

Nid yw'r cyffyrddiadau hyn yn amlwg o gwbl yn nyddiadur William Bwcle ond, o gofio ei fod yn ddyn hynod o unig a siomedig ar lawer cyfrif, mae'n naturiol inni ddarllen yr elfen hon mewn ambell gofnod. Trafodwyd eisoes yn y bennod flaenorol y byddai'r dyddiadur yn fath o therapi meddyliol iddo, a'i fod yn teimlo'n well ar ôl tywallt ei enaid rhwng ei ddail mud.

Rhyw afiechydon, neu anhwylderau, ydi'r rhain y mae'r hil ddynol yn etifedd iddynt ym mhob oes a chyfnod. Bellach mae gwyddoniaeth a meddygaeth fodern wedi cau'r drws ar hen feddyginiaethau ac afiechydon cefn gwlad o eiddo'r werin dlawd a'i hoes fer a'i hiechyd brau. Nid oes ond atgofion prin am ddyddiau'r wermod lwyd a'i chwaer o gamomil, ac aeth meddyg y ddafad wyllt i berthyn bellach i hanes meddygaeth ddoe.

Yr oedd William Bwcle yn byw dan yr hen oruchwyliaeth gyn-ddiwydiannol a chyn-wyddonol a chawn ganddo gip ar afiechydon ac ymdrechion i'w mendio yng nghwr eithaf Sir Fôn yng nghanol y ddeunawfed ganrif. Cawn ganddo ddarlun o'r amgylchiadau cyntefig a'r amodau yr oedd pobl Llanfechell a Sir Fôn yn byw ynddynt. Yr oedd ef mor ymwybodol â neb o'r amgylchiadau celyd hyn gydag angladdau cyson, ac yntau wastad yn cyfrannu i'r tlodion i gael arch neu amwisg er mwyn claddu eu meirw mewn tipyn o barch.

Yn naturiol yr oedd yr amgylchiadau a'r amodau yr oedd y

werin yn byw ynddynt yn cyfrannu at gyflwr eu hiechyd. Diffyg bwyd maethlon oedd un a hynny, i raddau, o ganlyniad i'r tlodi enbyd a fodolai. Roedd byrddau'r tlodion yn rhyfeddol o lwm a'u bwyd mor undonog a di-faeth, yn cynnwys fawr ddim ond carboheidrad, sef bara haidd, tatws, uwd, llymru a chig hallt. Yr oedd hyn yn esgor ar afiechydon heintus a oedd yn anodd iawn i'w cadw dan reolaeth, heb sôn am eu gwella. Rhaid cofio fod amaethyddiaeth yn dal yn hynod o gyntefig, er bod sôn ym mrig y morwydd fod chwyldro ar ddod ond welodd William Bwcle fawr o hwnnw.

Nid rhyfedd ei fod yn sôn am y tywydd bob dydd yn ddifeth – dyma, wedi'r cwbl, y ffactor bwysicaf er ffyniant dyn ac anifail yn y cyfnod hwn. Roedd hi'n bwysig iawn cael tywydd ffafriol i gasglu'r ychydig gynhaeaf o wair a grawn. Rhaid cofio nad oedd ond pladuriau i fedi'r cynhaeaf a dibynnent ar gar llusg i'w gario, ac fe allai tywydd gwael ei ddifetha'n llwyr ambell dymor. Gwelwn yn y dyddiadur y ceid llawer iawn mwy o heintiau a chynnydd yn y marwolaethau wedi cynhaeaf gwael ac yr oedd hyn yn wir drwy'r wlad.

Bu gwanwyn 1740 a'r gaeaf a'r gwanwyn dilynol ym 1741 yn dymhorau difrifol ac anarferol o ran tywydd. Fel y nododd William Bwcle ar 2 a 3 Mai 1740, gorfu iddo droi'r stoc allan i ddaear oer a llwm a chaed hanner modfedd o rew. Fe sylwodd drannoeth, ar 3 Mai 1740, fod trwch o eira ar fynydd Parys, Llaneilian a'r Garn. Roedd canlyniad y fath dymor yn siŵr o ddangos. Dim ond chwarter y swm arferol o wair ac ŷd a gafwyd, gan adael y sgubor yn hanner gwag i wynebu'r gaeaf. Dyma fel y cofnododd ar 27 Ionawr 1741 am farchnad Llanfechell: 'the butcher's meat of all sorts was exceeding poor; cattle being almost starved between the want of meat and great scorching cold weather.'

Mae'n debyg mai gwanwyn y flwyddyn hon fu'r tymor gwaethaf yn hanes amaethyddiaeth ar yr Ynys. Fe gofnododd Bwcle ar 1 Ebrill 1741:

The wind NE. blowing fresh and exessive cold and scorching all day. Several people are drove to the necessity of unroofing of Barns, Stables, Cowhouses to make use of the old thatch to give their cattle to keep them alive, their fodder being all eaten and the fields all scorched up.

Fe glywyd am wartheg yn bwyta gwellt eu gwely; mae hi'n go ddrwg pan fwytant y to uwch eu pennau. Nid rhyfedd yn y fath argyfwng ei bod hi'n newyn ar yr Ynys. Roedd hi'n argyfwng ar ddyn ac anifail. Y gwanwyn dilynol fe dorrodd haint go ffyrnig o ganlyniad i'r wasgfa enbyd. Nododd William Bwcle ar 17 Mai 1742 fod rhyw haint difäol iawn yn y Sir ers rhai misoedd, yn lladd y gweiniaid mewn mater o ddiwrnod ond eraill yn llwyddo i dynnu trwyddi ymhen rhai wythnosau. Mae'n amlwg ei fod yn salwch difrifol iawn ac fe'i disgrifiodd mewn dau air – 'raging fever'. Tybed ai'r 'famine-fever', y cyfeiria Glyn Penrhyn Jones ato ydoedd? Fel hyn y disgrifia'r meddyg ef: 'Cynffonwr newyn ers cantoedd, a chlefyd a drosglwyddir i drueiniaid gwantan gan lau; ffynnai felly mewn amgylchedd gymysg o dlodi, newyn a budreddi.'[1]

Deuai'r tymhorau gwael o hyd yn eu tro ac fe gafwyd gwanwyn drwg iawn eto ym 1757. Cofnododd y dyddiadurwr ar 5 Ebrill 1757:

So remarkable has this season been above any in memory of the oldest person that the dearth and scarcity is not only in corn but in every other eatables in so much that to this day there has not been seen at Llanfechell market neither veal nor lamb that is really fit to be used.

Darlun du iawn a grea o gryn wasgfa ar y bobl. Ni ryfeddwn erbyn y gaeaf dilynol fod pethau'n mynd allan o reolaeth, cymaint felly nes y torrodd terfysg allan yng Nghaergybi. Dyma fel y cofnododd William Bwcle ar 8 Chwefror 1758: 'Mobbing has been so frequent this winter in this country and several ship loads of Corn, butter and cheese have been publickly stolen and carryed away.' Cafwyd cryn drafferth i reoli'r terfysgoedd hyn gydol gaeaf 1758 a phrofwyd peth mor anodd ydi cadw tyrfa lwglyd a thlawd dan reolaeth.

Ni ellir gorbwysleisio'r amgylchiadau llwm a thlawd a fodolai yng nghanol y ddeunawfed ganrif ym Môn. I deuluoedd mawr a thlawd roedd y sefyllfa'n argyfyngus ac yn creu problemau cymdeithasol. Gorfu i sawl teulu droi allan aelodau gwael a gwan am na allent ofalu amdanynt na'u hymgeleddu. Yn eu gwendid a'u gwaeledd magent lau, a oedd yn fodd i ledaenu'r heintiau fel tân gwyllt. Cawn sawl cofnod trist gan William Bwcle fel y bu iddo geisio helpu rhai o'r crwydriaid hyn.

Ar 18 Awst 1752 fe gofnododd iddo roi chwe cheiniog i grwydryn gwael, hanner noeth. Yn ei gofnod am 29 Mawrth 1752 dywed y sgweier iddo roi swllt yn y casgliad i helpu plant gweiniaid a adawyd gan eu rhieni mewn tlodi mawr. Rhoes eto swllt i grwydryn gwael i geisio help apothecari ar 12 Mawrth 1752. Ar ddiwedd y flwyddyn cyfarfu â gwraig wael a oedd wedi crwydro o Bentraeth a rhoes chwe cheiniog iddi. A'r creulonaf un yng nghofnod William Bwcle yw 15 Medi 1752, pan roes swllt i deulu tlawd i brynu arch i'r fam a oedd yn farw ers rhai dyddiau; gwyddai ei bod hi'n drosedd cario corff heb arch.

Mae'n amlwg mai'r un oedd yr hanes trwy'r wlad gan y cofnododd William Thomas o Fro Morgannwg yn ei ddyddiadur ef am 12 Ebrill 1766: 'Mary Hill found dyied having been turned out.' Fe soniodd hefyd ar 14 Ebrill 1765 am un, Ann James o'r Caerau, y bu i'w theulu ei throi allan i grwydro am ei bod yn lleuog ac yn fudr.

Yr oedd cyflwr y tai ac ansawdd y dŵr yn ychwanegu'n fawr at broblem afiechydon. Yr oedd tai gwael, oer a thamp yn fagwrfa i bob math o glefydau ac yn groeso i lau a llygod mawr, prif ledaenwyr yr heintiau. Casglwn o'r dyddiadur i William Bwcle wneud ei orau i waredu'r philistiaid hyn. Rhoes restr neges i Grace Mostyn fel arfer ond, y tro hwn, ar 20 Mehefin 1748, yr oedd cais am werth chwe cheiniog o wenwyn i ladd y llygod mawr: 'to buy Arsenick for the Norway rats'. Erbyn 28 Ebrill 1757, mae'n amlwg fod y sefyllfa wedi gwaethygu cryn dipyn, yn ôl y cofnod hwn pan ddywed: 'Paid Hugh Jones a Denbighshire man 2s 6d for some preparation of poison that he laid in the way of the Norway Rats in order to destroy them.' Prawf fod William Bwcle yn barod i fynd i gryn gost er mwyn cael gwared o'r llygod mawr.

Yn y mis cyntaf o'i ddyddiadur, sef Ebrill 1734, mae William Bwcle yn nodi mor ddifäol yr oedd yr afiechydon. Cofnododd ar 14 Ebrill 1734 fod cant a saith deg o gymunwyr yn Eglwys Llanfechell ar ddydd y Pasg, yna aiff ymlaen:

I do remember several Easter Days within 20 years last past,
when the number some Easter Days onely (besides ye com-
municants at Easter Eve), were 260 sometimes 240, but never
less than 220 till within this 7 or 8 years, since which a great
mortality destroyed almost half the parish.

Yr oedd hi'n llawer haws adnabod y frech wen na'r
afiechydon eraill. Gwelir ôl yr hen gnawes hon yn amlwg
ddigon ar wynebau'r neb a'i cafodd, fel y canodd Tudur Aled:
'Dyn a brech yn dwyn brychni'. Fe ddeuai'r frech goch
weithiau, fel pe bai'n gwmni i'r frech wen. Yr oeddynt ill dwy
yn creu difrod yn eu tro fel y cofnododd y dyddiadurwr ar 9
Awst 1747: 'I think that buryed to-day was eithr 12th or 13th
that had dyed of the Small Pox and some of them of the
measles, being all children from 1 year to 8 hither to.' Mae'n
amlwg y bu'r brechau hyn yn angau i lawer iawn o blant
ieuanc.

Bu'r hen frech ar ymweliad ddeng mlynedd ynghynt hefyd
ac ymddengys i lawer iawn o blant fod yn wael iawn ac i
amryw yn y cylchoedd farw. Ni allwn ond dychmygu'r
arswyd a'r ofn a ddilynai ymweliad y brechau angheuol hyn.
Bu ymweliad y frech wen ym 1738 yn bur arswydus yn yr
ardal fel y gwelwn o gofnod 9 Mawrth:

All the children of these neighbouring parishes are, or have
been, under small pox and great many of them dye; there is
also a strange and uncommon distemper seizes some which is
called the Hen-Pox.

Mae lle i gredu y deuai'r frech hon bob rhyw ddeng mlynedd
i'r Sir gan adael ei hôl yn drwm ar y gymdeithas, fel y dywed
Glyn Penrhyn Jones amdani: 'y clefyd a gipiai ymaith gyfran
helaeth o bob cenhedlaeth'.[2]

Ar 4 Hydref 1757 cofnododd William Bwcle yn llawn
pryder am ei wyres, Anna Wright, gan i'r ferch hon gael ei
tharo. Cyfeiria'i thaid at yr aflwydd fel y 'confluent small
pox', gan awgrymu'r nodau a adawai. Cymaint oedd ei ofal a'i
bryder am ei wyres ddeunaw oed fel nad yw'n awgrymu
unrhyw gyffur, nac yn sôn am alw doctor ati, ond y tro hwn fe
weddïodd yn daer am feddyginiaeth iddi. Fe ddaeth
trwyddi'n ddihangol beth bynnag, ond yr hyn sy'n anghyff-
redin yw'r ffaith iddi gael y frech eilwaith yn ôl ei gofnod ar

13 Mehefin 1758. Cytunir bellach yn ddigwestiwn mai unwaith y caiff neb y frech. Tybed nad oedd William yn cymysgu'r symptomau ac yn methu â gwahaniaethu rhyngddynt?

Mae'n ddiddorol sylwi ar ymateb Elizabeth Baker i'r frech hon ar blant a theuluoedd yng nghylch Dolgellau. Yn naturiol, byddai ymateb merch yn siŵr o fod yn wahanol a dyma fel y cofnododd yn Hydref 1784: 'It is of late so fatal that from five to seven die daily of that distemper.' Rhoes Elizabeth bresgripsiwn i fam druan a gollodd ddau blentyn i'r frech wen, rhag iddi golli rhagor: 'Aethrops mineral and an abstraction of butter.'[3]

Ac wrth sôn am blant, fel y gallesid disgwyl yr oedd marwolaethau'n uchel iawn ar enedigaeth, yn enwedig mewn achos o gamesgor. Mae llawer o sôn yn llythyrau'r Morrisiaid at golli babanod. Cyfeiriant at eu chwaer a gollodd efeilliaid ym 1739,[4] a bu farw dau o fabanod William Morris hefyd ym 1748.[5] Mewn llythyr at ei frawd Richard ar 18 Chwefror 1741, dywed William Morris ei fod yn llawn pryder am faban ei chwaer a anwyd fis cyn ei amser: 'ni wyddem ai byw ai marw a wna eto'.

Cafodd William Bwcle wybod bod ei ferch, Mary, yn bur wael yn Lerpwl a bu iddo, yn ddiymdroi, anfon Jane Owen, ei howsgipar, i ofalu amdani. Yn ôl ei gofnod ar 16 Awst 1738 yr oedd Mary wedi colli baban ar enedigaeth gyn-amserol beth amser ynghynt. Ond, ar 5 Chwefror 1739, yn ôl ei ddyddiadur fe anwyd merch fach i Mary dan ofal bydwraig oedd yn briod â Doctor Richard Evans o Lannerch-y-medd (y sonnir amdano ymhellach yn y man). Talodd William Bwcle dair gini iddi am ei gwasanaeth. Yr oedd gair da gan bawb i'r wraig hon, sy'n profi y collwyd llawer iawn o fabanod ar eu genedigaeth cyn iddi hi gymryd at y gwasanaeth arbennig hwn. Rhydd William Morris ganmoliaeth uchel iawn iddi hefyd yn ei lythyr at Richard, ei frawd, ar 26 Chwefror 1745:

Ben bore heddiw y ganed i chwi nai, fab brawd Gwilym yr hwn yr ym ni ar fedr yn gwneud y Gristion bedyddiol y foru. He was introduced upon the stage of the worldly theatre by Cousin Evans, the Dr Evans widow, who is the most famous midwife in North Wales, hi a wnaeth ei gwaith mewn cwmpas teirawr.

Pa dystiolaeth well i fydwraig. Ac yn siŵr byddai William Bwcle yn cytuno'n llwyr â'i ganmoliaeth am iddi ddwyn etifedd y Brynddu yn ddiogel i'r byd.

Nid rhyfedd y ganmoliaeth o sylweddoli mor greulon y byddai genedigaethau yn y cyfnod hwnnw. Mae gan William Thomas o Fro Morgannwg gofnod yn ei ddyddiadur ef am fam ieuanc a gwantan yn cael ei harteithio dan ddwylo anghelfydd a dibrofiad, a'r babi a hithau'n marw yn y broses.

Ond, heb os, un o afiechydon mwyaf heintus y ddeunawfed ganrif oedd 'clwy'r gwaed' – hen aflwydd gwenwynig. Rhoes yr aflwydd yma dro difäol iawn drwy Ynys Môn tua diwedd yr ail ganrif ar bymtheg ac fe ddaeth eto ym mlynyddoedd llwm dechrau pedwar degau'r ddeunawfed ganrif. Mae'n siŵr mai disgrifiad o'r afiechyd hwn a nododd William Bwcle ar 26 Chwefror 1740: 'It is become very sickly in this neighbourhood and generally all the country over... I have four servants sick of it at once.' Yr oedd yr haint ar gerdded drwy'r wlad yn ôl pob argoel. Yn ôl y dyddiadur yr oedd cryn ddwsin o feddau ar agor yn barod ym mynwent Eglwys Llanrwst. Aiff Bwcle yn ei flaen yn y cofnod i ddisgrifio'r symptomau: 'It first seizes them with pains in the head and very great hard swellings in the head and face and generally with little fever.' Ymhen rhai dyddiau fe symud y chwydd i'r bol ac at y ceilliau gan ymddangos fel torllengig. Ond fe ddiolchodd sgweier y Brynddu nad oedd yr haint mor angheuol yn Llanfechell a'r cylch ag a ydoedd drwy'r wlad.

Mynegir yr un pryder gan William Morris yn ei lythyrau at Richard ei frawd y flwyddyn ddilynol. Dyma fel yr ysgrifennodd ar 3 Mawrth 1741, a'r hirlwm ar ei waethaf: 'Mae ymma glefydau mawr, sef y bloody flux neu glwy'r gwaed mewn rhai mannau, yn arteithio teuluoedd. Abundance of poor people dying here.'[6] Mae'n naturiol y byddai'r afiechydon hyn yn ofn ac yn arswyd i fonedd a thlawd ac fe gawn William Bwcle yn llawn ei gydymdeimlad â'r plwyfolion tlawd a oedd mor ddiymadferth yn wyneb y fath haint. A phan geid llonydd oddi wrthynt, yr oedd William fel pe bai'n ceisio'u cysuro trwy sôn eu bod yn ffodus iawn o'u cymharu â phobl yng nghylchoedd Llundain. Roeddynt yn claddu cynifer â deg ar hugain o bobl bob dydd yn rhai o'r plwyfi hynny. Yn ôl ei gofnod am 23 Ebrill 1743 yr oedd, yn ôl y papur dyddiol: 'raging infections epidemiced distemper'.

Cyfeiria'r dyddiadurwr yn gyson at yr anhwylder 'ague', sef yr acsus. Ymddengys nad oedd y clefyd hwn yn golygu marwolaeth ac eithrio i bobl wantan iawn. Mae'n bosibl mai dyma'r salwch y cyfeiria Glyn Penrhyn Jones ato fel y 'malaria'. Gan fod cryn dipyn o'r Ynys yn gorstir gwlyb yn y ddeunawfed ganrif, byddai'n naturiol disgwyl i'r mosgito fagu yn y fath amgylchedd. Fe wyddai William Bwcle am yr anhwylder yma wrth yr enw 'ague'. Yn ystod ei fisoedd olaf câi ffitiau sydyn o gryndod a chyfeiria atynt fel yr 'ague'. Gwyddom fod y math hwn o gryndod yn nodweddiadol o'r malaria, ond heb brofion gwyddonol, anodd yw dadansoddi'r gwahanol symptomau hyn. Gwyddom o ffynonellau eraill fod yr 'ague' yn gyflwr cyffredin iawn yn y ddeunawfed ganrif ac roedd sawl rysáit ar gael at fendio'r aflwydd. Ceir dwy neu dair yn Llawysgrifau Bangor; un ohonynt, sef presgripsiwn gan Dr Evans, Llannerch-y-medd, yn cyfeirio at ryw foneddiges a fu'n dioddef yn hir ohono ond, ar ddamwain, awgrymodd dieithryn feddyginiaeth syml a fu'n llwyddiant, sef 'Dwy lond llwy de o flawd Brwmstan gorau i'w gymryd mewn gil [mesur] o bort pryd bynnag y daw'r pwl. Yna rhaid i'r claf fynd i'r gwely a lapio'n gynnes mewn plancedi.' Yn ôl pob tystiolaeth yr oedd yn feddyginiaeth lwyddiannus iawn.

Clefyd arall digon cyffredin oedd y dyfrglwyf neu'r dropsi. Fel yr afiechydon eraill nid oedd meddyginiaeth i hwn chwaith. Yn ei gofnod am 8 Mai 1738 fe gyfeiriodd William at ei gyfaill David Lloyd, Llwydiarth, Llannerch-y-medd, a ddioddefai o'r clefyd hwn. Treuliodd noson gyfan yn gwmni i Dr Richard Evans a ofalai amdano. Yr oedd gan fonheddwr Llwydiarth fodd i gael y gofal meddygol gorau ond, ddechrau haf y flwyddyn ddilynol, bu farw a'i gladdu ar y dydd cyntaf o Fehefin 1739: 'Set out about 9 for Mr Lloyd of Llwydiarth burying ... he dying of a deep Dropsy, could not be kept a longer time.'

Dyna'n fras batrwm o'r clefydau a flinai ac a ddifai drigolion Môn a gweddill y wlad yn y ddeunawfed ganrif, ac yn wir cyn ac ar ôl hynny. Mae'n hawdd i ni mewn oes wyddonol weld y rhesymau am yr afiechydon hyn, a chynnig meddyginiaeth effeithiol. Ond i genhedlaeth William Bwcle, a oedd yn byw dan gyni a chaledi yr oes honno, a'r heintiau hyn fel pe baent yn pladurio'r werin dlawd, nid oedd gwaredigaeth. Rhaid cofio fod meddygaeth yn aneffeithiol ryfeddol ac nad oedd y cyffuriau fawr gwell na choel gwrach.

Er hynny, fe wnaed pob ymdrech i geisio meddyginiaeth, beth bynnag am feddyg, at bob clwyf. Roedd ei genhedlaeth wedi etifeddu llawer o feddyginiaethau gan eu cyn-dadau, llawer o'r ryseitiau ar eu cof ac eraill yn ysgrifenedig. Roedd ganddynt ryw gred hynod o geidwadol, cymaint fel nad oeddynt yn barod i dderbyn unrhyw awgrym na chyngor gwahanol.

Ar gyfer anhwylderau cyffredin a syml byddai moddion ar gof a chadw pawb bron. Darllenwn am William Bwcle, ar 7 Awst 1735, yn mynd yn unswydd i'r môr yng Nghemais i ymdrochi fel meddyginiaeth at y cryd cymalau a'i poenai yn ei ben ysgwydd a'i goes. Yn ôl ei gofnod yr oedd y poenau rhiwmatig yn creu cryn drafferth iddo ers blynyddoedd. Bu'r drochfa honno yn foddion iddo gael iachâd, neu o leiaf ni chyfeiriodd at yr anhwylder wedyn. Tybed nad oedd wedi darllen am rinweddau'r môr yn ei bapur newydd? Dyma'r cyfnod pryd y dechreuwyd canu clodydd dŵr iachusol y môr yn Lloegr gan Turberville: 'Sea bathing was by this time coming much into fashion as cure and drinking sea-water was also widely recomended.'[7] Ar sail hyn y datblygwyd ac y tyfodd trefi enwog de Lloegr fel Eastbourne, Portsmouth a Brighton. Fe wyddai William Morris yntau am y ffasiwn newydd hon ac am y feddyginiaeth, fel y dywedodd yn un o'i lythyrau wrth Richard, ei frawd: 'I have taken to drinking the sea.'[8]

Cafodd William Bwcle dipyn o fraw ar 8 Hydref 1747 pan syrthiodd o'i unionsyth heb unrhyw achos gweledig fel baglu neu daro blaen ei droed. Bu'n dyfalu'n hir beth allasai'r achos fod a sylweddolodd hefyd fod peth amhariad ar ei olwg a gwtogwyd i ryw ddeugain llath o'i flaen. Cododd cryn boen yn ei goes ac, wrth ei harchwilio, daeth i'r casgliad iddo blygu'r gewyn yn go arw. At anffawd o'r math hwn yr oedd meddyginiaeth naturiol ar gof, sef ei golchi mewn finegr a mynd i'r gwely. Ond, nid oedd y goes fawr gwell erbyn trannoeth a throes William at gyffur amgenach, sef ei golchi y tro hwn gydag olew tyrpant a saim gŵydd, ac yna rhwymo cadach am y goes ac, yn ôl pob tebyg, cafodd wellhad.

Yr oedd saim gŵydd ym mhob cwpwrdd cyffuriau yn y ddeunawfed ganrif yng nghefn gwlad Cymru ac, yn wir, yn y ddwy ganrif ddilynol. Dyma'r seimiach meddalaf o bob saim ac roedd cred anghyffredin gan bobl gefn gwlad yn ei rinweddau. Fe'i defnyddid hyd at ganol yr ugeinfed ganrif fel powltis poeth rhag caethdra ar blant a phobl. Tystia rhai iddo atal niwmonia ar lawer oherwydd fe geidw bob lleithder draw gan ei fod yn ddyfrglos. Dyma'r unig gyffur a ganiateid yn y tŷ-llaeth yn yr hen oes, ar ddwylo'r llaeth-ferch neu i unrhyw bwrpas ar y llestri llaeth. Yr oedd yn eli gwerthfawr rhag brath gwynt y dwyrain ar y gweflau, y trwyn a'r clustiau ac fe'i defnyddid i esmwytháu pyrsau'r gwartheg ar wynt oer, a rhag toriadau ar benolau babanod ac ar eu trwynau mewn annwyd. Roedd hefyd yn olew gwerthfawr i glustiau a thraed cŵn defaid ar dywydd rhewllyd ac fe'i cyfrifid yn werthfawr i ireiddio lledr a strapiau harnesi ceffylau i'w cadw'n ystwyth. Tybed nad oes rhai o hyd yn ei ddefnyddio ar gyrn a charnau anifeiliaid cyn y sioe i amlygu ac i wella eu gwea tryloyw?

Yn yr un modd yr oedd gan y Morrisiaid hwythau gyfoeth o'r meddyginiaethau ymarferol hyn ar eu cof. Yn ei lythyr at Richard, ei frawd, ar 4 Chwefror 1761, cyfeiriodd Lewis Morris at un ohonynt:

> I recover, but slowly, my ashma is fixed, raw oysters and boiled muscles I find to give me great relief, the sea salt in them, no doubt is the cause; all other recipes are only temporary but these never fail to get me good rest at night. All sea fish are the same – boiled salt-herrings made fresh by steeping.[9]

Ar wahân i'r ryseitiau hyn a oedd yn fyw ac wrth law ar gof y werin yr oedd gan eraill, fel bonheddwr y Brynddu, rai ysgrifenedig, a gwnaent ddefnydd cyson ohonynt ac, yn ffodus iawn i ni, gwnaeth gofnod manwl o rai ohonynt. Tybed a gredai, ac y bwriadai, i'r dyddiadur gael ei ddarllen wedi iddo ef fynd?

Fe gofnododd rysáit ddiddorol iawn ar 5 Rhagfyr 1739, sef meddyginiaeth i frathiad ci gwyllt (Mad Dog). Mae'n cyfeirio fel y bu i ryw ŵr bonheddig ddweud y rysáit wrtho, a'i sicrhau na fu iddi erioed fethu yn ystod yr un mlynedd ar hugain y daeth yn eiddo iddo, ac fe bwysleisia y bu cryn ddefnydd arni. Mae tarddiad llawer o'r hen ryseitiau hyn yn ddirgelwch ac, yn amlach na pheidio, rhyw fonheddwr dienw o rywle a'i rhoes. Yn ddiddorol iawn fe gafwyd rysáit y Ddafad Wyllt yn Llŷn gan hen dramp dienw am bris gwydraid o gwrw. Mae amryw ohonynt yn gyfrinach ac yn eiddo i'r person a fu mor ffodus â'i chael. Ond nid oes cyfrinach am y rysáit o feddyginiaeth i frathiad y 'ci gwallgo':

Take 24 grains of Native Cinnabar, 24 grains of factitious Cinnabar and 10 grains of the finest musk; reduce each of these separately to an exeedingly fine powder, then mix them well together in a glass of Rum, Arrack or Brandy and drink it off, all at one dose, as soon as possible you can after you are bit and take second dose 30 days after the first. But suppose you should happen to be bit by a Dog and should neglect taking any remeady soon after the bite, upon the supposition that the dog was not mad: in such a case, as soon as any symptoms of madness appears in the person by that neglect they must take a dose as soon as possible they can after those symptoms appear and instead of taking a second dose 30 days after the first, as in the other case mentioned above, the second dose must be given 3 hours after the first, which, by throwing the patient into a profound sleep and strong perspiration will thoroughly cure the Bite of any mad animal, tho the disptemper was in the very last stage.

Dichon y byddai brathiadau o'r fath yn ddigon cyffredin yn y ddeunawfed ganrif ac y gallent esgor ar y gynddaredd. Cyfrifid meddyginiaeth i'r brathiadau hyn yn bwysig iawn gan fod sawl rysáit i'w chael. Tybed a oedd y gŵr bonheddig a'i rhoes i William Bwcle wedi ei rhoi i eraill hefyd? Mae rhai amrywiaethau i'r feddyginiaeth hon mewn llawysgrifau eraill:

25 grains of native Cinnabar and 25 grains of Ficticious

Sinabar, 16 grains of Musk finely powdered and given to a human creature in a glass of Spirits as soon as possible after the bite is given, the same to be given in 31 days after the part that was bitten to be rubbed with salt and butter.[10]

Wrth sôn am frathiadau, mae gan William Bwcle rysáit ar gyfer brathiad neidr hefyd, ond meddyginiaeth i'r ci yw honno. Pan frathwyd Ranter, ei gi, gan wiber – yr unig neidr wenwynig yng ngwledydd Prydain – ymatebodd Bwcle yn ddibetrus gan weithredu'r rysáit a oedd yn fyw iawn ar ei gof. Dyma'r cofnod am 29 Awst 1734:

My poor dog Ranter was bit by a viper which I killed and immediately opened and took out her fat which was near an ounce in weight and by the time I had come home from the reapers where the poor dog was bit, the part was swollen mightily and putting a spatula in the fire and making it red hot and holding it over ye place so bit and anointing the part at the same time with the fat melted and applied very hot, the dog by night was pretty well, ye swelling almost all vanished and I hope he will do very well.

Oni ddywedodd Cobbet yntau: 'the fat of an adder is said to be the antidote to its sting' – sy'n awgrymu y byddai hon yn rysáit i ddyn neu anifail.

Mae gan William Bwcle rysáit arall wedi'i chofnodi'n fanwl ac yn llawn, sef 'A Receipt to cure Green Wounds', toriad neu friw agored mae'n debyg. Fe gyfeiria'r dyddiadurwr atynt fel 'hurts in Rustic or Mechanic Employment', ac allan o gyrraedd triniaeth feddygol. Ymddengys fod William Bwcle wedi anfon y cofnod hwn i ryw gylchgrawn – tybed ai'r *Gentlemen's Magazine*? 'I hope it will not be thought improper to insert in your Magazine a short extract of Mr Sharp's Introduction to his treatise on Operations.' Mae'n amlwg ei fod yn gyfarwydd â gwaith rhyw lawfeddyg o'r enw Mr Sharp. Yn ôl y rysáit, i ddechrau mae'n bwysig i unrhyw doriad yn y cnawd waedu hyd nes y bydd iddo geulo ohono'i hun. Y mae'n bwysig cadw'r briw ar agor gan rwystro i'r croen yn ei gylch dyfu drosto. Yna rhoi lint glân arno i atal y gwaed ac fe sugna'r mater dyfrllyd a fydd yn gymysg â'r gwaed. Os tuedda'r croen i godi dylid ei bwyso i lawr â charreg fitriol. Dylid cadw'r un bandais ar y briw am o leiaf dridiau. Ond pan fydd y briw yn dechrau casglu mae'n bwysig wedyn i newid y bandais bob dydd, a rhoi eli meddal wedi lapio arno. Mae'n debyg mai cadw'r briw rhag cau'n rhy fuan yw'r bwriad a thrwy hynny gau'r drwg i mewn. Yn ddiddorol iawn mae gan Shon William Prisiart, Plas y Brain, rysáit i iacháu briw sydd wedi cau'n rhy fuan: 'Cymer flawd haidd a gwyn wyau a mêl a gwna yn blasdr i roi wrtho.'[11]

Ar wahân i'r ryseitiau hyn, a gadwyd o genhedlaeth i genhedlaeth ar gof gwlad ac mewn print, byddai William Bwcle, o'i fodd neu o raid, yn doctora cryn dipyn ei hun. Ychydig iawn o ddoctoriaid ac o boticariaid oedd ym Môn. Tueddent i aros yn y dinasoedd gan wybod mai ychydig iawn o gyfle nac o alw a fyddai am eu gwasanaeth ym Môn. Yn wyneb hyn byddai William Bwcle yn ffansïo ei hun fel tipyn o ddoctor. Casglodd arfau meddygol at ei wasanaeth ynghyd â digonedd o ryseitiau. Wrth baratoi meddyginiaeth i'r ci, mae'n sôn am roi'r 'spatula' yn y tân. Mae 'spatula' yn air diddorol iawn o'r Lladin *'spatha'*, yn golygu erfyn o siâp trywel ac a ddefnyddir i'r un pwrpas. Ond mae'r un gair yn golygu 'erfyn llawfeddyg' hefyd, a dyna'r ystyr yn y cyswllt hwn.

Manteisiodd Bwcle ar bob cyfle i gasglu gwybodaeth a chyffuriau meddygol. Ar ddechrau mis Ebrill 1749 aeth i'r Llys i Gaernarfon i gyfreithio ar ran ei fam yn yr achos yn erbyn ei frawd-yng-nghyfraith, Lloyd y Gwyddel, Hirdrefaig. Yr oedd pethau'n hynod anniben yn y gwrandawiad a gorfu i'r barnwr ohirio'r achos. Aeth William i roi tro yn y dref a galwodd yn siop un a oedd newydd ymsefydlu yno – William y Poticari. Dyma fel y cofnododd yn ei ddyddiadur am 6 Ebrill 1749: 'Paid 3s 6d for drugs at one Williams an appothecarry newly set up in Caernarvon.' Mae'n amlwg ei fod yn casglu'r drygiau hyn i'w cael wrth law pan fyddai galw iddo'i hun neu, yn wir, i arall. Ar achlysur arall rhoes dair punt a chweugain i Gabriel Jones i siopa ar ei ran yn ffair Caer. Ar wahân i dipyn o frethynnau a phadell boeth, dyma brif eitemau'r rhestr: 'Appothecarry druggs and a set of appothecarry weight.' Yr oedd y glorian bwyso yn bwysig iawn i fesur a phwyso'r gwahanol ddrygiau i baratoi'r ryseitiau. Gan bwyll mi welwn fod y casgliad yn tyfu a'r lleygwr yn arbenigo. Cofnododd ar 12 Chwefror 1742 fel y bu yn ei ddoctora'i hun gan y teimlai'n bur giami pan gododd tua naw y bore. Aeth ati i baratoi ffisig iddo'i hun yn cynnwys deugain diferyn o Elixir Vitriol a pheint a hanner o Cordinus Whey.

Pan gyrhaeddodd adref ar 30 Ebrill 1748 yr oedd ei fam yn wael er y bore, ac yn bur wantan. Ymdrechodd i'w chael i'w gwely ac aeth ati i baratoi moddion iddi. Dyma fel y cofnododd y digwyddiad: 'I found dear mother very sick and feeble … I gave her some Spirit Sal Ammonica, Mint and Penny-royal water, mixed together; she rested pretty well this night.' Ymhen deuddydd ymffrostiodd fod ei fam wedi'i hadfer i lawn iechyd, fel yr oedd gynt. Mae yma dinc o ymffrost yn ei gofnod gan deimlo ei fod yn dipyn o ddoctor: 'My dear mother by God's blessing in what I gave her is now perfectly restored to her health.'

Yn wir, yr oedd ganddo lawer mwy o feddwl ohono'i hun fel doctor nag a oedd ganddo o ddoctoriaid graddedig. Pan alwodd yn Hirdrefaig i weld ei chwaer, Catherine Lloyd, a oedd yn wael ers tro, synhwyrodd y tro hwn ei bod yn beryglus o wael. Galwyd am ddoctor yn ddiymdroi, sef Robert Owen o Bresaeddfed, gŵr ifanc a raddiodd yn Leyden ym 1731. Mae'n debyg mai newydd ddod adref o Lundain yr oedd y ffisigwr o Bresaeddfed. Er ei ragoriaethau fel meddyg ni chafodd Robert Owen fawr o lwyddiant ar fendio Catherine a rhoddodd hyn gyfle i William Bwcle gofnodi ar 2 Hydref 1747: 'I am afraid (he) did not understand her case.' Arhosodd yno hefo'i chwaer y noson honno a, chan nad oedd yn gwella dim, aeth ati i baratoi ei bresgripsiwn ei hun iddi. Yn ôl diagnosis ei brawd roedd yr anhwylder yn codi o'i stumog, gan ei bod yn cyfogi. Rhoes dair llwyaid o Minth Water gyda'r un faint o Tinchan of Poppies wedi ei felynu â Syrup of Damsons. Ar 5 Hydref 1747 fe droes William Bwcle tuag adref yn dipyn o lanc gan fod ei chwaer lawer yn well ac yntau wedi rhagori ar ffisigwr graddedig! Ond, yn anffodus, ymhen y mis fe gofnododd yn ei ddyddiadur ar 3 Tachwedd 1747: 'Today my sister dyed.'

Mae'n anodd gwybod ai diffyg ymddiriedaeth oedd gan

William Bwcle yn y doctoriaid graddedig ynteu a deimlai ryw genfigen tuag atynt. Neu, dichon fod ganddo ffydd gref, fel llawer arall o'i ddydd, yn yr hen feddyginiaethau hynny a drysorwyd ac a drosglwyddwyd o genhedlaeth i genhedlaeth, ar air ac mewn print. Mae'n syndod mor geidwadol yw dyn, ym mhob oes, ynglŷn â meddyginiaeth. Ond beth bynnag oedd yr achos am agwedd Bwcle at y meddygon hyn, mae'n amlwg ddigon y cyfrifai ei hun yn gyfartal ag unrhyw un ohonynt. Yn wir, yn ôl ei gofnod am 24 Mehefin 1742, mae'r dyddiadurwr yn bur amheus o gymhwyster Fransis Lloyd fel doctor, er iddo raddio mewn Meddygaeth o Rydychen ym 1737. Fel hyn y cyfeiriodd ato: 'Mr Fransis Lloyd (whom they called Doctor, because he was about 6 weeks in Gray's Hospital under cure for an ailment he had).' Gwyddom fod Fransis Lloyd, fel mab Rhosbeirio, yn gymydog i deulu'r Brynddu. Yn wir, yn ei gofnod cyntaf un o'i ddyddiadur fe nododd Bwcle fod rhyw oerni rhwng y ddau deulu gan i Fransis a'i chwaer eistedd yn sedd Caerdegog yn yr Eglwys un bore Sul, ac nid yn sedd Brynddu fel arfer. Dyma ddywed William Bwcle am Fransis a'i chwaer: 'both very very cold in their conversation after service the reason wherof I cannot guess at'.

Eto fe alwyd ar Dr Fransis i'r Brynddu i dendio ar ei fam yn ei gwaeledd ar ddiwedd Awst 1747 ond, yn ôl y cofnod, roedd ganddo ef ei hun law yn y rysáit a roddwyd i'w fam y diwrnod hwnnw. Rhoddwyd Hiere Piera ynghyd ag ugain diferyn o Spirit of Harts i'w gymryd ar ôl cinio. Mae'n amlwg fod y ddau deulu ar eithaf telerau â'i gilydd. Fe alwyd Francis Lloyd i fod yn gludwr yn angladd Catherine, chwaer William Bwcle, yn Hirdrefaig, gwasanaeth a gyfrifid yn gryn anrhydedd.

Nid oedd gwahaniaeth gan Fransis Lloyd i neb ddwyn ei waith fel meddyg gan fod ganddo fwy o ddiddordeb o lawer mewn etifeddu tiroedd ac eiddo ar yr Ynys. Fel hyn y cofnododd y dyddiadurwr ar 20 Tachwedd 1748:

Mr Fransis Lloyd of Rhosbeirio with his wife and children removed from Beaumaris where they had lived for 2 years to Monachdy his new purchased estate. There is about £18 a year

61

besides the farm of Monachdy for all which 'tis supposed he gave above £2000.

Dyna brawf bod y doctor hwn yn ddyn reit gefnog. Ond, yn fwy diddorol na hynny, dyma'r gŵr a roes gartref a chyfeiriad i'r plentyn a achubwyd o'r môr gerllaw, i ddod yn Evan Thomas y meddyg esgyrn enwog. Mae'n siŵr fod Dr Francis yn ddigon balch o gael help un mor awyddus ag Evan Thomas i ysgafnhau dipyn ar ei waith![12]

Ond na feier William Bwcle yn ormodol am ei agwedd tuag at feddygon a meddygaeth ei ddydd. Onid dyma oedd yr agwedd gyffredinol yn y ddeunawfed ganrif? Yn ychwanegol at yr holl ryseitiau oedd yn eu meddiant, credent hefyd mewn llysiau meddygol a bod rhinwedd ym mhob deilen. Yr oedd William Morris yn gryn awdurdod yn y maes hwn. Onid ei gasgliad ef o lysiau Môn a fu'n sail i orchestwaith Hugh Davies, *Welsh Botanology*, 1813?

Yr oedd gan William Bwcle hefyd gryn ddiddordeb a chred mewn llysieueg ac fe gofnododd ei bryder ar 16 Gorffennaf 1751 am fod y garddwr yn wael ac yntau eisiau casglu hadau'r blodau, yn arbennig y llysiau. Eto, fe gofnododd am 12 Mawrth 1731: 'I was to-day at Llaneilian Park simpling, i.e. (botanizing) and my man brought home several uncommon plants to be planted in my orchard.'

Ond, er mor aneffeithiol oedd meddygaeth y dydd, a'r amrywiol gyffuriau mor ddiymadferth, eto fe deimlai'r werin a'r bonedd yn hyderus nad oedd iachawdwriaeth o unman arall. Onid ystyriai Lewis Morris ei hun yn gystal meddyg â'r un a oedd ym Môn? Dywedodd gyda chryn awdurdod yn un o'i lythyrau wrth holi am ryw glaf: '... fe allai y medrwn roi Cyngor iddo a safiai ei hoedl, oblegid mi sefiais gantoedd yn fy amser.' Go brin y byddai'r un meddyg ym Môn bryd hynny a allasai honni dim yn debyg i'r ymffrost yna!

Yn ddiddorol iawn, nid oedd gan William Thomas y dyddiadurwr o Fro Morgannwg ychwaith fawr o olwg ar feddygon na'u meddyginiaeth gan iddo nodi'n gyson eu ffaeleddau. Fe gofnododd yn Awst 1763 i rywun o'r enw Richard John Harry gael toriad go ddrwg tra oedd yn pladuro. Gwariodd gymaint â chwe gini yn ceisio meddyginiaeth gan ddoctoriaid, ond yn ofer. Dyma gofnod William Thomas am y doctoriaid: 'they left his thigh rot by him and the gangrene rose to his blood and killed him.' Ac meddai eto am y sefyllfa yn gyffredinol ym Mro Morgannwg: 'Thus hundreds Die for want of Knowledge in Doctors and Physiceans.'

Ac er bod dyddiadur Elizabeth Baker yn dod â ni i wyth degau'r ganrif, ugain mlynedd wedi marw William Bwcle, ac er bod yna ddau ddoctor llawn amser yn Nolgellau a'r cylch, eto mae'r agwedd yn dal yn debyg at feddygon a meddygaeth. Yr oedd gan Elizabeth Baker ddiddordeb a chred mewn meddygaeth lysieuol. Fe gofnododd am 23 Mawrth 1780: 'Sir John Owen came to consult me as a surgeon – I gave him a plaister for his foot.' Ac, yn ystod ei gwaeledd ei hun ym 1782, fe nododd yn ei dyddiadur: 'I drank some grand ivy tea... what had been drunk acted as an Emetick... almost as violently as Wards Drop.'

Beth bynnag oedd barn William Bwcle am feddygon roedd yn barod iawn i helpu'r rhai na allent fforddio cael eu gwasanaeth gan fanteisio ar bob cyfle i helpu'r trueiniaid hyn. Cofnododd iddo, ar 12 Mawrth 1754, roi swllt i ddyn tlawd a gwael er mwyn iddo dalu bil y poticari. Rhoes gymaint â dau swllt yn y casgliad i helpu claf arall o'r plwyf i dalu am ddoctor ac mae'r cofnodion hyn yn britho'r dyddiadur ym mlynyddoedd olaf ei oes. Roedd gwasanaeth meddyg allan o gyrraedd y bobl gyffredin yn llwyr a dyna un rheswm pam fod meddygon o Fôn yn amharod i ddod yn ôl i'r Ynys ar ôl graddio.

Roedd y gwahanol gyffuriau meddygol a werthid yn y ffeiriau neu yn siop y poticari yng Nghaergybi, Biwmares a Llannerch-y-medd yn rhy ddrud, fel y bu inni sylwi ar yr hyn a dalai William Bwcle am ei gyffuriau. A chofiwn i William Bwcle dalu tair gini i boticari o Lannerch-y-medd wrth ofalu am Mary Wright yn ystod genedigaeth.

Er mor ddu yr ymddengys y sefyllfa, ni ddylid meddwl am Fôn yn gwbl ddiymgeledd o wasanaeth meddygon trwyddedig yn y ddeunawfed ganrif. Cyfeiria William Bwcle yn werthfawrogol iawn at wasanaeth y poticari, Richard Evans o Lannerch-y-medd. Yn ôl Glyn Penrhyn Jones: 'yn y gymdeithas statig ym Môn y dyddiau hynny syrthiai'r cyfrifoldeb o ofalu am gleifion ar y poticariaid yn bennaf, rhagflaenwyr y drygist a'r meddyg-teulu.'[13] Yr oedd Richard Evans wedi bwrw prentisiaeth o saith mlynedd ac yn ŵr a oedd wedi ennill ei blwyf ymhlith ei bobl. Bu i sawl prentis fwrw eu prentisiaeth wrth ei draed a buont hwythau, fel eu meistr, yn gaffaeliad gwerthfawr i drigolion canolbarth Môn. Yr oedd yn ymwelydd cyson i'r Brynddu a châi groeso fel meddyg a chyfaill. Diau y bu i William Bwcle fanteisio ar eu cyfeillgarwch i ychwanegu at ei wybodaeth o afiechydon y dydd ac i geisio iachâd iddynt. Yn ddiddorol iawn mae math o rysáit feddygol a adawyd gan Richard Evans i William Bwcle ar gael. Dyma'r nodyn:

> Coming in your absence am obliged to do here what I should have done at Home viz writing Directions. You will inclosed a Pott of Electuary and a Paper of vomiting powder and with that another paper of Salts. The vomiting powder I desire you will take when your the next Ague Fitt to begin upon. Mix in a Tea Cup with warm Drink washing it down with a Draught of the same and encourage its operation by Drinking plentifules of thinne water gruel warm. But if you Do not find that it works briskly you may mixt the Emetick Salt with a little more warm drink washing it down as above directed in taking the powder which will cause it to work off easier and quicker. When the fitt is entirely off, Please to take the Quantits of a large Nutmeg of the Electuary once evers 3 Hours while the Ague is off, washing it down each time with a glass of rough Claret and water or Stale Beer.
>
> I remain yours most humble Servant
> Richard Evans[14]

Mae'r nodyn uchod ar gael yn llaw wreiddiol y poticari, Richard Evans, a chan y bu farw ar ym 1742, yna mae'r nodyn yn dyddio cyn hynny.

Heb os, bu marwolaeth Richard Evans yn golled enfawr i fonedd a thlawd ym Môn. Dyma fel y cofnododd William Bwcle y digwyddiad ar 20 Gorffennaf 1742: 'Richard Evans, Surgeon of Llanerchymedd dyed.' Marw o un o'r heintiau hynny y bu'n ymdrechu'n lew i'w goncro mewn eraill. Fel hyn y bu i'r Parchedig Thomas Ellis, Rheithor Caergybi, ymateb i'r newydd: 'Y Doctor Evans druan! dyna anferth o golled bendith Thuw gida phob migwrn ag asgwrn ohono.' Yr oedd gan y Morrisiaid feddwl uchel iawn o Dr Evans hefyd. Dyma fel y cyfeiria William Morris o Gaergybi mewn llythyr at ei frawd, Richard, ar 7 Chwefror 1739: 'Bu fy nhad yn anhwylus yr wythnos hon, poen yn ei ben, trwy gymorth Dr Evans mae'n well o lawer.' Aiff yn ei flaen i sôn am eu rhieni – 'and good Dr Evans who hath saved their lives with God's assistance before his time.'[15]

Yr oedd, fel y cyfeiriwyd eisoes, feddygon graddedig ym Môn yn y cyfnod hwn ond digon llipa fu gwasanaeth dau amlwg ohonynt. Yr oedd bryd Doctor Robert Owen Presaeddfed ar etifeddu'r stad a ddeuai iddo maes o law, wedi marw ei frawd, John. Ac, fel y bu inni sylwi, nid oedd gan y Dr Fransis Lloyd yntau ychwaith ddim rhyw lawer o uchelgais ym myd meddygaeth. Daeth yntau yn berchen stad fechan ym Mynachdy.

Ar 2 Rhagfyr 1751 daeth newydd drwg i William Bwcle am gyflwr iechyd William, ei unig fab. Nid oedd ei dad wedi ei weld ers tri mis, oherwydd erbyn hyn yr oedd afradlonedd William wedi ei bellhau oddi wrth ei dad. Y noson drist honno fe nododd Bwcle yn ei ddyddiadur: '... he has not only broke all my measures, but has greatly distressed me in my circumstances.' Yn ei wewyr a'i bryder mae'n debyg nad oedd yr un meddyg ar gael ym Môn, neu fe deimlai nad oeddynt yn abl i ddelio â chyflwr enbyd ei fab. Fodd bynnag, ar 11 Rhagfyr 1751, y mae'n anfon John Ifan, y gwas, i Gaernarfon i gyrchu Dr Thomas Knight i olwg William, a oedd yn Llys Dulas, cartref ei ewythr. Rhoddodd William Bwcle ddwy gini i Lewis i dalu i'r doctor a swllt ac wyth i John Ifan i dalu costau'r daith i Gaernarfon. Yr oedd gan Thomas Knight drwydded gan Goleg y Ffisigwyr. Yr oedd ef yn siŵr yn un o arloeswyr a llywiwr meddygaeth ymarferol ddiwedd y ddeunawfed ganrif.

Ddeuddydd cyn y Nadolig, ar 23 Rhagfyr 1751, cofnododd William Bwcle:

> About 8 o'clock this night, word was sent me by my brother Lewis that my son had dyed suddenly about ½ a hour after 5 this evening after a great fit of coughing; the blood gushing

65

out of his mouth and nostrils causing it, so presumed by bursting a vein or breaking an imposture.

Fe'i claddwyd ym medd ei fam yn Eglwys Llanfechell ar 27 Rhagfyr.

[1] Jones, Glyn Penrhyn, *Meddygaeth ym Môn*, T.C.H.N.M., 1968, tt. 58–79.

[2] *ibid*, tt. 65–66.

[3] 'The Diary of Elizabeth Baker. Dec 1778–March 1786', *Peniarth* Llyfrgell Genedlaethol Cymru, MSS 416A.

[4] *ML I*, tt. 128–138.

[5] *ibid*, tt. 46–51

[6] *ibid*, t. 63.

[7] Turberville, A.S.(ed), *Johnson England*, Vol I, Oxford Press, 1933, tt. 216–217.

[8] *ML II*, t. 291.

[9] *ibid*, t. 292.

[10] Llyfrgell Prifysgol Bangor.

[11] *Llyfr Meddyginiaethau 1580* a gopïwyd gan Shon William Prisiart o Blas y Brain, Llanbedr-goch. Llawysgrifau Prifysgol Bangor, 2126.

[12] Jones, W. Hywel, *The Bone Setters of Anglesey*, T.C.H.N.M., 1981, tt. 95–181.

[13] Jones, Glyn Penrhyn, *Meddygaeth ym Môn*, T.C.H.N.M., 1969, tt. 58–79.

[14] Llawysgrif Presaeddfed, Prifysgol Bangor, rhif 475, t. 71.

[15] *ML I*, tt. 19–20.

PIGION O'R PYNCIAU

Mae'r pynciau yr ymdrinnir â hwy mewn dyddiadur yn dweud llawer am gymhelliad yr awdur. Mewn dyddiadur dyddiol mae'n syndod mor amrywiol yw'r pynciau a gaiff sylw, yn enwedig dyddiadur cefn gwlad, a thystia dyddiadur William Bwcle mor llawn ac amrywiol oedd ei fywyd ef. Mae'r pynciau hyn yn llawer rhy niferus i'w trafod bob yn un ac un, er nad yw'n hawdd dethol a dewis rhai. Yn hyn o beth gwelwn fod dyddiadura, yn wahanol iawn i bob dull arall o lenydda, yn ffurf hynod o drwsgwl; ni cheir fyth rediad ystwyth di-dor lle y gallwn ddilyn stori neu hanesyn i'w diwedd. O ganlyniad mae'r patrwm yn wasgaredig a thoredig o reidrwydd, gan ollwng yr edefyn yn gwbl ddirybudd weithiau ac ailafael ynddo ymhen dyddiau neu fisoedd.

Cawn yn nyddiadur William Bwcle sawl dirgelwch heb ei ddatrys ac ambell frawddeg faith gwmpasog yn cyrraedd i unman. Dro arall cawn gyfeiriadau swta nad oes modd gwneud na thin na phen ohonynt. Daw rhyw rwystr cyson ar draws rhediad y stori gan adael y darllenydd ar goll. Ond rhaid cofio mai cofnodi'r hyn sy'n bwysig ar yr awr honno a wna ac felly ni ddylem ddisgwyl ffurf na threfn, nac unrhyw ymgais at adeiladwaith taclus. Mae dyddiaduron gorffenedig ag arddull lenyddol yn bethau prin ryfeddol ac nid un felly yw eiddo sgweier y Brynddu o bell ffordd. Yn hytrach, mae'n gwbl nodweddiadol o ddyddiadur dyddiol, wedi'i gadw'n gyson a di-fwlch gyda thipyn o ôl brys yma ac acw. Caiff ambell bwnc sylw dyddiol, ac fe nododd ansawdd y tywydd bob dydd o'r flwyddyn yn anhygoel o gyson a manwl am gyfnod o dros ugain mlynedd.

Yr un mor gyson fe gofnododd ddyletswyddau'r fferm a rhyfeddwn at amrywiaeth y gwaith oedd i'w wneud yn y cyfnod hwnnw. Cawn olwg gyson ar yr ardd a dyletswyddau'r garddwr. Cofnododd yn wythnosol hefyd sylwadau digon beiddgar a beirniadol ar bregethau'r person a maint y gynulleidfa a phrin yr aiff yr un Sul heibio heb fod ganddo ryw sylw. Mae ganddo hefyd sylw digon manwl ar y Llys Chwarterol ym Miwmares, gan oedi weithiau ar y daith ar draws y Sir yng nghwmni'r boneddigion a ffurfiai'r uchel reithgor. Fel ffermwr, newidia'r olygfa'n barhaus gyda'r tymhorau ac fe gofnodod amser dechrau hau yn yr ardd a'r fferm, amser dechrau torri gwair a'r dydd y dechreua'r medelwyr ar yr ydau. Fel naturiaethwr craff fe wêl wennol gynta'r tymor a daw cân y gog â rhyw nodyn rhamantus i'r ardal.

Mewn gair, nid oedd yna yr un funud segur na diddigwydd ym mywyd William Bwcle ac fe lwyddodd yn rhyfeddol i rwydo'r cyfan yn ei ddyddiadur. Yn naturiol, cawn yr annisgwyl a'r anghyffredin yn gymysg â'i gilydd ganddo, y dibwys a'r pwysig, y mawr a'r mân. Caiff y cyfan sylw cyn iddynt oeri; dyna paham fod ei ddyddiadur yn 'true to nature', chwedl Daniel Owen. Oni soniodd Shakespeare yntau am ryw 'thousand shocks that humankind is heir to?' Bu rhai digwyddiadau nad ydynt mor amlwg nac mor allweddol ag eraill, ac mae'n werth nodi rhai.

Trychineb a Damwain

Mae rhai damweiniau a thrychinebau yn perthyn i oes neu gyfnod arbennig, tra ceir eraill sy'n perthyn i bob oes. Nodaf yma un a berthynai i oes a chyfnod William Bwcle. Gan fod gwneuthuriad tai ac adeiladau yn wael iawn, ni ryfeddwn iddo gofnodi hanes tai wedi dymchwel i'r llawr neu losgi'n ulw. Ar 12 Awst 1740 cofnododd i dŷ Robert Prys, Tyddyn y Weyn, ddymchwel i'r llawr ond, diolch byth, nid anafwyd neb. Bu'r fath ddamwain yn angau i lawer. Collodd teulu o Rhosbeirio, gerllaw, eu holl eiddo pan losgwyd eu cartref ar 22 Ionawr 1738: 'Gave to a man from Rhosbeirio 1s who lost everything when his house was burnt down.' Gan mai to gwellt oedd i'r tai a'r tyddynnod nid rhyfedd i dân gydio. Yr oedd William Bwcle yn barod hefo'i chwe cheiniog neu swllt i'r trueiniaid hyn a adawyd heb do uwch eu pennau.

Yn ei gofnod am 8 Ionawr 1750 fe gyfeiriodd at ddigwyddiad dadlennol iawn pan ddaeth cryn gant o drigolion Cemaes a Llanfechell gyda'i gilydd i glirio'r harbwr a ddifrodwyd gan lifogydd enbyd. Dyma fel y cofnododd y digwyddiad:

> I was all this day at Cemaes where was met near a hundred people of Llanbadrick and Llanfechell parishes with carriages of different kinds as drags, sledges, wheel carriages, with iron Bars, Pick axes and Leavers to remove and carry away the stones with which the late great land flood had choaked up and spoiled ye harbour.

Roedd hon yn olygfa unigryw iawn. Cofnododd Bwcle i ymladdfa ffyrnig ddigwydd rhwng y ddau blwyf mewn ymrysonfa bêl-droed a pharhaodd yr ymgiprys rhwng y ddau bentref am flynyddoedd ond dyma storm orlifdir yn tynnu'r ddau blwyf at ei gilydd am fod anadl einioes y ddwy gymuned yn dibynnu ar harbwr Cemaes. Oddi yma y cludid eu cynhyrchion a deuai llawer iawn o nwyddau ar y llongau, felly doedd wiw i'r harbwr fod ar gau yn hir. Cydnabu'r sgweier ei werthfawrogiad o lafur y dynion gyda gwerth hanner coron o gwrw i'w rannu rhyngddynt, ac yfodd werth chwe cheiniog ei hun. Yn wir bu'r cwrw yn symbyliad iddynt godi pier bach arall hefo'r cerrig a gariwyd i'r traeth gan rym y llifogydd. Codwyd y pier wrth Garreg y Cenyn a byddai'n help yn y dyfodol i dorri grym y storm ac i amddiffyn y prif bier.

Mae gan drafnidiaeth ei ddamweiniau ymhob oes ac mae'n un o'r achosion mwyaf cyffredin hefyd. Cwynai'r Morrisiaid am gyflwr gwael ffyrdd Môn yn eu hoes hwy a'r ffaith na ellid ond malwenna ar hyd-ddynt. Trafnidiaeth ar ddeudroed neu farchogaeth ceffyl oedd y dewis a chan na allai'r dyn cyffredin fforddio ceffyl, ei cherdded hi a wnâi'r rhan fwyaf o bobl i bobman. Ond, er y symud hamddenol a phwyllog, ceid damweiniau ar y ffyrdd. Mae cofnod gan William Bwcle ar 2 Rhagfyr 1747 am hogyn y stabl yn tywys ceffyl ifanc o'r efail (gefail Rhosbeirio mae'n debyg). Rhwymodd y llanc dibrofiad y penffrwyn am ei ganol ond pan welodd y ceffyl rywbeth diarth, saethodd ymlaen yn orwyllt, baglodd y llanc a llusgwyd ef yn ddidostur dros y cerrig ciaidd. Trwy ragluniaeth fe stopiodd y ceffyl gan adael y cartmon ifanc yn swp gwaedlyd, wedi ei anafu'n ddrwg. Yn anffodus, fel a ddigwydd mewn dyddiadur, ni chawn wybod beth fu hanes y truan.

Ceffyl gwyllt ac anhydrin fu achos damwain angheuol arall a gofnodir gan y dyddiadurwr ar 12 Gorffennaf 1738: 'a very sad Accident'. Yr oedd William, mab y Brynddu, wedi dod adref o'i ysgol yn Sir y Fflint ac aeth draw i Lanidan ar ymweliad â'r Parch Robert Lewis (1708–1766) ei ewythr, brawd i'w fam a phedwerydd mab y Parch Ambrose Lewis, Llanrhyddlad. Yr oedd Robert Lewis yn briod â merch Hugh Price – Clerc Tref Biwmares – o'r enw Margaret, un o 'Pretty Peggies' Biwmares. Bu hon yn ddigon dilornus o Mary, merch William Bwcle, yn y gorffennol ac mae'n amlwg, yn ôl y cofnod, fod y dyddiadurwr yn dal i gofio'r drosedd honno. Y diwrnod hwnnw yr oedd Robert Lewis yn awyddus iawn i'w fab bach gael cyfarfod ei ewythr. Anfonwyd am y baban a'i nyrs ar unwaith ac, ar y daith honno, mewn damwain, lladdwyd y baban. Does ganddo ddim manylion ond fe'i cyfrifai yn achos sobor o drist. Ymhen dwy flynedd, ym 1742, fe symudodd Robert Lewis yn Rheithor i Lansadwrn.

Mae'n debyg mai yn ei bapur newydd y *Chester Journal* neu'r *Chester Couvant* y darllenodd Bwcle am y ddamwain nesaf a gofnodir ganddo ar 1 Hydref 1749:

To-day an account came that Sir Watkin Williams Wynn of Wynnstay in the County of Denbigh, Bart, had been thrown off his horse as he was hunting on Tuesday 26th of last month and had broke his skull and dyed.

Yr oedd y barwn hwn yn ffigwr pwysig yng ngwleidyddiaeth gogledd Cymru, ac, yn ôl y cofnod, yr oedd wedi gwario'n drwm i gadw'i afael yn y sedd seneddol yn erbyn teulu Castell y Waun. Yr oedd iddo un mab yn etifedd o Fanny Shakerley, ei briod.

Nid yw'r ddamwain nesaf yn wleidyddol nac yn hanesyddol bwysig ond roedd yn dal yn dyngedfennol i'r rheiny a ddioddefodd. Digwyddodd yn y tŷ-llaeth, fel y cofnododd William ar 31 Ionawr 1757. Collodd Mary Williams, y llaeth-ferch, ei limpin hefo William Pritchard, y gwas. Ymddengys fod ffrae ddigon diniwed wedi codi rhwng y ddau ond bu'n ddigon i danio tymer y ferch a thrawodd y gwas â'r 'grafell'. Mae'n anodd penderfynu ai un o lestri'r llaethdy ydoedd hwn ynteu a oedd yma lygriad o'r gair 'gradell', sef plât haearn i bobi bara. Pa erfyn bynnag a ddefnyddiodd Mary Williams, bu'n agos i ladd William Pritchard. Nid oedd wedi gwella ymhen deuddydd, gan y cofnodir yn y dyddiadur ar 2 Chwefror fod y gwas druan yn ei wely, mewn cyflwr ansicr iawn ac mewn cryn boen. Yr oedd pethau mor ddrwg fel y bu raid i Mary fynd i'w gwely hefyd, yn gwbl ddiedifar. '... the grave quiet Winch on a pifling quarrel hit him with a Grafell'. Ar 8 Mawrth fe gyfeiriodd y dyddiadurwr eto at yr achos gan iddo dalu £1. 11. 6. i Mr Price, y Poticari, am ymweld â Mary ac am ei fynych ymweliadau â'r gwas, a oedd yn dal yn ei wely. Dyma enghraifft o chwarae'n troi'n chwerw! Ymhen rhai dyddiau bu farw Richard Bwcle, y person, yn annisgwyl o sydyn a dyna hergwd i helynt y tŷ-llaeth i'r cyrion. Beth tybed fu eu tynged?

Ond, heb os, y môr fu achos y trychinebau creulonaf o fewn cwmwd William Bwcle yng ngogledd-orllewin Môn. Dyma un o'r moroedd peryclaf ym Mhrydain, sy'n cylchynnu'r glennydd hyn o Foelfre i Gaergybi. Dyma'r môr a ddrylliodd sawl llong yn grybibion ac a fu'n angau i'r criwiau. Gwnaeth James Williams a Frances, ei briod, enwau iddynt eu hunain ar eu dyfodiad i blwyf Llanfair-yng-Nghornwy. Ymroes y ddau yn egnïol i ffurfio Cymdeithas i gael bad achub ar gyfer y rhan hwn o'r môr. Ar y trydydd o Dachwedd 1828, yr oedd bad achub cyntaf Môn ar y dŵr yng Nghemlyn. Ond nid oedd neb i achub llong y ddau bartner, John Edwards, Rhydybont a Hugh Lewis, Cefnhelyg, Llanfechell, ym mae Cemaes ar 10 Mehefin 1738. Yn ôl cofnod William Bwcle daeth Corwynt y Cawr gan ddryllio'u llong. O drugaredd, fe achubwyd y criw gan y llwyddodd pawb i grafangu am y creigiau neu i'r lan. Yn anffodus, fe gollwyd llwyth y llong o gant a phymtheg o geirch. Yn ôl y cofnod: 'The men went to Brynddu around 9 to swear a protest,' a chawsant bob croeso gan ŵr y plas.

Defnyddiodd y dyddiadurwr ddau air arwyddocaol iawn yn ei gofnod am 1 Tachwedd 1740: 'a violent tempest'. Dyma dymor y stormydd a'r hyrddwyntoedd – 'a thymestl wynt

Tachwedd a gyfyd ei rŷdd'. Collwyd llong a'i chriw yng Nghaergybi yn y dymestl hon a hefyd cofnododd am golli dwy long ym Miwmares, ond nid oes gyfeiriad at faint y golled.

Mae ganddo gofnod diddorol eto am 11 Hydref 1755: rhoes William Bwcle hanner coron i ryw longwr druan a ddihangodd o longddrylliad wrth drwyn y Gadair, Llanfair-yng-Nghornwy. Yn ôl tystiolaeth y truan hwnnw, ef yn unig a achubwyd ac fe gollwyd y pedwar arall. Fel a ddigwydd, cafodd cargo'r llong hon fwy o sylw nag a gafodd colli'r criw gan y dyddiadurwr. Un o longau'r Williamsons o Lerpwl oedd hi, ar ei mordaith o Jamaica, ac arni lwyth o nwyddau amrywiol – siwgr, cotwm, sunsur a thunnell o ddannedd eliffantod. Bu'r fath gargo yn atyniad i bobl yr ardaloedd cylchynnol i chwiwladrata ar hyd y traethau ac mae'n amlwg i bobl Llanfechell glywed am 'gynhaeaf y traeth', chwedl pobl Yr Ardal Wyllt. Dyma fel y cofnododd William Bwcle ar 12 Hydref 1755: 'Very few in Church this day, the people of these parts were all in Llanfair-yng-Nghornwy.' Ymhen can mlynedd a hanner fe ddarllenwn gofnod digon tebyg am yr un traeth lle golchwyd cargo arall. Ym 1897, suddodd yr *Angloman* ac arni saith gant o wartheg, pymtheg cant o ddefaid a llawer iawn o foch a cheffylau. Pwysicach o lawer na'r anifeiliaid i bobl yr Ardal Wyllt oedd y ffaith fod arni fwydydd, cig moch, bwydydd mewn tuniau ac, yn goron ar y cwbl, yr oedd yno wisgi ddigon. Dyma gofnod a gadwyd ar gof y trigolion: 'Y nos Sul dilynol, d'oedd yna ond naw yn yr oedfa yn Salem, capel y Methodistiaid yn Llanfair-yng-Nghornwy.' Roedd hwn yn lleihad rhy amlwg a rhoes y pregethwr gryn flagard i helwyr y traethau am esgeuluso'r oedfa.[1] Prawf mai'r un yw dyn ymhob oes, yn wyneb temtasiynau o'r natur hwn.

Heb os, y drychineb enbytaf a gofnodir yn nyddiadur William Bwcle yw'r ddamwain o golli tri ar ddeg o drigolion lleol pan oeddynt ar eu ffordd o Ynysoedd y Sgeris, wrth drwyn y Gadair, yn Llanfair-yng-Nghornwy. Dyma'r unig ddigwyddiad y mae'r dyddiadurwr yn aros am ddau fis cyn ei gofnodi – efallai oherwydd ei fod yn gobeithio y deuai rhyw newyddion am hynt y rhai a gollwyd?

Temtiwyd William Robinson, bonheddwr o Sir Ddinbych, a oedd berchen ar Mynachdy, stad fechan yn ardal Llanfair-yng-Nghornwy, i groesi'r culfor o'r Henborth gerllaw i ynys hudolus y Sgeris un prynhawn braf o Fehefin ym 1739. Ymunodd eraill â'r bonheddwr ar y fordaith – ei arddwr Mr Edwards o Stansty yn Ninbych, a ddaeth gyda'i feistr i gynllunio gardd ym Mynachdy; William Thomas, tenant Mynachdy, a'i fab a'i was yntau; John Humphreys ap Richard Owen; Hugh Jones, rhydd-ddeiliad o Roscolyn, a John Lewis o Lanrhwydrus, plwyf cyfagos. Dyma'r criw, saith ohonynt, a adawodd yr Henborth ar 20 Mehefin 1739 i bicnica ar Ynysoedd y Moelrhoniaid. Cyfarfuasant â pharti arall ar yr un perwyl ar yr Ynys, sef William Watkin o'r Wylfa, Llanbadrig; Richard ap Siôn ap William Probert o Gwyddelyn (tyddyn ar derfyn y Wylfa) a Richard Owen ap William Bedward o Dyddyn Ronw (tyddyn arall ar derfyn y Wylfa). Yn ôl cofnod y dyddiadur, fe gododd gwynt cryf tua chwech o'r gloch yr hwyr:

> about 6 in ye evening the wind rose very high and Mr Robinson and these people being heated with liquor (as ye people, yt kept ye lights in the Tower reported) resolved to go home thro' the storm it blew so high and reined so fast withall that ye people in the Island soon lost sight of them.

A dyna'r olwg olaf a gafwyd o'r cychwyr druan.

Ar 24 Mehefin 1739 fe ddaethpwyd o hyd i gwch gwag ar y traeth yn Whiteheaven. Gan fod y fath drychineb wedi ei gofnodi yn y papurau cyhoeddus fe gysylltodd Gwylwyr y Glannau Whiteheaven â Chaer gan gofnodi iddynt gael cwch toredig yn un o'r cilfachau yno. Yr unig ddynodiad yn y cwch oedd caead blwch menyn gyda'r enw 'William Thomas' arno. Penderfynwyd anfon John Thomas, y Wylfa, a adeiladodd y cwch, i Whiteheaven i'w weld. Dychwelodd gyda chadarn-had am un o drasiediau enbyda'r ardaloedd hyn. Fe hyrddiwyd y cwch yn unionsyth i'r gogledd a glanio yn un o'r cilfachau a gyfrifid yn ddigon enbyd iddynt godi yno oleudy yn y ddeunawfed ganrif, oddeutu'r un cyfnod ag y codwyd goleudy'r Sgeris ym Môn. Gan fod cryn nifer o'r papurau newydd o'r cyfnod hwn wedi diflannu'n llwyr

73

ymddengys mai yn nyddiadur William Bwcle yn unig y ceir cofnod o'r drasiedi enbyd hon, ar wahân i nodyn mewn llythyr a anfonwyd gan William Myddelton o Waunynog, ger Dinbych, at John Myddelton ar 3 Gorffennaf 1739, lle y cyfeirir at y ddamwain gan eu bod yn wybyddus iawn â theulu William Robinson o'r Gwersyllt, a oedd rhyw ddeng milltir o Waunynog. Dyma'r cyfeiriad yn llythyr William Myddelton:

> All this Country is much alarm'd with a very shocking account of Mr Robinson a doz more in company being lost at sea. They took Boat for the Skerries, a small Island on the Anglesea coast, about a fortnight agoe, and were observed by several persons from shore to be in great distress and have not been heard of since. The Kings Cruiser has been in the Isle of Man in quest of 'em and has return'd long since without the least account, it is now concluded that unless they are thrown on the Coast of Scotland, they must have perish'd.

Casglu Tanwydd

Yn y byd sydd ohoni, ni allwn ddychmygu bod heb wres canolog na system dymheru yn ein tai fel sydd, bellach, yn wir angenrheidiau bywyd. Yr oedd cartrefi'r bonedd a'r tlawd yn bur wahanol yn y ddeunawfed ganrif gyda'u dulliau cyntefig o gadw'n gynnes mewn oerni a chael cysgod rhag tes. Ond, er mor gyntefig yr amgylchiadau, mae'n rhyfeddol fel y gwnaent ddefnydd o'r pethau rhyfeddaf a'u troi'n danwydd digon effeithiol. Galwodd Alvin Toffler genhedlaeth chwe degau'r ugeinfed ganrif yn 'Throw Away Society', eithaf disgrifiad.[2] Perthynai William Bwcle i genhedlaeth a oedd yn casglu a chadw popeth, yn enwedig os oedd ynddo ddeunydd tân.

Cyn cau'r tir roedd gan y werin dragwyddol ryddid i hel priciau a bonion, eithin a rhedyn. Tanwydd arall digon hwylus y byddent yn ei losgi oedd gleuad. Codai'r tyddynwyr a'r ffermwyr fawn a thywyrch i'w sychu a'u tasu gan fod glo yn llawer iawn rhy ddrud i'r bobl gyffredin allu ei brynu. Ceid cyflenwad o lo ym mhorthladd Cemaes ac fe brynai William Bwcle gymaint ag wyth neu naw tunnell ar y tro. Yr oedd bythynnod y werin yn eithaf clyd, mae'n debyg, hefo'u toeau gwellt llaes a'u lloriau pridd a oedd yn llawer cynhesach na cherrig neu goncrit. Roedd yn llawer anos cynhesu plastai gyda'u hystafelloedd eang, nenfydau uchel a neuaddau agored. Yn wir, nododd William Bwcle am 8 Mehefin 1735 y bu raid iddo gynneu tân yn y Neuadd am ei bod mor oer. Erbyn y ddeunawfed ganrif yr oedd y bonheddwyr yn ymorchestu yn steil y gratiau haearn, addurnol yn eu plastai ac yr oedd y tanau mawr agored yn gaffaeliad neilltuol i gyfforddusrwydd y deiliaid. Ar 21 Ionawr 1737 cawn Bwcle yn talu deunaw ceiniog i Hugh Jones yr Henblas: 'for setting new greats in Brynddu'. Dyma ddechrau oes y blacledio a barhaodd hyd hanner olaf yr ugeinfed ganrif.

Ar y cyfan, glo oedd tanwydd y Brynddu ac mae'n ddiddorol sylwi y newidiai William Bwcle ei ddyn glo yn gyson. Cafodd saith tunnell ar 1 Mai 1734 gan Edward Williams Siôn Owen, perchen y slŵp. Fe gostiodd y glo chwe swllt a chwe cheiniog y dunnell iddo, yna pedwar swllt y dunnell o gludiant a saith swllt a chwe cheiniog o doll mewnforio. Yn naturiol, byddai'r pris hwn tu hwnt i gyrraedd y werin – cerddent hwy y tu ôl i'r drol o'r traeth yn y gobaith y collid ambell glap. Y flwyddyn ddilynol, ar 28 Awst 1735, cafodd William Bwcle lwyth o lo eto a'r tro hwn prynodd wyth tunnell a oedd beth yn rhatach na llwyth y flwyddyn cynt. Cytunodd â Rowland Mickael o Gaergybi i dalu pedwar swllt a chwe cheiniog y dunnell y tro hwn ynghyd â thâl cludiad a tholl mewnforio. Y mae'r cwt glo yn wag eto ar 18 Chwefror 1736, felly oddeutu chwe mis a barhâi 8 tunnell yn y Brynddu. Prynodd naw tunnell gan un a gariai o Sir y Fflint y tro hwn. Bu pyllau glo'r Parlwr Du yno yn enwog dros y blynyddoedd a dyma William Bwcle, o gwr eithaf Môn, yn rhoi cynnig ar eu glo. Costiodd gymaint â chwe swllt ac wyth geiniog y dunnell ynghyd â'r costau ychwanegol iddo. Ond, yn wahanol y tro hwn, fe werthodd ef beth ohono ei hun. Prynodd Thomas Pritchard, y gof, saith casgenaid ac Owen Warmingham, y gof oedd yn byw yn Tormaen, Llanbadrig, ddwy gasgenaid. Mae'n ddiddorol mai'r ddau of a brynai lo. Mae'n debyg y byddai'n gwbl hanfodol i'r gofaint pe bai ond i gadw tân ac roedd llawer iawn gwell gwres mewn tân glo nag unrhyw danwydd arall.

Ar 29 Awst 1739 cafodd William Bwcle eithaf bargen gan Hugh Lloyd, perchennog llong, a werthodd iddo chwe thunnell o lo am dair punt a phymtheg swllt, y pris yn cynnwys yr holl gostau. Methodd wrthsefyll bargen arall ar 11 Mai 1739 gan berchennog llong o'r plwyf – Hugh Lewis Cefnhelyg, Llanfechell. Prynodd chwe thunnell ganddo am ddwy gini a phedwar swllt o gludiant.

Un cofnod, digon swta, sydd ganddo am brynu glo Môn, heb gymaint â nodi'r swm a dalodd. Mae'n ymddangos mai ar dir Tyddyn Mawr, stad Plas Berw, y bu'r cloddio am lo cynharaf ym Môn ac, fel y tystia'r cofnod hwn yn y dyddiadur, bu'r cloddio hwnnw cyn 1742. Dyma fel y cofnododd am 24 Medi 1742: 'My men went to Berw for coal, paid twenty four shillings four pence and $^2/_1$.' Gan na wyddom y swm nid oes modd gwybod y pris. Mae lle i gredu nad oedd sgweier y Bryndddu yn rhy hapus â glo Berw gan mai unwaith yn unig, yn ôl y dyddiadur, yr anfonodd y dynion yno. Mae pob lle i gredu nad oedd glo Môn o'r ansawdd gorau o'i gymharu â glo Sir y Fflint neu Sir Ddinbych,[3] er bod Angharad Llwyd yn cyfeirio ato fel 'excellent coal'![4] Mae'n debyg ei bod yn llawer hwylusach i William Bwcle gael ei lo o'r llong yng Nghemaes. Ni fu'r diwydiant glo yn rhyw lawer o lwyddiant ym Môn; yn ôl pob sôn daeth y gwaith i ben ym 1862 gan yr 'Anglesey Colliery Company'. Ar 13 Ionawr 1749 cofnododd y dyddiadurwr iddo dalu dwy gini am chwe thunnell o lo i William Peters. Prynwyd y glo yma yn Runcorn, ar afon Warrington, ond nid oes ganddo gyfeiriad at gostau cludiant na threth.

Ar gyfartaledd fe brynai Bwcle oddeutu deg tunnell o lo mewn blwyddyn ac, er yr amrywiai'r prisiau, yr oedd yn gryn gost arno. Yr oedd cost y cludiant a'r doll yn uwch na phris y glo.

Ond nid â glo yn unig y cynhesai'r sgweier ei blasty. Yr oedd casglu tanwydd yn rhan bwysig o ddyletswyddau'r gweision ac yn ystod y tymor fe gofnoda'r dyddiadurwr fod y dynion yn codi a chario mawn a thywyrch corslyd, ynghyd â bonau eithin a rhedyn. Cyfrifid yr orchwyl hon yn gynhaeaf hollbwysig a chyhoeddodd William Bwcle, gyda'r un llawenydd, ei fod wedi gorffen y cynhaeaf mawn a'r tywyrch yn gywir fel y cofnoda derfyn y cynhaeafau gwair a'r ydau. Fe olygai cryn fawn i lenwi'r gratiau llwglyd ar aelwydydd y plas.

Bu datblygiadau a gwelliannau mewn amaethyddiaeth gyntefig yn fodd i droi corstir a thir garw yn borfeydd bras ond, yn oes William Bwcle, yr oedd rhan helaeth o'r tir yn gorstir mwsoglyd a mawnog a oedd yn ildio tanwydd campus. Manteisiai ar bob hindda a chyfle i dorri a chodi'r mawn a'r mwsog i'w sychu a'i tasu at y gaeaf. Fe lwyddai i weu dyletswyddau'r fferm yn ddeheuig tu hwnt.

Yn ôl y cofnod ar 30 Gorffennaf 1739 yr oedd gwlith mor drwm yn y bore fel na ellid torri'r gwair, ac o'r herwydd aeth y dynion i gario tywyrch tanwydd o Goeden i Frynddu, 'for winter fuel'. Gan iddi fod yn dywydd gweddol sych ar ddechrau Hydref 1735, cariodd y gweision eithin yn das gref yn y Brynddu. Roedd yn bwysig i'r cynnyrch fod yn rhesymol sych neu roedd perygl iddo ddifetha a phydru ac i'r tywyrch dyfu yn y tamprwydd. Mae'n debyg fod ganddynt fath o fawn-byllau lle y codent y mawn yn flynyddol. Dyma a ddywed mewn cofnod ar 6 Mehefin 1740: 'Men carrying turff out of Turberry.' Diddorol yw sylwi ar enwau rhai o gaeau'r stad, dyma rai o'r Drym – tyddyn ar stad y Brynddu: 'Y Gors Fawn', 'Gors Ganol' a 'Cae'r Gors'. Mae'n amlwg fod y Drym yn lle da am danwydd, beth bynnag arall a geid yno.

Roedd hi'n dymor rhyfeddol o sych ym 1740, yn wir mor sych fel y sychodd Llyn Malu'r Gors Rydd ar dir Clegyrog Uchaf, ym mhlwyf Llanbadrig, a bu'r olwyn ddŵr a'r felin yn segur am wythnosau. Aeth William Bwcle draw i weld y llyn, yn ôl ei gofnod am 24 Mehefin, ac fe'i synnwyd yn fawr gan y gallai gerdded ar wely'r llyn. Mae'n cofnodi, yn ddiddorol iawn, fel y bu tymor tebyg chwe blynedd ar hugain ynghynt, ym 1714 a phryd hynny hefyd yr oedd modd cerdded ar wely'r llyn. Tybed a oedd William Bwcle yn cofio hynny, ynteu a oedd ganddo ddyddiadur a gadwai yn y blynyddoedd hynny? Ond, os nad oedd dŵr i falu, yn gwbl nodweddiadol o'r oes, manteisiodd y sgweier ar y cyfle i ddwyn gwely'r llyn. Roedd yno wely trwchus, cyfforddus o dywyrch mawnog a fyddai'n danwydd da. Tra parhaodd y sychder bu'r dynion yn ddiwyd hefo'i troliau yn cario'r tywyrch i ddiddosrwydd. Ni fu'r fath weithgarwch erioed ar wely'r llyn, pawb wrthi fel lladd nadroedd cyn i'r glaw ddod i'w feddiannu unwaith eto. Mae'n amlwg fod y tywyrch hyn o ansawdd arbennig, gyda lliw y fedwen yn amlwg arno. Er ei bod yn gynhaeaf gwair digon prysur, mynnai Bwcle gael cymaint ag yr oedd modd o danwydd y llyn i ddiddosrwydd. Mae'n amlwg fod y tywydd sych wedi parhau ymlaen i fis Gorffennaf gan fod y cynaeafwyr yn dal wrthi'n ddiwyd ar 9 Gorffennaf yn cario o gae'r mynydd hefo dau gar llusg a phum ceffyl panieri – ni fu erioed dymor gwell am danwydd.

Mae'n amlwg nad oedd y flwyddyn ddilynol mor ffafriol i gasglu'r tywyrch a bu'n anodd sychu'r mawn a'r tywyrch. Dyma fel y cofnododd ar 5 Mehefin 1741: 'Men spreading Turfs and Sods to dry.' Yr oedd yn bwysig eu sychu'n dda er mwyn cael y gorau ohonynt.

Ar wahân i'r tywyrch a'r mawn a godid yn yr haf ac, ar dywydd da, ymlaen i'r hydref, tua diwedd yr haf cesglid eithin a rhedyn. Erbyn diwedd Medi byddai'r ydau a'r gweiriau wedi'u cael ac o ganlyniad yr oedd mwy o ddwylo ar gael. Ar 15 Hydref 1751 roedd cynifer â deg o ddynion yn torri ac yn cario rhedyn. Defnyddid y rhedyn yn wely i'r anifeiliaid ond hefyd defnyddid peth ohono i gychwyn tân gan ei fod yn fwy byddar ac yn llosgi'n arafach nag eithin sych. Cofnoda iddo gasglu dwy das o eithin a gorffen y gwaith ar 19 Hydref 1751. Rhennid yr eithin i ddau bwrpas, y mân frigau i gychwyn tân gydag ychydig o redyn, tra defnyddid y bonion i'w gynnal a'i gadw. Rhoddai bonion eithin wres rhyfeddol ac fe'i cyfrifid y tân gorau a'r glanaf. O ganlyniad nid oedd wiw colli unrhyw gyfle i gasglu'r bonion o bobman, yn enwedig wrth agor ffosydd, fel y cofnododd ar 26 Mai 1741: 'Men Subbing Gors for fireing.'

Cadw Gwenyn[5]

Mae'r rhesymau dros gadw gwenyn yn amrywiol iawn. Mae'n ddiwydiant pwysig iawn drwy'r byd bellach ac yn ddiddordeb pleserus i lawer o bobl. Ond, i William Bwcle yn y ddeunawfed ganrif hefyd, roedd cyfraniad y gwenyn yn hynod bwysig. Mae'n wir na châi'r un pleser gyda'r gwenyn ag a gâi yn ei ardd er, mae'n debyg, mai rhan o ddyletswyddau'r garddwr fyddai gofalu amdanynt. O ganlyniad, mae'r cofnodion am y gwenyn yn ddigon byr a swta ganddo. Wrth gwrs, yr oedd cadw gwenyn yn gofyn am dipyn o arbenigrwydd, yn enwedig yn y cyfnod hwnnw. Ond, er mor gwta'r cofnodion mae ynddynt awgrymiadau hynod o werthfawr am y dull a ddefnyddid. Ymhlith y cofnodion fe nododd Bwcle iddo, ar 30 Ebrill 1743, brynu pedwar cwch gwenyn. Dyma'r cofnod: 'Paid George Hughes Tinker and sometimes a Straw Joyner 2s fod Bee Hives.' Yr ydym yn gyfarwydd ag enw George Hughes y tincer ond dyma olwg arall arno, fel 'saer gwellt' – crefft neilltuol iawn. Nid cwch gwenyn yn ein hystyr ni bellach a olygir ond cawnen (*skep*), math o fasged o wellt i gartrefu'r gwenyn. Fe'i gwneid o raff wellt wedi'i thorchi'n gelfydd ar ffurf basged, oddeutu deuddeng modfedd ar draws a naw i ddeuddeng modfedd o uchder. Ond, er mor gywrain plethwaith y cawnenni hyn, byddai'r gwynt oer yn siŵr o dreiddio drwyddynt a dyna pam y byddent yn plastro'r fasged â mwd a thail gwartheg yn gymysg i ffurfio cartref rhyfeddol o gynnes a chlyd i'r creaduriaid ehedog a phrysur. Yr oedd y gawnen ar ffurf cramen o faint chwe galwyn. Ffurfiai'r gwenyn eu mêl yn y cribau o fewn i'w cartref gwellt a, phan ddôi'r cynhaeaf, byddai'n rhaid boddi'r gwenyn neu eu mygu â tharth brwmstan.

Yn naturiol ni fyddai'r gawnen yn atebol i'r tywydd heb gysgod rhag y gwynt a'r glaw. Cartrefid y gawnen mewn cilfach (*bole*) bwrpasol mewn wal. Mae'r cilfachau hyn i'w gweld yn y Brynddu o hyd ac yn dystiolaeth i'r dull cyntefig hwn o gadw gwenyn. Er mwyn cael cysgod a haul y bore lleolid y cilfachau ar ochr ddwyreiniol y wal, yn wynebu'r tŷ a'r rhodfa. Mae pedwar ohonynt yn y Brynddu yn mesur ugain modfedd o uchder, dwy fodfedd ar bymtheg ar draws ac un fodfedd ar hugain o ddyfnder. Ar yr olwg gyntaf maent yn debyg iawn i nythod gwyddau, a welir o hyd ar ambell fferm ond, o graffu ar gilfachau'r gwenyn fe welir y gwahaniaeth. O'r tu mewn maent ar ffurf tro bwa i ffitio'r gawnen gron. Mae'r llawr yn bolio allan ryw fodfedd neu ddwy o'r wal i greu codiad rhag y dŵr. Yn wahanol eto i nythod y gwyddau, sydd yn weddol uchel o'r llawr, rhyw gwta chwe modfedd yw'r cilfachau hyn. Ceir linter uwchben y drws a ddaw allan yn bowld i ffurfio caban drws i gadw diferion dŵr rhag gwlychu dim ar gartref y gwenyn. Yn ôl A. M. Foster, mae'r cilfachau hyn yn dyddio'n ôl i oes y Tuduriaid, er y credai mai'r ddeunawfed ganrif fyddai'r gwir gychwyn. Mae cilfachau gwenyn y Brynddu'n dyddio'n ôl i 1700 – dyddiad adeiladu'r plasty a wal yr ardd, yn ôl pob tystiolaeth. Yn ddiddorol iawn mae enghreifftiau o gilfachau tebyg yn ardal Llanfechell a Llanbadrig i'w gweld o hyd. Gwelir chwech yn Gwenithfryn, Llanfechell, ac mae cynifer â thri ar ddeg mewn cyflwr da yn Nant Orman ym mhlwyf Llanbadrig. Mae'n werth sylwi hefyd y gelwid dau gae yn Rhydygroes, Llanbadrig, fferm ar stad y Brynddu, yn 'Cae Gwenyn Mawr' a 'Chae Gwenyn Bach'. Mae hyn yn profi inni fod cadw gwenyn yn arferiad reit boblogaidd yn y cyfnod.

Parhaodd y dull hwn o gadw gwenyn yn y gawnen wellt gan rai hyd ganol yr ugeinfed ganrif, pan y'i disodlwyd gan y cwch gwenyn pren gyda'r fantais o fedru symud y cribau heb ddifa'r gwenyn. Ond bu cryn arbrofi yn y gwahanol ddulliau o ganol y ddeunawfed ganrif. Ni fu fawr o newid, er hynny, hyd at 1853 pan gyhoeddodd Langstroth ei batrwm o gwch

Tyllau i'r gwenyn yn Nant Orman

80

Twll gwenyn yn Brynddu

gwenyn pren a oedd yn rhoi lle i'r frenhines ar wahân. Heb os, Langstroth a gychwynnodd oes newydd gwenyna.

Yn y ddeunawfed ganrif yr oedd y gwenyn yn cynhyrchu cynhaliaeth werthfawr a hanfodol i'r bonedd a'r werin fel ei gilydd gan fod siwgr mor gynddeiriog o ddrud a phrin a chan na ddatblygwyd y diwydiant siwgr tan y bedwaredd ganrif ar bymtheg. Fe'i defnyddid fel siwgr mewn sawl rysáit ac y mae'n llawer melysach na siwgr gwyn. Fe geidw'r bwydydd a goginiwyd trwy fêl yn llawer iawn mwy llaith ac yn sicr, roedd hynny'n gymwynas werthfawr iawn. Mae'r ffaith fod cymaint o sôn am fêl mewn barddoniaeth Gymraeg gynnar, ac yn enwedig yn yr hen drioedd Cymreig, yn profi fod 'cadw gwenyn' yn hen arfer. Yn wir fe honna rhai mai'r 'Vel Ynys' oedd enw gwreiddiol Ynys Prydain. Tystia hen ddeddfau marsiandïaeth hefyd y byddai mêl yn gynnyrch i'w drysori mewn cytundebau masnachu.

Bu cryn ddefnydd ar fêl fel meddyginiaeth hefyd, yn y ddeunawfed ganrif a chyn hynny, fel y tystia llysieulyfrau meddyginiaethol. Sonia rhai o hyd am rinwedd neilltuol mêl a dail moron fel eli effeithiol at blorod ar y croen – rysáit o'r unfed ganrif ar bymtheg. Rysáit arall yw'r gymysgfa o fêl gyda sudd craf y nadroedd i leddfu wlser yn y geg lawer yn ddiweddarach a, hyd heddiw, defnyddir mêl i felysu chwerwedd ffisig.

Cynnyrch pwysig arall y mêl oedd 'medd' – gwin allan o fêl, yn ôl rhai. Tybed ai medd oedd y ddiod alcoholig gynharaf? Roedd yn ddiod cenedlaethol yng ngogledd Ewrop ddwy fil o flynyddoedd yn ôl ac roedd hen ddeddfau Cymreig yn rhoi llawer mwy o sylw i'r medd na'r mêl! Mae'n debyg y defnyddid mwy o'r mêl i wneud medd nag a wnaed i unrhyw ddiben arall.

Wrth ddarllen dyddiadur William Bwcle sylweddolwn yn fuan iawn fod medd yn cael ei yfed yn gyson yn y Brynddu. Roedd yn ddiod hawdd a syml i'w wneud, y gamp oedd gwybod pa faint o ddŵr i'w ddefnyddio i'w lastwreiddio rhag ei adael yn rhy gryf neu'n rhy ddyfrllyd ac yr oedd y bragdy yn rhan bwysig o adeiladau'r Brynddu, fel yn nhai boneddgion eraill yr Ynys. Ym mis Ebrill 1745, fe ddywed Fransis Jones am Sgweier Bodewryd, Edward Wynne: 'A malt Mill was set up at Bodewryd.' Noda William Bwcle yn gyson hefyd y dreth a dalai am y bragu. Dyma enghraifft o un ohonynt ar 15 Ionawr 1755: 'Paid William Callen ye Excise Officer 1/5 duty for Candles and also paid him 3/6, money fod my third composition for Malt and Candles.'

Yn ychwanegol at y rhinweddau hyn sydd mewn mêl mae eto un arall hynod o fuddiol a gwerthfawr – Cwyr Gwenyn. Cynhyrchir ef gan y gwenyn gweithgar er mwyn adeiladu'r brigau ac ar y rheini y caent eu cynhaliaeth. Mae'r broses ryfeddol hon yn dal yn gryn ddirgelwch i wenynwyr o hyd. Roedd dau ddeunydd buddiol i gŵyr yn oes William Bwcle, sef cwyr-caboli ar gyfer y dodrefn (roedd gwneud y polish yn broses digon syml, hanner yn hanner o'r cwyr a thyrpant) ac i ystwytho a chryfhau sadleriaeth, fel edau-gwyr heb sôn am ddyfrglosio crochenwaith.

Ond, yn ddi-os, y deunydd mwyaf cyffredin o'r cwyr yn y ddeunawfed ganrif oedd i wneud canhwyllau ac mae'r defnydd hwn yn dyddio'n ôl flynyddoedd lawer. Eu rhinweddau neilltuol oedd eu bod yn dal gwres yn well nag unrhyw fath arall; roedd y goleuni'n gliriach ac nid oedd mwg nac arogl o'r fflam. Bu defnydd eglwysig ohonynt ers yn gynnar iawn ac awgryma rhai mai diben cyntaf cadw gwenyn oedd i gynhyrchu canhwyllau ar gyfer yr offeren. Beth bynnag am hynny, gwyddom o'r dyddiadur y byddai William Bwcle yn prynu canhwyllau yn gyson ar gyfer defnydd y plas. Nid rhyfedd, o sylweddoli cymwynas a chyfraniad y gwenyn y byddai William Bwcle yn sicrhau cyflenwad o gychod gwenyn bob tymor. Cofnod diddorol, y bu inni sylwi eisoes arno, yw hwnnw am y tincar George Hughes a oedd hefyd yn saer-gwellt. Dichon y galwai George yn y Brynddu a'i gychod bychan twt ar ei gefn. Yr un pris oedd i'r basgedi hyn lle bynnag y prynid hwy. Ar 17 Chwefror 1752, cofnododd Bwcle: 'Paid 3s for 6 beehive made in Tal-y-Cafn.' Mae lle i gredu fod crefftwr da mewn gwellt a gwiail yn yr ardal honno oherwydd cawn William, ar 22 Gorffennaf 1739, yn rhoi deg swllt i John Thomas y Wylfa i brynu panieri (basgedi ceffyl) yn Nhal-y-Cafn.

Roedd y cynhaeaf mêl, fel y cynaeafau eraill, yn dibynnu'n drwm ar y tywydd. Prawf ei fod yn darllen papurau Llundain yw iddo ddweud ar 25 Mawrth 1750:

> ˙in the counties about London all winter was exessive dry and warm so that they had stuff of several sorts in great plenty as in summer, and from Essex we had an account that a farmer in that county had Bees that swarmed the 16th February which he also hived.

Deallaf fod canol Chwefror yn anghyffredin iawn o gynnar, ac felly unwaith eto caiff William Bwcle gyfle i ddweud mor ddibynnol yw popeth ar y tywydd, gan gynnwys byd bach prysur y gwenyn.

Mae i gynhaeaf y gwenyn ei golledion fel pob rhyw gynhaeaf arall, a'r pennaf elyn eto yw'r tywydd. Nid yn Llundain bell mae'r anghyffredin y tro hwn ond yn Sir Fôn. Dyma'i gofnod am 5 Gorffennaf 1756:

> Out of three full hives I had last Spring alive and as I thought strong and healthy, only one survived which swarmed to-day. The season in everything this year has been so remarkably backward that the rose trees are but now beginning to blow, as the apple, Pears, Plumbs or Cherries there are hardly one.

Wedi cwrs y blynyddoedd bellach mae enwau'r ddau gae yn Rhydygroes wedi newid; rhoed iddynt enwau llawer mwy ymarferol na Chae'r Gwenyn. Ond mae'r pedair cilfach wenyn yn dal i groesawu'r neb a aiff i'r Brynddu a daw'r gwenyn diwyd i'r ardd a'r berllan bob blwyddyn gan gario'u mêl a'u cwyr i gwch yn rhywle arall!

Ffynhonnau

Mae'r ffynnon cyn hyned â gwawr gwareiddiad gan mor werthfawr yw i ffyniant dyn ac anifail. Fu erioed gymaint o werth ar ffynnon nag yng ngwledydd y dwyrain ac, yn naturiol, bu sawl anghydfod blin ynglŷn â pherchenogaeth sawl un. Cyfrifid cau ffynnon yn weithred o ryfel yno ac mae'n debyg fod y gân honno yn Llyfr Numeri 21:12–18 yn un o'r testunau hynaf yn yr Hen Destament:

> Tardda ffynnon, canwch iddi –
> Y ffynnon a gloddiodd y tywysogion
> Ac a agorodd penaethiaid y bobl
> Â'u gwiail a'i ffyn.

Gwyddom ninnau yng Nghymru yn dda am ddylanwad llên gwerin a thraddodiad ardal ar ein gwybodaeth am hanes ac enwau ffynhonnau (sydd ymysg yr enwau hynaf mewn unrhyw iaith, ynghyd ag enwau afonydd a llynnoedd). Nid yr Iddew yn unig a ganai i'r ffynnon a'i bendithion a'i rhamant hen, ac yn wir roedd i'r ffynnon swyddogaeth driphlyg: economaidd, cymdeithasol a chrefyddol. Gan bwysiced oedd y ffynnon roedd yn ffactor bwysig ynglŷn â lleoliad fferm neu ddyddyn ac, yn wir, yn rheswm dros adeiladu sawl treflan. Gwelwn yn nyddiadur gŵr y Brynddu bwysiced oedd y ffynnon.

Yr oedd dwy ffynnon gyhoeddus ym mhentre Llanfechell a chan fod gan bob tyddyn a fferm eu ffynhonnau hefyd nid rhyfedd y ceir sawl cae ar stad y Brynddu gyda'r enw 'Cae Ffynnon'. Mae'n amlwg ddigon y sefydlwyd sawl eglwys gerllaw ffynhonnau a cheir enghreifftiau o hyn ym Môn, ac yn sgil codi eglwys byddai'n naturiol i anheddau eraill gael eu codi. Daeth y ffynhonnau eglwysig hyn yn atyniadau i grefyddwyr yr oesoedd a'r traddodiadau yn gymysg o baganiaeth a Christnogaeth. Yr oedd dwy ffynnon eglwysig o fewn cylch a chwmwd William Bwcle, sef Ffynnon Padric a

Ffynnon Eilian (neu Ffynnon y Cawr). O roi enw'r sant arni credid bod yn ei dyfroedd ryw rin wyrthiol. Tua chanol y ddeunawfed ganrif y cydiodd y gred yn rhinwedd iachusol dŵr y môr a thyrrwyd yno i ymolchi, rhai i yfed ei ddyfroeddd hallt. Yn yr un modd credid bod dŵr ambell ffynnon yn iachusol, os nad yn wyrthiol.[6]

Ond i werin Cymru yn y ddeunawfed ganrif yr oedd ystyriaethau pwysicach o lawer nag unrhyw ystyr crefyddol, neu'n wir, feddyginiaethol. Yr oedd y ffynnon fel anadl einioes iddynt a dŵr gloyw glân yn eu disychedu hwy a'u hanifeiliaid. Yr oedd mor gyffredin iddynt ag y mae'r tap dŵr i ni heddiw. Go brin y byddai William Bwcle wedi sôn amdanynt o gwbl oni bai ei bod yn rhan gyson o ddyletswyddau'r dynion i 'lanhau'r ffynnon'. Yr oedd yn ffactor bwysig bryd hynny hefyd i 'gadw'r dŵr rhag y baw'. Wrth fynd heibio ar ddamwain y cyfeiriodd at enw'r ffynnon honno yng Nghae Lloriau, Coeden, sef 'Ffynnon Trinculo'. A dyna agor y drws i ddyfalu o ble y daeth yr enw hwn, hen elyn gwyllt, i gwr eithaf Môn ar ganol y ddeunawfed ganrif? Dyma'r cofnod ar 30 Mehefin 1736: 'I have people at work in clearing the water – course of Ffynnon Trinculo in Coyden from the said well to the Bridge.' Fe red afonig o'r llyn malu yng Nghoeden heibio i'r ffynnon hon gan gymryd ei gofer oer. Yn ddiddorol iawn, mae'r ffynnon yno o hyd a'r gwaith cerrig celfydd yn cylchynnu ei dyfroedd clir. Mae hen wartheg powld wedi rhoi hergwd i'w chap o faen a'i ogwyddo ar ochr ei phen fel dyn meddw. Un o dafelli'r graig o Gae'r Lloriau yw'r cap, brethyn cartre os bu un erioed! Fe fynn rhai yn ardal Llanfechell o hyd na sychodd ac na fu pall erioed ar ddyfroedd y Trinculo; aiff ambell un mor hyf â dweud na sychith hon fyth!

Yn ôl cof ardal yr oedd haf 1911 yn eithriadol o sych ac fe sychodd y ffynhonnau ond, yn ôl y sôn, yr oedd Ffynnon Trinculo yn goferu trosodd. Eto, ym 1959, bu'n haf anhygoel o sych. Ni chafwyd yr un diferyn o law o fis Mai hyd ddechrau Hydref, ac yn wir, yn ôl y sôn eto, ni hysbyddodd y Trinculo. Ni ddywed William Bwcle iddi sychu chwaith yn ei gofnod am 18 Awst 1741:

This summer and Autumn exceeds in heat and dryness all the summers in memory of man, for not only all the fresh water mills are dryed thro' the country but also in a manner all the rivers and most other springs. My well by the Kiln that never was known to fail, now stands still and does not run out and many other wells so that there is a great scarcity of water especially for cattle throughout the country.

A dyna ddigon i gefnogwyr Trinculo ddweud nad yw'n enwi eu ffynnon fel un a sychodd. Yn ôl disgrifiad y dyddiadurwr daeth y sychdwr mawr hwnnw i ben ar ôl iddi 'Rained prodigious' ar 7–8 Medi 1741. Dechreuodd fwrw tua deg o'r gloch ar 7 Medi a'i harllwys hi hyd bump o'r gloch fore trannoeth. Bu'n bwrw eto drwy'r dydd ar yr wythfed gan adael afonydd yn rhedeg hyd y caeau. Wedi haf crasboeth 1976 daeth glaw direol ar ddyddiau cyntaf mis Medi'r flwyddyn honno hefyd.

Ond beth am yr enw – Trinculo? O ble y daeth hwn a phwy a'i bedyddiodd a dod â hi i amlygrwydd? Yn ôl awduron *Enwau Lleoedd Môn* mae'r enw yn un cwbl unigryw ac yn cyfateb yn union i enw cymeriad yn y ddrama enwog *The Tempest*, gan William Shakespeare.[7] Yn ôl F. G. Stokes mae enw'r cymeriad wedi ei fabwysiadu o'r gair Eidaleg *'trincare'*, sef llymeitian.[8] Ar sail hyn mae'n naturiol tybied fod yna ryw flas neu werth arbennig i ddŵr y ffynnon hon.

Mae pob lle i gredu y byddai William Bwcle yn hyddysg yn nramâu Shakespeare. Gwelsom eisoes ei fod yn derbyn rhai o bapurau newydd Llundain. Dichon y câi rai ohonynt gan William Morris a'u câi yn ei dro gan Richard, ei frawd, a oedd yn Llundain. Gwyddom hefyd y byddai'r dyddiadurwr yn ymwelydd cyson â'r theatr yn Nulyn ac fe allasai fod wedi mwynhau perfformiad o'r *Tempest* yno. Digrifwas yng ngwasanaeth brenin Naples yw Trinculo'r ddrama ac fe'i gwahenir oddi wrth ei gyfeillion mewn llongddrylliad cyn y canfu Caliban, mab i Syrovax y wrach, a'r diafol ei hun. O'i weld yn gorwedd dan ei fantell gwthia Trinculo ato am loches. Pan ddaw Stephano, y bwtler meddw, ar y llwyfan a gweld pedair troed dan un fantell, nid rhyfedd iddo dybied gweld yr anghenfil pedwartroed ond, pan ddeall y dirgelwch, yn ei falchder mae'n rhannu ei ddiod â hwy. Wedi'r yfed mae'r tri yn cynllwynio i ladd Prospero, y brenin, yn ei gwsg a chymryd brenhiniaeth yr ynys. Ond beth sydd a wnelo hyn i gyd â'r ffynnon dawel ar ystad William Bwcle? Tybed ai ef a roddodd yr enw ar y ffynnon? Y mae gan Dr Meredydd ap Huw o'r Llyfrgell Genedlaethol awgrym diddorol iawn. Dyfala ef tybed ai ysfa gellweirus William Bwcle sydd ar waith yma? Gwyddom am ei hoffter o lasenwau a'i gellwair parhaus. Tybed a oedd trigiannydd Coeden yn gymeriad tebyg mewn rhai ffyrdd i Trinculo'r ddrama? Tybed a oedd o'n gymeriad cellweirus ac yn llymeitiwr ofer? Os felly, nid oes yma namyn un arall o lasenwau'r dyddiadurwr â'i dafod yn ei foch, gan mor dywyll yw ei gyfeiriadaeth. Pwy ond y fo o'r plwyf a gafodd y fraint o weld drama enwog William Shakespeare? Neu tybed a oes i'r enw ryw ystyr gyfrin nas gwyddom ac na chawn fyth wybod? Pam na fyddai'r dyddiadurwr hwn fel sawl un arall wedi ychwanegu gair neu ddau o eglurhad?

Ond beth bynnag am ystyr yr enw, byddai cryn amrywiaeth yn ansawdd dyfroedd y gwahanol ffynhonnau. Yr oedd dŵr ambell un yn llawer pereiddiach na'r llall. Byddai cryfach tarddell i ambell ffynnon a ddaliai'r sychder yn well. Byddai trai a llanw'r môr yn effeithio ar ddwy ffynnon ym mhlwyf Llanfechell a hefyd ar ffynhonnau Bodelwyn a Tros y Mynydd ar stad y Brynddu. Yr oedd gan bob tyddyn a fferm eu ffynhonnau o fewn cyrraedd i'r tŷ a châi'r ffynhonnau hyn gryn sylw gan y perchenogion. Fe gawn gofnod diddorol iawn gan y dyddiadurwr ynglŷn â'i ffynnon ei hun yn y Brynddu, sy'n dangos y meddwl mawr a'r gofal a oedd gan bob teulu o'i ffynnon. Ar 28 Mai 1748, nododd: 'the men are carrying stones to new making the old well by the kiln both larger and handsomer'. Y mae'r gair 'harddu' yn ddiddorol iawn yn y cyswllt yma ac yn awgrymu, mae'n debyg, y byddai peth balchder ynglŷn â ffynnon y teulu a thebygol yw y ceid addurniadau yng ngwaith y seiri maen a adeiladai'r math hwn o ffynhonnau.

Ond, er pwysiced y ffynhonnau hyn, heb os yr oedd ffynnon y pentref yn bwysicach. Yr oedd gan bob pentref ei ffynnon neu ddwy ar safleoedd cyhoeddus, yn weddol agos os oedd modd i groes y pentref. Daeth y rhain yn fannau cyfarfod poblogaidd iawn lle y rhoid y byd yn ei le – rhyw Ffynnon Jacob Gymreig. Bu achlysur pwysig ynglŷn â Ffynnon Mechell, yn ôl y dyddiadurwr, ar 15 Mehefin 1736:

> Today the Parson and others of the Inhabitants of the town of Llanfechell removed the Well – that lay betwixt Ann Warmingham's House and the bridge (and just by the river) higher up and further from thye river by 6 or 7 yards.

Mae'n anodd iawn gwybod paham y bu'n rhaid symud y ffynnon o gwbl. Yn ddiddorol iawn, mae hi yno o hyd, rai llathenni i fyny oddi wrth y ffordd fawr sy'n arwain i'r Mynydd. Wrth y ffordd y mae'r pwmp o hyd ac mae amryw o'r trigolion yn cofio'n dda am ddyddiau cyrchu dŵr ohono. Mae'n rhaid ei fod yn ddigwyddiad o gryn bwys gan fod Richard Bwcle, y person, wedi ymuno â'r plwyfolion, a phur anaml y cawn ni gyfeiriad ato ef y tu allan i gyffiniau'r eglwys. Gan nad oes sôn fod William Bwcle ei hun wedi ymuno â hwy, tybed ai cysegru'r lleoliad newydd oedd swydd y person ac, os felly, ni fyddai gan y dyddiadurwr fawr o ddiddordeb mewn rhyw ddefod felly.

Chwaraeai'r ffynhonnau ran bwysig iawn yn hanes y pentrefi. Yr oedd cryn wahaniaeth ynddynt ac amrywient yn eu nodweddion. Enillodd ambell ffynnon gryn enw ar sail dŵr nodedig ei flas a cheid ambell un ac arni waith hardd a chelfydd o gerrig addurnol. Yr oedd gwaith celfydd iawn ar Ffynnon Tŷ Hen ym Mynydd Mechell. Yn wir, byddai'r plant, Richard a Huw, yn arfer reidio'u beic tair olwyn o gylch y ffynnon honno gan fod y wal mor llydan a chryf. Ond pennaf prawf unrhyw ffynnon fyddai cryfder ei ffrwd – y ffrydiau hynny a'i bwydai o eigion y ddaear. Yn wir, dyma fyddai sgwrs y trigolion ar blyciau o sychder – 'Ydi'r ffynnon yn dal?' Pryderai William Bwcle yn go arw yn haf 1741 gan fod y ffynhonnau yn sychu, a thestun siarad fu haf 1959 yn enwedig gan i Robert Owen, Tŷ Hen a Richard, y mab, fynd yn bur llechwraidd un bore o'r haf crasboeth i lawr i'r Llan i mofyn dŵr o bwmp Mechell, ger Tal-y-bont, gan i ffynnon Tŷ Hen fynd yn hesb.

Cyn troad y bedwaredd ganrif ar bymtheg rhoed pwmp o haearn bwrw i godi'r dŵr. Daeth y rhain yn addurn gorchestol ym mhentrefi cefn gwlad er y bu cryn wrthwyn-ebu'r fath syniad, yn arbennig cuddio'r ffynnon hefo rhyw sowldiwr dur! Mae'r ddau bwmp ar bob cwr o bentref Llanfechell o hyd yn nodi'r fan lle gynt, yn oes William Bwcle, y ceid dwy ffynnon – Ffynnon Mechell a Ffynnon Tal-y-Bont. Canodd Ianto Soch – hen fardd gwlad gwreiddiol o Wlad Llŷn – yn hiraethus i'r ffynnon pan bibellwyd y dŵr i gartrefi Llŷn:

'Rwy'n ofni mai dy bensiwn
Fydd llond dy fol o ro.
'Rôl gwasanaethu'n ddistaw
Drigolion tlawd dy fro.

Glasenwau
Wrth astudio llên gwerin gwelir mor gyffredin yn yr hen gymdeithas fyddai'r defnydd o lasenwau. Yn aml iawn byddai'r glasenw yn llawer mwy adnabyddus na'r enw priodol, fel y tystia cofrestri plwyfi. Gŵyr pob hanesydd, yn enwedig hanesydd lleol, am yr anhawster o geisio penderfynu pwy yw pwy gan fod cynifer o bobl o fewn yr un plwyf hefo'r un enw. Gall glasenw fod yn hwylus iawn mewn achosion o'r fath. Heb os, Thomosiaid Pentraeth ym Môn yw'r enghraifft orau o ddefnyddio glasenwau yn yr helbul o'r math hwn. Dywed Myrddin ap Dafydd fod glasenwau yn arfer rhyfeddol o boblogaidd yn Gymraeg ac yn pontio o Foch Môn i Twm o'r Nant; o Gwion Llygad Cath yn yr Oesoedd Canol i Helen Melons yn ein dyddiau ni.[9] Mae'n faes diddorol iawn a doniol ac yn un o ddifyrion dyn er yn gynnar iawn, gan barhau felly o hyd mewn rhai cylchoedd. Ceir ambell gymeriad sy'n bencampwr ar fathu'r enwau hyn, sy'n gryn gamp, a chaiff ambell lasenw gwreiddiol ei gario o genhedlaeth i genhedlaeth. Mae'n naturiol mai mewn cymdeithas glòs lle mae pawb yn adnabod ei gilydd yn dda y blodeua'r enwau hyn. Bu chwareli Arfon a phyllau glo'r de yn fagwrfa dda i lasenwau yn y gorffennol. Mewn ambell gylch doedd fodd cael amddiffynfa rhag y fath fedydd. Cydiodd ambell lasenw mor glòs fel y byddai raid i'r teulu ychwanegu'r glasenw mewn cofnod o farwolaeth neu ni fyddai'i gydnabod yn gwybod pwy fu farw!

Yr oedd cymdeithas glòs yn Llanfechell yn nyddiau William Bwcle a brithir ei ddyddiadur â'r glasenwau a'r rheini mewn Cymraeg cyhyrog a chartrefol. Deuwn i adnabod y gwmnïaeth rydd a braf oedd rhyngddo a'i denantiaid a'r crefftwyr a'r gweision a'i gwasanaethai. Mae'r defnydd cyson o'r enwau hyn yn rhoi cryn flas a naws i'n darllen ac mae lle i gredu mai Bwcle a fathodd amryw o'r glasenwau hyn, er y byddai rhai ohonynt wedi loetran dros amser yn y fro ac wedi'u trosglwyddo o genhedlaeth i genhedlaeth. Ond, heb os, William Bwcle oedd yn gyfrifol am y rhan fwyaf ohonynt. Fel dyddiadurwr preifat, dichon fod rhai yn gyfyngedig iddo ef ei hun a'i ddyddiadur, heb neb ond Ranter y ci i rannu'r jôc pan enid enw newydd. Yr oedd rhai o'r glasenwau yn perthyn i gylchoedd y tu allan i'w ardal. Gwyddom fel y byddai Cylch y Morrisiaid hwythau'n mwynhau'r glasenwau a defnyddient hwy'n ddidostur weithiau yn eu dychan a'u gwatwar.

Mae'n hawdd rhannu glasenwau'r dyddiadur i wahanol ddosbarthiadau. Y dosbarth mwyaf poblogaidd ganddo yw byd y gwas a'r crefftwr, ac mae ganddo gyfrif da o'r rhain:

Y Drowel Segur: (21 Ionawr 1737) Fu erioed enw mwy eglurhaol na hwn, o gofio mai plastrwr wrth ei grefft oedd Hugh Jones, Hen Blas, Llanfechell. Naill ai roedd Hugh yn grefftwr diog, neu roedd yn methu cael gwaith. Crefftwr pwyllog oedd gŵr yr Hen Blas ond, o sylwi bod y sgweier yn ceisio'i wasanaeth yn gyson, hwyrach ei fod hefyd yn grefftwr medrus.

Y Cowper Anllad: (21 Chwefror 1737) Dyma eto grefft gyffredin iawn yn y ddeunawfed ganrif a galw mynych am eu gwaith gan y byddai'r fath ddefnydd ar gasgenni. Ar gyfrif ei natur a'i ysbryd pryfoclyd a chwareus mae'n debyg yr etifeddodd Hugh ap William Pugh y fath enw. Yn y cofnod hwn fe gyfeiria at ddau grefftwr arall hefyd, sef dau deiliwr o'r enw David Thomas a Richard ap William Pritchard ap William Pugh. Aeth y tri i Lundain i chwilio am waith ac, yn ôl y cofnod, 'i wella'u byd'. Beth fu eu rhawd tybed yn y ddinas bellennig honno? Tybed a fu i fab William Pugh arddel ei lasenw yno?

Pydew: (22 Chwefror 1737) Crefftwr arall yr oedd galw cyson am ei wasanaeth oedd y crydd. Yr oedd dewis o gryddion yn ardal Llanfechell, yn ôl y dyddiadur. Hugh Prys oedd un o'r rheini ac, am ryw reswm na wyddom, fe'i gelwid yn 'pydew'. Mae pydew yn awgrymu dyfnder ac fe geir sawl enghraifft o ddyn neu anifail wedi syrthio i gaethgyfle mewn pydew, ond nid yw'r dyddiadurwr am esbonio pam y'i gelwir yr enw hwn.

Maharen Bach: (8 Medi 1738) Beth ar wyneb y ddaear fawr a barodd i neb alw Rowland William Rowland ap Robert yn 'Maharen Bach'? Pysgotwr oedd Rowland wrth ei alwedigaeth ac mae'n anodd gweld unrhyw gyswllt â'r enw o'r byd hwnnw. Cyfrifir y faharen yn anifail reit rywiol o fewn ei dymor ac fe all fynd trwy gryn waith mewn amser byr! Dichon fod yn y pysgotwr hwn dueddiadau felly! Yr oedd William Bwcle ac yntau yn eithaf ffrindiau a gwnaethant gytundeb â'i gilydd. Prynodd Bwcle rwyd benwaig gan Edward Bwcle ac, fel rhan o'r cytundeb, rhoes ei benthyg i Maharen Bach ac yna rannu'r penwaig a ddaliai ef rhyngddynt. Gwaith ysbeidiol iawn fyddai rhwydo penwaig ond rhyw dipyn o ladd nadredd tra parhâi. Tybed ai am hynny y cafodd yr enw gogleisiol hwn?

Siân Sebon: (23 Mawrth 1739) Rhyw lun o bedlwraig oedd Siân, merch Siôn Rowlands, a werthai nwyddau o ddrws i ddrws. Câi gryn groeso yn y Brynddu ac fe alwai yno'n gyson. Mae'n amlwg mai sebon oedd ei phrif nwydd ond weithiau fe'i gelwid yn Siân Sibio. Yn anffodus nid oes gennym enw arall iddi. Dyma enghraifft o'r glasenw wedi goddiweddyd yr enw priodol.

Owen Ara: (13 Rhagfyr 1737) Mae'n rhyfedd meddwl fod William Bwcle yn difrïo'r garddwr, Richard Jones, a oedd yn uwch ei statws nag odid unrhyw wasanaethwr arall yn y plastai yn y ddeunawfed ganrif. Yr oedd cryn falchder ynghylch yr ardd a'i chynnyrch yn oes William Bwcle. Yr oedd Owen Ara yn gryn arbenigwr, wedi bwrw'i brentisiaeth dan un o'r enw John Grisdall ac wedi gweithio yng ngerddi'r Henblas cyn dod i'r Brynddu. Tybed ai enw ei dad neu rywun o'r teulu yw'r 'Owen Ara' a bod y garddwr yn cario'r cena diog ar ei gefn?

Bwnglerwr: (8 Mawrth 1758) Talodd William Bwcle saith swllt ac wyth geiniog i Owen Thomas, y gof yn Rhosbeirio. Mae'n amlwg nad oedd rhyw feddwl uchel gan William Bwcle o of Llanfechell ac, yn y cofnod hwn, mae'n ei ddifrïo'n go hallt: 'the Bwnglerwr of this village could not do'. Ar 4 Hydref 1754 aeth cyn belled â Llanfair-yng-Nghornwy, at Richard Edwards, gof yr ardal honno, a thalodd iddo goron am fachyn cynnull.

Y dosbarth nesaf o lasenwau sydd ganddo yw'r rhai y gellid eu galw'n enwau disgrifiadol oherwydd rhyw nam neu ddiffyg corfforol. Gall y rhain ymddangos yn bur ddiraddiol, os nad yn greulon, mewn ambell achos.

John Bengam: (22 Mai 1734) Codwr waliau cerrig oedd John ac fel Pengam y mae'r dyddiadurwr yn cyfeirio ato. Tybed ai rhyw nam corfforol a barodd i'w ben gamu? Ynteu fel codwr waliau yr oedd wedi gorgynefino â phlygu ei ben ar osgo i geisio craffu ar union ei wal?

Long Face: (11 Mawrth 1757) John Pritchard Samuel, y gwerthwr esgidiau piau'r enw hwn. Enw ffigurol mae'n debyg, gan mai go brin fod i'r enw oblygiadau crefyddol bryd hynny. Haws credu mai rhyw olwg sarrug ac annymunol oedd arno.

Siôn Drwyn Hir: (11 Mai 1748) Ar ddamwain megis y cafodd Siôn ei enw yn y dyddiadur. Fu erioed enw mwy disgrifiadol na hwn. Cofnodi priodas y mae'r dyddiadurwr ac fe gyfeiria at y briodasferch fel merch 'Siôn Drwyn Hir'. Fu William Bwcle dro bach â glastwreiddio'r enw priodol – Hugh ap Siôn Thomas Nicolas!

Robin Owen Wirion: (26 Ionawr 1749) Aeth William Bwcle, ynghyd â chomisiynwyr eraill, i Lannerch-y-medd i osod y dreth ffenestri. Y comisiynwyr eraill oedd William Lewis, Llys Dulas; John Owen, Presaeddfed; Lloyd, Hirdrefaig a Robin Owen Wirion. D'oedd ots yn y byd gan William Bwcle fod Robert Owen yn un o foneddigion y Sir fel yntau, yn un o'r comisiynwyr i osod deddfau ac yn fab y Penrhos, Caergybi. Os haeddai'r glasenw disgrifiol hwn, fe'i câi – yn y dyddiadur beth bynnag.

Booby Holland a'r *Hen Ddylluan:* (8 Awst 1749; 24 Ebrill 1752) Nid dau gymeriad sydd yma, ond dau lasenw ar yr un cymeriad, a'r ddau mor ddifrïol â'i gilydd. Pwy fyddai'n meiddio glasenwi barnwr, o bawb? Doedd wahaniaeth gan y dyddiadurwr ailfedyddio'r barnwr, Roger Holland, a'i ddiraddio'n isel iawn trwy ei alw wrth yr enwau hyn er ei fod yn Ynad Heddwch ac yn eistedd ar y *Grand Jury*.

Wil yr Angau: (24 Ebrill 1750) Gwariodd Bwcle chwe cheiniog yn nhŷ Wil yr Angau am gwrw. Bragu a gwerthu cwrw yn ei gartref ym Miwmares a wnâi Wil at ei fyw ond, yn ôl yr enw coeglyd hwn, yr oedd hi'n fyw go fain arno. Mae'n debyg mai cyfeiriad at ei gyflwr esgyrnog a thenau sydd yn y glasenw. Mae ar lafar o hyd gyfeiriadau at rywun tenau fel un a ddihangodd o grafangau angau, ac amryw o rai tebyg lle y personolir angau.

Yna fe symud y dyddiadurwr i ddosbarth arall, dosbarth go barchus y tro hwn, sef y byd eglwysig. Caiff hwyl ar ddau enw diddorol iawn:

Deon Pabo: Ym marchnad Llanfechell ar 14 Mai 1736 fe welodd William Bwcle Richard Thomas Morris, y bu ei wyres yn forwyn yn y Brynddu ond, am ryw reswm, a adawodd ei gwaith. Er hyn mynnai William Bwcle dalu dau swllt a chwe cheiniog i'w thaid. Ond, cyn gadael yr hanesyn, mynn y dyddiadurwr roi glasenw'r taid inni, sef Deon Pabo. Yr oedd plwyf Llanbabo yn cyffwrdd â phlwyf Llanfechell, gyda'i eglwys fechan ddinod. Dichon fod Richard Thomas Morris yn dal rhyw swydd syml yn y Llan ac, fel a ddigwydd weithiau, mae'n debyg i'r swydd fynd i'w ben a'i chwyddo'n anghysurus. Does wybod pwy a roes iddo'r teitl o Ddeon ond dyna fu ei enw wedyn. Tebyg yw hyn i'r modd yr oedd Owen Gronw yn rhyw dipyn o Warden yn Eglwys Llanfair Mathafarn Eithaf ac yn swagro dipyn rhwng y canhwyllau yno. Manteisiodd y Morrisiaid yn eu rhyddiaith a'u barddon-iaeth i gyfeirio ato fel esgob – mewn cryn ddirmyg. Mae'n debyg mai gyda dirmyg felly yr oedd y gŵr o Lanbabo yn Ddeon yn y plwyf diarffordd hwnnw.

Cwlwm Dog: (3 Tachwedd 1742) Dyma'r unig offeiriad i gael glasenw gan William Bwcle. Yr oedd John Evans yn fab i Jenkins Evans, rheithor Llanbeulan, ac yn dad i William Wynne a fu, ar un amser, yn giwrat Llanrhyddlad gan ddilyn ei dad yn Llanbeulan cyn dod yn berson Llanfechell ym 1757. Gwyddom, oddi wrth y dyddiadur, faint bynnag o feddwl oedd gan William Bwcle o Richard Bwcle, y person, doedd ganddo ddim meddwl o'i olynydd. Yn wir aeth mor bell â dweud nad oedd am gofnodi'r un nodyn ar y Sul wedi oedfa drychinebus dan ei weinidogaeth. Wel, hwn oedd Cwlwm Dog. Mae'n debyg mai creadigaeth Lewis Morris oedd yr enw. Yn ei ryddiaith mae ganddo ddarn o ddychan difrïol i'r Parch John Evans sy'n agor gyda'r geiriau: 'Ethereal Cwlwm Dog wisheth his friends on Earth all happiness.' Aiff yn ei flaen gan annerch y daearolion rai gyda'r geiriau canlynol:

> I am a star of great glory as big as the Dog star – My honourable Title of Angesley, Cwlwm Dog.
>
> Ewch i ben y clawdd cerrig a chewch fy ngweld i yn serenu y noson a fynnoch.
>
> Eich gwasanaethwr
> Cwlwm Dog[10]

Mae'n amlwg fod John Evans ar delerau rhyfeddol o dda ag ef ei hun ac yn teimlo ei fod yn seren bur ddisglair, ac yn fwy dyrchafedig na'r meidrolion is i lawr o lawer. Mae'n anodd gwybod beth ydi ystyr yr enw. Go brin fod ynddo gyfeiriad at wisg offeiriadol, gan nad oedd y goler gron mewn bod bryd hynny, er mor debyg i'r 'Dog Collar' yw'r enw.

Câi William Bwcle gryn hwyl yn aralleirio enwau lleoedd hefyd. Cyfeiria at Lannerch-y-medd fel 'Llannerch-y-meddwyn' a thro arall fe eilw'r lle yn 'Llannerch-y-mwd'. Mae'n amlwg nad oedd ganddo feddwl mawr o'r lle hwnnw. Mae'n anodd gwybod beth sydd ganddo mewn cofnod fel hyn hefyd ar 17 Ebrill 1748: 'paid 8s and 7d¹/₂ to Evan Price the mole catcher from Bedd-kil-hart in the county of Caernarvon.' Mae'n debyg mai chwarae â'r gair Beddgelert y mae.

Mae ei ddefnydd o lasenwau yn dangos inni ochr ddireidus a llawn hiwmor i gymeriad William Bwcle. Manteisiai ar bob cyfle a welai i gael tipyn o hwyl, er i hynny ymylu weithiau ar fod yn sbeitlyd a sarhaus er, mae'n amlwg, y llwyddai i dynnu trwodd yn ddigon didramgwydd.

Mae ganddo nodyn diddorol iawn sy'n dangos fel y câi hwyl hefo ambell gymeriad. Ar 7 Gorffennaf 1735 rhoes fenthyg swllt i Richard Lloyd, Tyddyn y Franwen, Mynydd Mechell, i brynu baco. Cytunodd ar unwaith ond rhoes addewid arall i'r tyddynnwr: fe gâi ddau bwys o faco os byddai iddo adael ei locsyn o'r pryd hwnnw hyd ddydd Sant Steffan heb ei eillio na'i dorri. Tybed sut olwg oedd ar Richard Lloyd druan ymhen chwe mis?

Mae'n ddiddorol sylwi fod ar gof gwlad o hyd yn yr ardal straeon am gymeriadau hwyliog a direidus a bod yno hen, hen draddodiad o lasenwau. Mae hanesyn am un, John Hughes, a oedd yn byw yng Nghoeden tua diwedd y bedwaredd ganrif ar bymtheg. Clywodd am dŷ newydd a godwyd ym Mynydd Mechell ac a alwyd yn Bryn Hyfryd. Enw hynod o briodol ar dŷ mewn llecyn mor braf. Clywodd John Hughes gan hwn ac arall fod y tŷ yn gollwng dŵr ac awgrymodd y dylai'r perchennog newid yr enw ar unwaith i Bryn Hidil – yn ddiddorol iawn, dyna enw'r tŷ hyd heddiw. Mae'n eithaf gwir fod y glasenw yn fwy adnabyddus na'r enw priodol mewn sawl achos!

[1] Richards, E., *Yr Ardal Wyllt*, Cyhoeddiadau Modern, 1983, t.55.

[2] Toffler, Alvin, *Future Shock*, Bodley Head, 1970.

[3] Williams, E. A., *The Day Before Yesterday*, Llangefni, 1988, t.136.

[4] Llwyd, Angharad, *A History of the Island of Mona*, Rhuthun, 1833.

[5] Rwy'n ddyledus i'r gwenynwr, Thomas J. Rowlands, Porthaethwy.

[6] Jones, Gwilym T. a Roberts, Tomos, *Enwau Lleoedd Môn*, Canolfan Ymchwil Cymru Bangor, 1996.

[7] *ibid*, t.77.

[8] Stokes, Francis Griffin, *A Dictionary of the Characters and Proper Names in the Works of Shakespeare*, New York, 1924.

[9] Ap Dafydd, Myrddin, *Llysenwau*, Gwasg Carreg Gwalch, 1992.

[10] Llyfrgell Prifysgol Bangor, 15025; *Additional Morris Letters*, t. 134.

GWEINYDDWR EI STAD

Y mân ffermydd a'r tyddynnod oedd prif gynhaliaeth y werin yng nghefn gwlad Môn yn y ddeunawfed ganrif – ychydig iawn o ffermydd mawr oedd yma – ac fe ddeuwn i'w hadnabod yn dda yn nyddiadur William Bwcle. Deuwn i wybod am eu byd llwm a thlawd trwy lygaid a chalon un a gydymdeimlai â hwy. Heb os, dyma'r ffynhonnell gyfoethocaf a feddwn am hanes y tyddynnwr a'r gwas fferm ym Môn yn y cyfnod hwn. Mae edefyn cyson o hanes y bobl yn rhedeg yn ddi-dor gydol y dyddiadur ac mae hynny'n beth digon anghyffredin. Yn wahanol i bob tirfeddiannwr arall yr oedd William Bwcle yn byw yn agos at ei denantiaid; dyna'n siŵr a'i gwna'n landlord mor unigryw. Yr oedd ei fyd a'i fyw yntau, fel hwythau, mor agos at y pridd. Er iddo'n achlysurol droi allan ar ei farch i'r Sesiwn Fawr ym Miwmares, prif dref yr Ynys, a threulio tridiau neu bedwar yn troi a throsi ymhlith dosbarth uchaf y sir, yn foneddigion ac yn sgweiriaid, eto i gyd mae'n amlwg y byddai'n dyheu am ddod adref i awyrgylch y fferm a chwmni'r gweision ffraeth yn y Brynddu.

Mae cyferbyniad ei ddau fywyd yn amlwg yn ei gofnod am 25 Ebrill 1734:

> The Grand Jury dines at Miles Bull's house; they had invited the Judge, High Sheriff and all the Councell and several other gentlemen... we took horse and came out of the town; upon the way met with severall flock of sheep that had been bought in Llanerchymedd Fair that day..., the yearlings being what they generally bought were sold for 3s 6d to 3s 9d a piece... very little asking for oxen...

Casglwn oddi wrth y cofnod hwn fod William Bwcle yn llawer mwy cartrefol wrth holi a siarad am brisiau'r farchnad efo'r tyddynwyr hyn nag a oedd yn gloddesta yn y Bull efo'r byddigion.

Yn wir enillodd Bwcle iddo'i hun yr enw o fod yn dirfeddiannwr teg a charedig ac mae'n debyg ei bod yn haws iddo fod felly, oherwydd yn wahanol i'r stadau mwyaf a gyflogai stiwardiaid i weinyddu gwaith y stadau, fe wnâi William Bwcle y gwaith hwnnw ei hun. Y fo oedd y stiward a'r tirfeddiannwr, y ddwy swydd mewn un person.

Tyfodd y stiward i gryn awdurdod yn ei swydd, a pha ryfedd mewn gwirionedd gan mai olynwyr i feilïaid yr Oesoedd Canol oeddynt. Saeson uniaith oedd y rhan fwyaf ohonynt a wisgai frethyn drud. Diogelent eiddo a hawliau eu meistri fel pe bai'r cyfan yn eiddo iddynt hwy. Y stiward fyddai'n cynrychioli'r meistr tir wrth ddelio a thrafod hefo'r tenantiaid, ac ef a fyddai'n gosod y tyddyn neu'r fferm a phenderfynu'r rhent. Pan godai anghydfod rhwng tenantiaid a'i gilydd, y stiward fyddai'r canolwr i wastatáu pethau. Rhan arall bwysig iawn o'i waith fyddai trefnu â'r tenant ynglŷn â thrin ac atgyweirio'r adeiladau ar y daliad. Y stiward oedd yn ymorol am dderbyn y rhent hefyd ac ef a wnâi'r penderfyniad pe codai achos o droi tenant o'i fferm neu'i dyddyn. Fe ddywedir y byddai rhai o'r stiwardiaid hyn yn ymddwyn yn llawer mwy gormesol ac anhyblyg na'r meistri tir. Ac, wrth gwrs, dyma'r math o gymeriad a gyflogai'r landlordiaid i'r gwaith – cymeriad o natur grafangllyd a'i syniad am ei swydd a'i ddyletswyddau yn llym ac yn ffurfiol.

Nid rhyfedd i'r math hwn o gymeriad fod yn gocyn hitio i'r gymdeithas Gymreig yng nghefn gwlad Cymru. Cafodd cynulleidfa sawl drama hwyl anghyffredin yn gwylio a gwrando ar y stiward yn camdreiglo ac yn mwrdro eu hiaith ar ddiwedd y bedwaredd ganrif ar bymtheg. Gofalai awduron y dramâu hynny y byddai'r gwas yn llawer mwy dewisol gan ferch y plas na'r stiward a oedd mor drwsgwl yn caru ag a oedd yn siarad Cymraeg.

Ni allai tirfeddiannwr bychan fel William Bwcle fforddio asiant i weinyddu ei stad a golygai hyn mai ef ei hun a wnâi'r gwaith. Mae'n hawdd casglu oddi wrth ei ddyddiadur y cyflawnai'r gwaith yn gwbl gartrefol ac answyddogol. Galwai tyddynwyr yno yn eu tro i holi am dyddyn neu fferm fach a chan y byddai Bwcle yn eu hadnabod mor dda ac yn gwybod am eu hamgylchiadau, fe gytunent â'i gilydd ar unwaith. Rhwng popeth yr oedd byd a bywyd William Bwcle yn llawn iawn ac yn un prysur tu hwnt, a galw parhaus arno i droi ei law a'i allu at bob rhyw ofyn. Ef a drefnai ddyletswyddau'r gweision a'r dynion am y diwrnod. Yr oedd yn ffermio tair o ffermydd ac yn dal peth tiroedd ar rent ei hun. Yr oedd yn adnabod pob tyddyn a fferm ar ei stad – adnabod y caeau, y gwrychoedd a'r cloddiau a chyfarchai'r tenantiaid gan amlaf wrth lysenw digon doniol. Heb os, byddai pob tenant ar stad fechan y Brynddu yn diolch mai'r dyn rhyfeddol hwn oedd stiward y stad. Wedi'r cwbl, mewn oes mor dlawd, ansicr ac anwadal, y tyddyn a'r bwthyn oedd y fendith bennaf a feddai'r rhain.

Fe welwn felly nad oedd llawer o nodweddion na deunydd stiward yn William Bwcle, a daeth â phwyslais hollol wahanol i'r berthynas rhwng tenant a landlord. Dyma dir-feddiannwr a fedrai gydymdeimlo a rhoi ailgynnig i denant. Medrai ddeall amgylchiadau a chaledi teuluoedd tlawd oedd yn methu'n ulw â chael dau ben llinyn ynghyd. Fe brofa ei ddyddiadur na chymerai fyth fantais ar eu hanllythrennedd mewn materion ariannol o ran cyflog na rhent. Yr oedd Rowland Owen, Tyddyn Garreg Lefn – tyddyn o naw erw – yn orweddiog ers tro. Galwodd y landlord heibio iddo ar 30 Rhagfyr 1748 a rhoi deuswllt iddo. Pan glywodd fod Rolant Siôn, Pant y Gist, un arall o'i denantiaid, wedi colli buwch, prynodd raffl am ddeunaw ceiniog i'w helpu yn ei golled er nad oedd yr un ddeddf yn y wlad yn gorchymyn i'r landlord dosturio wrth denant a oedd yn wael nac yn dlawd.

Os sylwai William Bwcle fod ambell denant cydwybodol wedi gwario mwy na'r rhent ar atgyweiriadau i adeiladau'r daliad – talai'r gwahaniaeth yn ddiymdroi. Ar 23 Rhagfyr 1737, cofnododd fod Rowland ap Robert, Tŷ Tan y Graig, wedi gwario dau swllt a saith geiniog yn fwy na'r rhent ac mae'n ei hysbysu'n ddi-oed ac yn ei ddigolledu. Cofnododd achos tebyg ar 27 Rhagfyr 1739 pan wariodd Griffith Rowland, Tyddyn y Garreg Lefn, ddeunaw swllt a saith geiniog dros ei rent, cafodd yntau ad-daliad rhag blaen gan ei feistr tir. Yn yr un modd eto bu i John Ellis Griffiths wario hanner coron dros ei rent ar y Gerddi Gwynion ac, yn ôl y cofnod am 9 Rhagfyr 1752, fe dalwyd y gwahaniaeth yn syth, er mai dwy bunt oedd rhent blynyddol y tyddyn hwnnw.

Y mae'n amlwg ddigon oddi wrth y dyddiadur mor dlawd a llwm oedd byd a bywyd y tenantiaid hyn, a bywyd mor galed fel yr ymdrechai'r werin i sicrhau llain o dir o unrhyw fath i ychwanegu rhywfaint at eu byw. Fe sonia rhai awduron am y 'land-hunger', ac fe wyddai plwyfolion Llanfechell a gogledd Môn beth oedd ystyr y newyn hwnnw. Nid newyn am dir i wella'u byd oedd ond newyn i geisio byw o gwbl. Fe gododd y galw am dir gan fod llawer iawn o grefftwyr yn methu'n lân â gwneud bywoliaeth o'u crefft. Yr oedd y tyddynwyr a'r crefftwyr wedi dysgu troi eu llaw at bob rhyw alw a ddeuai arnynt yn eu hymdrech i wneud bywoliaeth. Byddai sicrhau tenantiaeth tyddyn, po leied y bo, yn gaffaeliad anferth i'r crefftwyr hyn. Sylweddolai William Bwcle y byddai'n fantais cael crefftwr yn denant gan y gallai alw am ei wasanaeth i'r Brynddu fel rhan o gytundeb-rhent. Ar 17 Mehefin 1735 gosododd Tyddyn y Fieren, ym mhlwyf Llanfechell, tyddyn yn mesur un erw ar ddeg, am rent o bedair punt y flwyddyn. Dyn o Gaernarfon oedd Griffith Rhobat ond yn byw fel pentir i Richard Lloyd yng Nghemaes Fawr, plwyf Llanbadrig. Gŵr priod oedd y 'pentir', yn byw mewn math o gaban ar y fferm. Fe gâi'r cwt yn ddi-rent ynghyd â hawl i gadw buwch a châi ychydig o ŷd a gwair i'r fuwch. Yr oedd y 'pentir' yn arbennig i Sir Fôn. Yr oedd un o'r enw Lewis yn bentir yn Nhre'r Gof, Llanbadrig, ym 1726. Câi ei dŷ a gardd a hawl i gadw chwech o ddefaid a châi fwsiel o haidd yn y gaeaf. Yn yr haf câi'r tŷ a'r ardd, cadw chwech o ddefaid, godro un fuwch, pegiad o haidd a bwsiel o rug a'r un mesur o flewgeirch, gyda phum swllt o gyflog.[1] Ar 10 Chwefror 1750 gosodwyd Tyddyn Llech ym mhlwyf Llanfaethlu, daliad o ddwy erw ar hugain, i Robert Pritchard a oedd yn bentir i William Pritchard yng Nghnwchdernog ym mhlwyf Llanddeusant. Byddai'n fantais cael pentir yn denant gan y byddai'n weithiwr profiadol yng ngwaith y fferm.

Mentrodd William Owen a'i frawd, dau deiliwr o Bentraeth, denantiaeth Clegyrog Uchaf, fferm o gant saith deg dau o erwau ym Mhlwyf Llanbadrig. Yn ôl cofnod William Bwcle, cytunwyd i rent o bedair punt ar ddeg y flwyddyn; caent hepgor treth y tir o ddeg swllt a deg ceiniog os talent y rhent erbyn Gŵyl Mihangel. Hefyd caent fil o fesurau o dywod Traeth Coch ar yr amod o'i nôl o'r llong yn Harbwr Cemaes. Dyma ddau grefftwr o deilwriaid yn mentro fferm o gryn faint er bod Pentraeth yn nodedig am ei theilwriaid er yn gynnar iawn. Tybed ai methu cynnal safon deilwrol y lle hwnnw fu hanes y ddau grefftwr hyn?

Gwehydd wedyn oedd Evan Williams, Cors y Ceiliog, Cemlyn, ond tebyg ei bod hi'n fyd digon main arno yntau gan iddo rentu tyddyn gan William Bwcle ar 25 Mai 1741 o'r enw Bodlwyfan ym mhlwyf Llanfechell. Fe'i cafodd am y rhent blaenorol o bum punt y flwyddyn, ac os talai'r rhent cyn y Nadolig ni fyddai gofyn iddo dalu treth y tir a oedd yn ddau swllt ac wyth geiniog y flwyddyn. Byddai gwasanaeth gwehydd yn ddigon derbyniol yn y Brynddu mae'n siŵr.

Yn ôl cofnod 2 Mai 1742, ymddengys i William Gruffydd, gwehydd arall, fethu yn ei ymdrech i fod yn ffermwr a chafodd rybudd i adael y tyddyn ar stad y Brynddu erbyn Calan Gaeaf. Ar 23 Tachwedd 1742, fe osododd William Bwcle Dyddyn y Gors ym mhlwyf Llanfechell am bedair blynedd i David ab David Lewis, a anwyd ym mhlwyf Llanfaelog, er ei fod yn ddyn dieithr o blwyf pellennig. Yr unig honiad i'r denantiaeth a feddai David oedd y ffaith fod merch Jane ach Ifan, y tenant presennol, yn feichiog ohono. Cytunodd William Bwcle, fodd bynnag, i roi'r denantiaeth iddo ar yr hen delerau.

Ond, er bod Bwcle yn dirfeddiannwr caredig a haelfrydig, eto byddai raid iddo yntau gadw at batrwm o delerau arbennig wrth osod ei dyddynnod a'r mân ffermydd ar ei stad. Yn naturiol byddai'n dibynnu ar, ac yn derbyn, yr arferion a'r defodau ynglŷn â rhentu a fodolai er cyn cof. Mae cytundebau tenantiaeth ac arferion a dulliau o dalu rhent yn hen iawn ac mae'r patrymau hyn yn dal o hyd i ryw raddau. Maent wedi goroesi o'r hen ddulliau llwythol a fodolai yng Nghymru cyn cydymffurfio â deddf Lloegr. Yr oedd y cytundebau tenantiaeth yn hynod o bwysig i'r tirfeddiannwr ac i'r tenant ac ni fynnent er dim i'r patrymau hyn newid. Yn y pen draw consýrn pennaf y tyddynwyr a'r ffermwyr fyddai sicrwydd o'u tenantiaeth a'u hofn pennaf, am amrywiol resymau, fyddai colli'r denantiaeth a chael eu troi o'u cartref a'u tipyn tir a oedd yn ffon fara iddynt. Wedi'r cwbl, yn ôl cyfraith gwlad, yr oedd gan y landlord hawl i derfynu'r denantiaeth heb roi rhybudd mewn achos o fethu talu rhent, neu mewn achos o'r tenant yn torri unrhyw gytundeb arall.

Ceir digon o enghreifftiau o hyn yn digwydd yn y ddeunawfed ganrif a'r ganrif ddilynol a chafodd sawl tenant ei 'droi i'r lôn' am iddo anghytuno ac anghydweld â safbwyntiau gwleidyddol neu grefyddol y landlord.

Fel y trafodir yn nes ymlaen yn y bennod 'Y Daith i'r Llys' cawn enghraifft o hyn yn hanes yr Ymneilltuwr William Pritchard (1691–1760), y Glasfryn Fawr yn Eifionydd, a ddaeth i Fôn oherwydd ei ddaliadau crefyddol. Cafodd denantiaeth yn y lle cyntaf ym Modlew Fawr ym mhlwyf Llanddaniel gan Eglwyswraig bybyr – Margaret Troughton, merch i'r Parch John Ellis, rector Llanddyfnan, Môn.[2] Symudodd William Pritchard i Gnwchdernog i fyw ar Galan Gaeaf 1750.[3]

Er y ganmoliaeth ohono fel landlord da, eto cawn ddwy enghraifft o William Bwcle ei hun, am resymau nad yw'n dweud, yn troi tenantiaid o'u tyddynnod cyn 1759. Fe gofnododd ar 10 Mehefin 1734: 'Thomas Roberts that lives in Cott tock Tyddyn Drym for 4 years at the rent of 45s a year... I did not like him afterwards, so he had his Earnest back again.' Does ganddo yr un gair pellach o eglurhad, sydd mor nodweddiadol o ddyddiadur. Tybed a glywodd ryw air anffafriol am Thomas Roberts? Yn yr un modd cafodd William Griffith, y gwehydd, rhybudd ysgrifenedig i ymadael: 'my house and my land by All Saints Day 1743'.

Bu iddo gofnodi rhoi'r rhybuddion i bum tenant arall ym 1759 a 1760, ac nid yn unig y mae hyn yn annodweddiadol ohono, y maent hefyd yn od iawn. Ond rhaid cofio mai dyma flwyddyn olaf ei fywyd gan y bu farw ym mis Medi 1760. Mae pob lle i gredu erbyn hyn fod cyflwr gwael ei iechyd yn siŵr o fod wedi amharu ar ei ymddygiad, gan ei fod mor anghyson â'i natur. Cwynodd yn go sownd yn ystod haf 1759 ac yr oedd arwyddion amlwg o ddirywiad yn ei iechyd, yn ôl awgrymiadau cynnil y dyddiadur. Megis ar 1 Awst 1759 cwynodd yn go ddrwg am boenau dirdynnol yn ei stumog: 'I am afraid of some kind of distemper – passing blood.' Ac eto ar 16 Tachwedd: 'having very bad health all this last summer and autumn, I did not expect to see this day but Almighty God has preserved me hitherto...'

Ar 25 Ebrill 1759 rhoes rybudd i ddau denant adael eu tyddynnod ar stad y Brynddu erbyn Calan Gaeaf – i Rowland Siôn, Pant y Gist ac i Rowland Owen, Tyddyn Garreg Lefn (Carreg Lefarin). Nid yr un William Bwcle oedd hwn â'r un a dosturiodd wrth Rowland Siôn gan dalu swllt a chwech am raffl am ei fod wedi colli buwch, na'r un a roes ddau swllt i Rowland Owen am ei fod yn wael ac yn orweddiog ers tro. Mae'n amheus ai yr un William Bwcle a roes rybudd iddynt i ymadael â'u tyddynnod, yr unig gynhaliaeth a feddent.

Mae'r rhybuddion eraill yn fwy annaturiol fyth ar ei ran. Ar 20 Mai 1760 rhoes rybudd i William Pritchard, Cnwchdernog i ymadael â'r tair fferm:

> I had William Pritchard of Cnwchdernog served this day with a notice to part with my farms at All Saints next which if he does not I am determined to eject him and break his lease for his manifold breaches of the covenants in the said lease.

Beth oedd y 'manifold breaches' tybed? Ymhen y mis aeth i Gnwchdernog gyda William Thomas Morgan i gael golwg ar gyflwr y lle. Fe dystia'r dyddiadur fod ei iechyd yn dal i ddirywio ac yntau'n llawn ei bryder. Y mae'n amlwg ei fod yn edifar o roi'r rhybudd gan iddo ar 7 Awst 1760, gofnodi heb unrhyw eglurhad: 'Exectued a New Lease to William Pritchard for 18 years.' Felly hefyd yn achos Lewis Hughes, Cae Owen, y rhoes rybudd iddo ymadael â'i dyddyn erbyn Calan Gaeaf 1760 heb unrhyw eglurhad na rheswm. Ymhen tridiau, ar 21 Gorffennaf 1760 fel hyn y cofnododd:

> Lewis Hughes and I executed a Lease which I granted him upon farm where now he lives, for 21 years to comence at All Saints, at the Anual rent of £5 10s a good sucking lamb for a present and 2 days reaping in the harvest for service.

Onid yw'n anghyffredin iddo ef o bawb wneud sawl tro pedol mor agos at ei gilydd?

Ar 17 Mehefin 1760 cafodd tenant Ty'n Llan ym mhlwyf Llanfechell, sef William Griffith, rybudd i ollwng gafael ar y denantiaeth gan i Bwcle osod y Tyddyn i Edward Dowdal am rent o bedair punt a chwe swllt y flwyddyn. Mae'n ymddangos fod William Griffith i gael aros ond ymddengys fod y denantiaeth ar y cyd dros dro: 'Set Ty'n Llan with it's appartenances as it is now occupyed by William Griffith (except ye Weyn Fawr) to Edward Dowdall for a year at the same rent £4 6s 0d.' Ymhen yr wythnos fe osododd y Weyn Fawr – gweirglodd o bum erw wrth Ben y Bont, heb dŷ nac adeiladau, i Jones y Ciwrat, ar y cyd â John Ifan, gwas y Brynddu. Tybed ai gwas y Brynddu oedd William Griffith hefyd, a'i fod i aros yn Nhy'n Llan er bod Dowdal wedi cael y denantiaeth?

Ar wahân i bryder am gael eu troi o'u daliadau fe allai'r *dull* o gytundeb greu cryn ansicrwydd i'r tenant hefyd. Y dull mwyaf cyffredin yn y ddeunawfed ganrif i osod daliad fyddai trwy brydles, a amrywiai o ran hyd o ddwy flynedd i gymaint ag ugain mlynedd. Yr oedd cytundeb arall, sef y dull awtocratig, fel mae'r enw'n awgrymu, yn ddull gormesol, llawn awdurdod unbeniaethol, a ddaeth yn gyffredin yn y bedwaredd ganrif ar bymtheg.[4] Ceir enghreifftiau o'r dull hwn yn y ddeunawfed ganrif hefyd; yn wir mae gan William Bwcle un, sef ar 18 Mawrth 1737 pan osododd Pen y Bont a'r weirglodd (Weyn Fawr) i Hugh Owen o Llandygwael, y ddau le ym mhlwyf Llanfechell, am rent o £8 12 6d ac yna mae'n troi i'r Lladin er mwyn dangos y math o gytundeb oedd hwn: *'quan din re bene gossrit'* – cytundeb dibrydles a oedd yn ansicrach o lawer na'r cytundeb arall prydlesol. Fe barhaodd y ddau ddull law yn llaw gydol y bedwaredd ganrif ar bymtheg.

Ond, heb os, y sicrwydd mwyaf i dyddynwyr a ffermwyr y ddeunawfed ganrif oedd telerau hanner-caeth, er bod yna ryw sôn ym mrig y morwydd am newid erbyn canol y ganrif. Mae'n wir fod elfen wasaidd i'r cytundeb hwn, ond yr oedd yn llawer haws i dyddynnwr tlawd weithio dipyn am ei rent a chael gafael ar gwpwl o gywennod crib-goch na chael arian. Ond daeth tro ar fyd erbyn hanner olaf y bedwaredd ganrif ar bymtheg gyda'r elfen wasaidd yn codi gwrychyn y tenantiaid a daeth galw am i'r cytundebau rhwng landlord a thenant fod ar batrwm busnes yn hytrach na rhyw drefn hanner gwasaidd. Ond yr oedd y dull hanner-caeth o dalu rhent yn gweddu'n llawer gwell i denantiaid oes William Bwcle na'r un dull arall, a doedd gan dyddynwyr y Brynddu gywilydd yn y byd i wisgo bathodyn gwaseidd-dra. Wedi'r cwbl, cyflwr caethiwus iawn yw tlodi a does gan y cardotyn fyth rhyw lawer o ddewis mewn dim.

Byddai'r stadau llai yn dueddol o ddilyn patrwm y stadau mwy o ran cytundebau, arferion a defodau'r denantiaeth. Yr oedd yn naturiol i stadau lleiaf Môn ddilyn patrwm stad y Baron Hill ond, am ryw reswm, fe ddilynai stad Llys Dulas stad y Faenol yn Sir Gaernarfon. Roedd yn arferiad cyffredinol ym Môn i denantiaeth gychwyn ar Galan Gaeaf ac, yn ddieithriad, fe gyfeiria William Bwcle 'to comence at All Saints Day' fel amser cychwyn tenantiaeth. Gwyddom mai'r dydd cyntaf o Dachwedd yw 'Gŵyl yr Holl Saint', sydd yn ŵyl dra phwysig yn y calendr Eglwysig. Ond, fel mae'n digwydd, y trydydd ar ddeg o Dachwedd yw'r dyddiad ym Môn i gychwyn tenantiaeth newydd. Mae'r dyddiadau yn amrywio rhwng y deuddegfed a'r trydydd ar ddeg trwy stadau'r gogledd. Byddai stad Baron Hill yn cadw'n glòs at 13 Tachwedd ac mae lle i gredu y byddai William Bwcle yn golygu'r dyddiad hwnnw wrth gyfeirio at Ŵyl yr Holl Saint.

Mae'n debyg mai dilyn y stadau mwy a wnâi'r stadau llai yn y dulliau o dalu rhent hefyd. Yr oedd y dull hanner-caeth yn gyffredin drwy'r Ynys yn y ddeunawfed ganrif ond gyda pheth amrywio yn y rhoddion a ddisgwylid. Ychydig iawn o amrywiaethau a geid yng nghytundebau a dulliau talu rhenti ar stad y Brynddu. Yr oedd y dull hanner-caeth yn fforchogi'n driphlyg fel a ganlyn:

(i) Talu mewn arian;
(ii) Rhoddion o fwydydd: dwy gywen a chwe chyw iâr gan amlaf ar stad y Brynddu;
(iii) Rhoddion mewn gwaith neu lafur.

Mae'n anodd gweld unrhyw batrwm i'r taliadau mewn arian. Digon teg yw dweud y byddai William Bwcle yn gofyn oddeutu dau swllt neu hanner coron yr erw am flwyddyn. Mae'n debyg fod yna elfen gref o fesur yr esgid fel bo'r droed ac y teimlai ambell denant tlawd y byddai'n haws rhoi mwy o oriau'n pladurio i'r landlord nag i ddod o hyd i ddau swllt mewn arian prin.

Fe gadwai Stad y Brynddu yn weddol gyson at y 'rhoddion bwydydd'. Disgwyliai William Bwcle ddwy gywen ar yr Ynyd a chwe chyw iâr rhwng mis Mawrth a mis Mai. Fe gysylltid y taliad o ieir fel rhoddion rhent â'r Ynyd drwy'r wlad. Fe'i gelwir yn 'Geir Ynyd' mewn rhai cylchoedd gan olygu 'rhoddion rhent'. Yr oedd i Ŵyl yr Ynyd arwyddocâd arbennig iawn gan y'i cysylltir â dechrau'r Grawys. Yr oedd Dydd Mercher y Lludw yn dilyn Noswyl Ynyd wrth gwrs.[5] Yr oedd hen ddefod ddigon creulon a gysylltid gynt â Sul Ynyd, sef gorchuddio llygaid person a hwnnw wedyn yn pastynnu'n ddi-reol i geisio taro'r iâr a fyddai wedi ei lled guddio yn y pridd. Y sawl a drawai'r iâr a'i câi.[6] Y mae Richard Morris yn dyfynnu hen gân gyda chyfeiriad at Ben y Dinas ym mhlwyf Llanbadrig:

> Ni awn i Ben y Dinas;
> Mae yno le cyweithas
> I gael gweled dyrnu'r iâr
> Ar ffust yn wâr o'i chwmpas.

Yr ydym yn fwy cyfarwydd ag arferiad arall, sef 'Hel Ynyd' a elwid yn 'Blawta' a 'blonega'. Âi pobl o gylch ardal yn begio blawd a saim a llefrith ac âi'r bechgyn o gwmpas y wlad yn clapio am wyau trwy guro dwy garreg yn ei gilydd. Yn ddiddorol iawn mae gan William Bwcle dri chyfeiriad at yr arfer o glapio, arferiad a barhaodd hyd at hanner olaf yr ugeinfed ganrif. Dyma'i gofnod ar 4 Ebrill 1737: Gave Ambrose Lewis Trysglwyn 1s. that went about to beg for eggs, as the custom of schoolboys is ye week before Easter.' Yna ar 12 Ebrill 1754: 'Gave 8d to schoolboys that begg'd for eggs.

Ni wyddai sgweier y Brynddu mai hwn oedd y cofnod ysgrifenedig cyntaf am yr arfer o 'glapio'. Mae'n amlwg nad oedd yn gyfarwydd â'r gair 'clapio' gan fod ganddo gofnod eto am yr arferiad ar 11 Ebrill 1750: 'gave Owen Jones, the son of Elizabeth ach William Matthew 1s who as a schoolboy came about to gather eggs before Easter.' Fe barhaodd yr arfer hwn yn y cwr yma o Fôn hyd at ganol yr ugeinfed ganrif. Bu William Owen Borth-y-gest yn un o glapwyr olaf Ynys Môn, yn ôl ei dystiolaeth ei hun yn *Robin yr Engan Las*.

Nid rhyfedd i'r Ynyd a'i holl draddodiadau ddod yn amser y rhoddion mewn ffowls drwy'r wlad. Mae'n wir yr amrywia'r ffowls o ardal i ardal. Er nad oes gan William Bwcle yr un cyfeiriad at wyau fel rhoddion, ac eithrio'r plant yn clapio, eto yr oedd wyau'n rhan gyffredin o roddion rhent ledled y wlad. Ceir enghreifftiau o chwe iâr a thrigain o wyau i'w cyflwyno ar amser 'Dolig fel 'rhoddion bwyd' at y rhent. Mewn rhannau eraill o'r wlad yr oedd rhodd o ddwy ŵydd dew a deugain o wyau yn flynyddol yn rhan o'r cytundeb. Byddai'n gyffredin i dyddynwyr bychan roi un iâr ac ugain o wyau. Ond, ar stad y Brynddu, y ddwy gywen ar yr Ynyd, ac yna chwe chyw iâr at Galan Mai oedd y drefn.

Yn ddiddorol iawn ceir rhai rhoddion bwyd ar stad y Brynddu na cheir mohonynt ar stadau eraill ym Môn, na thu allan i'r Ynys. Pan osodwyd Cnwchdernog Uchaf i John Williams, Ucheldref a William Jones, Bodwigan, ar 14 Tachwedd 1734, disgwyliai William Bwcle roddion bwyd at y rhent o bedair punt ar ddeg y flwyddyn, sef llwdwn maharen da neu bum swllt. Byddai gwerth y llwdwn gryn dipyn yn uwch na'r ffowls. Gosododd y Gaerwen, tyddyn ym mhlwyf Llanfaethlu, ar 23 Rhagfyr 1737, i John Thomas, Bodhalen, o'r un plwyf, am naw punt y flwyddyn o rent ynghyd ag anrheg o oen tew neu hanner coron. Perthynai ychydig o ddyddynnod ym mhlwyf Hen Eglwys i stad y Brynddu; un ohonynt oedd Ynys Waelod yn Llandrygarn ac fe'i gosodwyd i John Owen ar 17 Tachwedd 1738, ar rent o dair punt a phymtheg swllt y flwyddyn, gyda chant ac ugain llawiad o frwyn ffurf i wneud canhwyllau brwyn. Dyma anrheg hynod o anghyffredin heb unrhyw gysylltiad â bwyd. Mae'n amlwg y byddai William Bwcle yn dewis anrhegion rhent a fyddai'n weddol hawdd i'r tenant eu cael. Fel yr awgryma'r enw, yr oedd tir Ynys Waelod yn gorsiog iawn lle tyfai digon o frwyn da i bwrpas canhwyllau. Wrth osod Tyddyn Llwchan, tyddyn ar stad y Brynddu ym mhlwyf Llanfair-yn-neubwll, manteisiodd William ar ei gyfle wrth osod rhoddion bwyd yn y cytundeb i gael llymeirch blasus Rhoscolyn. Gosodwyd y tyddyn o bum erw ar hugain i Hugh Lewis am rent o bedair punt y flwyddyn ar 3 Mehefin 1757 gyda rhoddion o ddau gant o lymeirch Rhoscolyn; wedi'r cwbl, doedd Rhoscolyn ond rhyw ddau gam a naid o Lanfair-yn-neubwll, ar draws yr aberdir. Gwyddai William Bwcle i'r dim sut i amseru'r rhoddion hyn, gan iddo ofyn am gant o'r llymeirch ar Galan Gaeaf, yna cant arall tua'r Dolig, ac yr oedd i brynu cant arall ar Ŵyl Fair. Gosododd Tyddyn Cae Owen ym mhlwyf Llanbadrig ar 21 Gorffennaf 1760 am yr eildro i'r un tenant am rent o £5 10s gydag oen sugno da fel rhodd-fwyd. Mi fyddai raid rhoi'r fam hefo'r oen, wrth gwrs!

Gyda'r blynyddoedd daeth y drydedd ddefod mewn cytundeb tenantiaeth yn fwy poblogaidd a derbyniol na'r ffowls a'r bwydydd, sef y gwasanaeth rhent (service rents), sef gwaith di-dâl i'r landlord.

Rhoddai'r ddefod hon hawl i'r tirfeddiannwr gael gwasanaeth ei denant pan fyddai wir angen help yn y cynhaeaf neu i gario glo neu dywod o'r llongau. Math o wasanaethau a ofynnai am fwy o ddwylo nag yr oedd gan y landlord. Fel y gwelsom yr oedd gweithio yn y cynhaeaf am ddeuddydd yn ddi-dâl yn rhan o gytundeb tenantiaid y Brynddu. Byddai'n enwi'r gwasanaeth yma'n benodol: 'two days reaping in the harvest for service'. Yr oedd ystyr y 'service' yn ddealladwy i bob tenant. Mae'n wir y ceid amrywiadau i'r arfer hwn, fel y nododd pan osododd yr Orsedd Goch (neu Tyddyn Creigiau) i Richard ap William Siôn Prys ar 19 Mawrth 1737. Yr oedd Richard i weithio'r ddeuddydd di-dâl yn y cynhaeaf ond, yn ychwanegol at hyn, yr oedd i weithio chwe diwrnod arall am chwe cheiniog y dydd. Ac, yng nghytundeb Hugh Hughes yn Nhyddyn y Weyn, nid yn unig yr oedd i roi deuddydd di-dâl yn y cynhaeaf i'w dirfeddiannwr, ond fe gâi waith yn y Brynddu pryd bynnag y gelwid arno. Gan mai pladurio fyddai'r dull o fedi'r gweiriau a'r ydau yn oes William Bwcle, fe olygai gael byddin o ddynion atebol i'r gwaith. Dyma fel y cofnododd ar 26 Awst 1734: 'seventeen reapers here today' – golygfa werth ei gweld yn sicr fyddai dwy wanaif ar bymtheg lydan yn gwaneifio'r fath sleisen o'r cae ar un cerddediad. Ar 4 Medi 1735 yr oedd yno bedwar ar ddeg o ddynion yn cynnull haidd yng Nghoeden: 'fourteen men today binding barley'. Gyda

107

thimau o'r maint hwn mae'n naturiol ddigon mai'r tenantiaid fyddai llawer ohonynt yn cyflawni cytundeb y 'gwasanaeth rhent'. Ond ni fyddai'n hawdd cael criw heb dipyn o drafferth weithiau – er y bu William Bwcle yn fwy ffodus yn hyn o beth na'r landlordiaid eraill. Rhaid cofio y byddai hi'n gynhaeaf ar y tenant ar ei dyddyn, neu ei fferm ei hun hefyd, ac ni fyddai'r cynhaeaf fyth yn aros wrth neb. Gallai ildio deuddydd i'r landlord olygu y byddai ei gynhaeaf ei hun wedi difetha. Yr oedd hi'n gyfyng iawn felly yng nghynhaeaf 1736. Er bod gan William Bwcle gynifer â phump ar hugain o ddynion yn y cynhaeaf yn y Brynddu ar 12 Awst 1736 – nid rhyfedd iddo nodi am 13 Awst: 'pd 4s 6d for six geese'. Dyma fel y disgrifiodd bonheddwr y Brynddu yn ei ddyddiadur am 8 Awst: 'a great pressing and courting of people for the Harvest, both before and after Service morning and evening, all the Corn in the Neighbourhood being ripe at the same time.'

Byddai'n arferiad i'r tenantiaid ffurfio'n dimau i gyflawni'r 'gwasanaethau' hyn gan mai'r math hwnnw o waith a ofynnid ganddynt. O edrych ar gofnodion stadau eraill ym Môn, mae'n ymddangos mai'r un fyddai'r patrwm drwy'r sir. Yn ôl Asiant y Foneddiges Vivian o Blas Gwyn, Pentraeth, yn *Royal Commission on Land in Wales* pennod 7: 'Bu'n arferiad yma i dimau o denantiaid helpu i gario glo o borthladd Traeth Coch i'r plas.' Yn ôl un o denantiaid y Foneddiges Neave o Lys Dulas, cario glo ddwywaith y flwyddyn o draeth Dulas i'r plasty yn ddi-dâl fyddai'r cyfraniad gwasanaeth-rhent ar y stad honno hefyd. Yr oedd cytundebau tenantiaid Stad Bodorgan beth yn wahanol: gan fod y plasty hwnnw'n dibynnu mwy ar fawn nag ar lo, mae'n naturiol mai codi a chario mawn fyddai'r gwasanaeth-rhent yno. Wrth fusnesu mewn cofnodion stadau y tu allan i Fôn gwelwn y byddai'r ddefod gwasanaeth-rhent ar Stad y Rhiwlas yn y Bala yn golygu fod y tenant yn gweithio ar fferm y stad am ddeuddydd neu dri bob blwyddyn yn ddi-dâl. Golygai hynny wasanaeth un dyn, trol a dau geffyl. Yn ôl tystiolaeth tenant o'r stad honno, fe amrywiai'r gwaith gryn dipyn: cario glo, tail, neu aredig a llyfnu. Tystia Mr Price, y Rhiwlas, fod yr arferion hyn yn gannoedd o flynyddoedd oed.

Gan fod dyddiadur William Bwcle mor gynnil, gallwn faentumio y byddai'r tenantiaid yno hefyd yn rhoi trol a cheffyl neu ddau fel rhan o'u gwasanaeth. Ac fe fyddent hwythau'n ffurfio'n dimau go fawr, fel y cyfeiriwyd.

Byddai'r tîm wrth law eto ar alwad William Bwcle pan ddeuai'r llong lo i'r porthladd yng Nghemaes. Dyma fel y cofnododd am 19 Mehefin 1757: 'My people with the help of my good neighbours discharged and carry home from Vessel at Cemaes 9 tons of coal bought at Sandy Crofft Market in Chester River at 8s 3d a ton.' Onid gwasanaeth-rhent yn hytrach na chymdogion da sydd yma? Mewn cofnod arall am 8 Ebrill 1748 ceir tîm o weithwyr yn y Brynddu, ond y tro hwn gweithio ar yr adeiladau y maent:

> I had 5 people these five days between Masons and people to serve them pointing the East and North quarterly aspects of my garden wall and coping those two sides. Pd Richard Roberts of Cerrig Mân 3s 6d for his work, the others were my servants and tenants.

Mae'n ddigon siŵr mai cyfeiriad at wasanaeth-rhent a olygir gan y 'tenants'.

Mewn rhai stadau ceid gwasanaethau o fath gwahanol eto, sef magu a chadw cŵn y landlord. Yr oeddynt i fagu cŵn bach ac i gerdded y cŵn hela fel rhan o'u hymarfer a'u dysgu. Yr oedd hyn yn arferiad ar Stad y Baron Hill a Bodorgan, y ddwy stad fwyaf ym Môn, a'r ddwy yn ymhyfrydu mewn hela a chadw cŵn.[7] Nid oes gan William Bwcle yr un cyfeiriad at y fath arfer yn y Brynddu; yn wir, ychydig iawn o sôn am hela sydd ganddo, a phan âi gydag Abram Jones a'r person i chwilio am gêm, dychwelent yn waglaw bron bob tro. Mae'n wir fod ganddo feddwl y byd o'i gi ac fel y gwelsom eisoes, pan frathwyd Ranter gan y wiber wenwynllyd, bu Bwcle'n rhyfeddol o ddyfal yn ei fendio. Byddai hefyd yn anwesu ei lwynog dof, sy'n awgrymu nad oedd yn rhyw lawer o heliwr. Eto yr oedd yn arferiad digon poblogaidd gan denantiaid Bodorgan ac ymdrechent i ennill y gwobrau a roddai'r landlord i'r goreuon ohonynt am 'gadw ci'.[8]

Mae'n debyg mai'r ddefod hynaf mewn ffurf o wasanaeth-rhent fyddai glanhau 'dyfrffos y felin'. Yr oedd y felin yn sefydliad hanfodol ym mhob ardal erstalwm, yn wir yn ddigon pwysig i William gofnodi dyddiad gosod sylfaen Melin Llannerch-y-medd ar 8 Medi 1738: 'This day laid the foundation of a Wind Mill Tower at Allt-pen-ddu Llannerch-y-medd.' Ac fe gofnododd ar 24 Medi 1742 i Henry Williams Trosmarian orffen codi tŵr Melin Wynt Llangoed a honno yn wyth llath o'r llawr. Dyna brawf y cyfrifid y felin yn gwbl angenrheidiol mewn ardal gan i'r dyddiadurwr gyfeirio at felin ardal cyn belled i ffwrdd â Llangoed. Mae'n debyg y byddai'n ddiwrnod go arbennig mewn pentref pan roddai'r felin wynt ei thro cyntaf. Wedi'r cwbl, 'tu ôl i'r blawd mae'r felin'. Ond, ar y felin ddŵr y dibynnai William Bwcle a'i denantiaid ac, o ganlyniad, am y glaw yn hytrach na'r gwynt y disgwylient.

Fe roed gofal a golwg cyson i'r Llyn Malu ac yn arbennig i'r ddyfrffos a redai ohono i'r olwyn ddŵr. Yr oedd un llyn go nodedig ar stad y Brynddu, sef Llyn y Gors Rydd, ar dir Clegyrog Uchaf neu 'Glegyrog y ddwy simdde'. Yr oedd hwn yn llyn o ddeugain llath ar ei draws ac yn cynnwys digon o ddŵr i falu cryn rawn. Ond, erbyn diwedd mis Mai 1740, fe sychodd y llyn a stopiodd yr olwyn a'r melinau a ddibynnai arno. Yn ôl ei gofnod am 24 Mehefin 1740 yr oedd William Bwcle a thyddynwyr yr ardal mewn cryn banig gan fod y melinau yn segur ers canol mis Mai.

Yr oedd glanhau'r ddyfrffos yn mynd yn ôl i'r hen ddefod Gymreig pan fyddai gan bob Maenor ei melin ei hun a byddai tenantiaid y faenor yn rhwymedig i ddefnyddio'r felin honno. Talent am y gwasanaeth ac ni fyddai hawl ganddynt i fynd â'u grawn i felin arall. Yn ychwanegol at hyn yr oedd y tenantiaid i lanhau dyfrffos melin eu maenor yn gyson. Mae'n amlwg i'r ddefod a'r arfer hwn barhau ar ôl i'r orfodaeth i falu ym melin y tirfeddiannwr beidio. Ceir cofnodion am lanhau'r ddyfrffos gan y tenantiaid, pa un bynnag a oedd yn rhedeg drwy eu tir ai peidio, i ddiwedd y bedwaredd ganrif ar bymtheg. Un enghraifft o hyn, ac un o'r rhai diwethaf, yw honno'n digwydd ar Stad Bodorgan. Er nad oes gofnod penodol o hyn yn nyddiadur William Bwcle eto fe gyfeiria fwy nag unwaith at lanhau dyfrffos y felin yng Nghoeden ac yn y Brynddu, fel y cofnododd ar 30 Mehefin

1736: 'My people clearing the water course from the above well (Trinculo on Coeden Farm) to the bridge.'

Rhan arall o gytundeb tenantiaeth fyddai atgyweirio a chadw adeiladau'r daliad.

Y mae cyfraith gwlad yng Nghymru a Lloegr, er yr unfed ganrif ar bymtheg, ynglŷn â gwelliannau ac atgyweirio eiddo wedi ei chywasgu i'r ddihareb Ladin honno: *'Quidquid plantatur solo, solo ovedit'* ('Pa welliant bynnag a wneir i'r ddaear bydd er mantais i berchennog y ddaear honno yn llwyr'). Fe roed sawl esboniad ar yr hen ddihareb dros y blynyddoedd a chododd sawl anghydfod blin rhwng tenant a meistr tir. Golygai'r cytundeb ofal am yr adeiladau, y stoc a'r tŷ ac yna'r cloddiau a'r gwrychoedd. Dros y blynyddoedd crëwyd cryn gymhlethdodau gan denantiaid yn codi adeiladau ar eu cost eu hunain ar y tyddyn neu'r fferm. Fe gydnebydd Stiward Stad Bodorgan fod y tenantiaid wedi dechrau arferiad anffodus o wneud gwelliannau heb hysbysu'r landlord ac y gallai hynny greu sefyllfa ddyrys ryw ddydd. Bu inni sylwi eisoes fel y bu i William Bwcle ddigolledu ei denantiaid a oedd wedi gwario mwy na'u rhent ar atgyweiriadau.

Y mae'n weddol amlwg erbyn diwedd y ddeunawfed ganrif fod yna symudiad graddol at denantiaeth a fyddai'n rhydd o hualau rhoddion a gwasanaeth. Ond, fel gyda phob arferiad, yr oedd tenantiaid mewn sawl ardal yn amharod iawn o ollwng gafael ar y ddefod a fu'n gymaint o sicrwydd iddynt. Tueddai tenantiaid a fu mewn daliad o deulu i deulu, neu o genhedlaeth i genhedlaeth, ffafrio yr hen ddull hanner-caeth. Ond fe gâi'r landlord a'r tenant gyfle, mewn tenantiaeth newydd, i newid peth ar y telerau a'r dulliau rhentu. Ychydig iawn o'r newid hwn a welir yn Stad y Brynddu, er y gwelir peth newid o bryd i'w gilydd.

Mor gynnar â 6 Tachwedd 1734, wrth osod Bodnefa, ym mhlwyf Amlwch, i John Thomas am bedair punt ar hugain y flwyddyn, fe ganiataodd William Bwcle i'r tenant newydd chwe phunt y flwyddyn gyntaf, er mwyn iddo roi pum can bagiad o dywod yn wrtaith i'r tir. A dyna roi sylw i'r tir yn hytrach nag i roddion o fwyd.

Ar 28 Ebrill 1737, wrth osod Tyddyn Silied, ym mhlwyf Llanbadrig i Thomas Hughes, fe welir ychwanegiad diddorol i'r patrwm arferol o delerau, sef: 'Keep the house in a good state and give a load of good straw at the end of Term.' Y mae newid eto yn y telerau a gafodd Edward Hughes, Llanddygwal, wrth gymryd Clegyrog Uchaf ar 16 Mehefin 1737: yr oedd y rhent yn dair punt a chweugain ac fe ganiateid iddo dreth dir o ddeg swllt yn unig pe talai'r rhent cyn Calan Gaeaf, hau chwe chant o fagiau tywod yr haf cyntaf a chwe chant arall yr haf dilynol. Dyma enghraifft eto o wella'r tir yn hytrach nag unrhyw rodd arall.

Pan osodwyd Clegyrog Uchaf eto ar 9 Ebrill 1740 i ddau frawd o Bentraeth, am rent o bedair punt ar ddeg y flwyddyn, caent sbario talu'r dreth dir o ddeg swllt a deg ceiniog pe talent y rhent cyn Gŵyl Mihangel. Caent hefyd fil o fesurau o dywod Traeth Coch ond iddynt ei gyrchu o'r llong yng Nghemaes. Yr un wythnos fe osodwyd y Garreg Fawr, ym mhlwyf Llanfechell, i Robert Owen a chafodd yntau delerau gwahanol i'r arfer hefyd: dwy bunt fyddai ei rent y flwyddyn gyntaf ond fe godai goron erbyn yr ail flwyddyn a châi ddau gan bwsiel o dywod ond iddo ei nôl o'r llong. Cafodd Evan Williams, y gwehydd, denantiaeth Bodlwyfan ym mhlwyf Llanfechell am rent o bum punt y flwyddyn a, phe talai'r rhent erbyn y Nadolig, ni ddisgwylid iddo dalu treth y tir o ddau swllt ac wyth geiniog. Erbyn 22 Chwefror 1749 daw'r newid yn amlycach fyth pan osodwyd tair fferm Cnwchdernog i William Pritchard, gŵr cefnog yn siŵr. Dyma ddaliad dri chant a hanner erw am rent o dros hanner can punt. Câi yntau ei esgusodi o dreth y tir pe talai'r rhent cyn y Nadolig. Yna daw'r pwyslais newydd i'r cytundeb: yr oedd William Pritchard i ymorol am y terfynau a'r gwrychoedd sy'n terfynu â'r ffordd fawr. Yr oedd William Bwcle i hadu Cae'r Ogof y flwyddyn gyntaf ond byddai'n ofynnol i William Pritchard hadu a chroenio cae o'r un maint wrth ymadael. Yr oedd y landlord i adeiladu sgubor a beudy newydd i ddal ugain o fuchod yng Nghnwchdernog Uchaf ac i atgyweirio'r adeiladau eraill. Yn yr un modd yr oedd William Pritchard i gadw'r adeiladau a'u trwsio fel bo'r angen ac roedd y tenant newydd i dalu tair gini o ernes ar y gosodiad. Yn ddiddorol iawn mae'r sgubor a'r beudy a gododd William Bwcle yn dal o hyd yng Nghnwchdernog.

Ar sail y telerau hyn mae'n deg maentumio fod William Bwcle yn tra rhagori ar dirfeddianwyr mawr a bach Môn yn y ddeunawfed ganrif. Yr oedd hi'n eithaf pell yn y bedwaredd ganrif ar bymtheg cyn i landlordiaid Lloegr feddwl am roi iawn i'w tenantiaid am welliannau ar eu heiddo, a chyn belled â bod tirfeddianwyr Cymru yn y cwestiwn, mewn rhyw ddwy ardal yn unig y cydnabyddid costau i denantiaid am iddynt wario ar eu daliadau. Ond yr oedd William Bwcle, tua chanol y ddeunawfed ganrif, yn digolledu ei denantiaid heb iddynt ofyn!

Yn wir, mor ddiweddar â'r flwyddyn 1886, fe gwynai Ap Ffarmwr (John O. Jones 1861–1899) yn go arw yn erbyn y meistri tir, gan amddiffyn hawliau'r amaethwr. Dyma fel yr ysgrifennodd:

> Dyna ydyw y felltith fwyaf sydd ynglŷn â ffarmio yn Ynys Môn, sef fod y tirfeddianwyr a'r stiwardiaid yn cymryd mantais annheg ac anghyfiawn ar eu tenantiaid. Nid peth eithriadol ydyw gwel'd 'gŵr bonheddig' yn codi ardreth ar welliannau ei denant.[9]

Ar y llaw arall roedd William Bwcle, dros gan mlynedd ynghynt, wastad yn chwilio am ddefnyddiau ar gyfer atgyweirio neu adnewyddu tai ac adeiladau tyddynnod a mân ffermydd ei stad. Pan ddeuai llong goed i'r harbwr yng Nghemaes, fo fyddai'r cyntaf yno yn chwilio am goed ar gyfer ei eiddo.

Ar 27 Mai 1740 nododd: 'Agree with Thomas Morris to pay for lime and the work and he to provide hair gravel and to render all the house of Rhydygroes on the inside under the slates.' Cwynai teulu Rhydygroes fod y tŷ yn oer, ac mae'n debyg eu bod wedi ail-doi'r tŷ hefo llechi ar ôl y to gwellt. Eto, yng Nghemaes ar 10 Mai 1749:

> where I bought 22 pieces of round oak timber of which contained 82 feet of solid square feet at 13¹/₂d a foot, 5 other pieces I bought by the lump for 9s 6d – the money I paid for the whole £5 1s 9d.

Eto ar 11 Ebrill 1750: 'pd £6 15 7d for planks, boards, spares and joysters all oak...'

Ar 5 Hydref 1750 cofnododd: 'My people to day Bodelwyn

cutting Ash poles for Barn and Stable at Cnwchdernog.' Ac ar 20 Mai 1749: 'pd 51s. for a parcell of small oaklings for raffters for out buildings, my people all these three last days carrying them home from Cemaes.' Yr oedd y dynion wrthi'n cario gwellt o Goeden i Glegyrog i doi'r tŷ yno. Cawn, fel hyn, enghreifftiau wedi eu gwau trwy'r dyddiadur o'r bonheddwr o'r Brynddu yn trwsio ac yn cyfannu tai ac adeiladau ar gyfer ei denantiaid. Fe roes yn hael, heb iddynt orfod swnian na chwyno, mewn byd tlawd iawn i denant a landlord.

Mae'n naturiol ddigon i gytundebau tenantiaeth, yn arbennig hen ddefodau talu rhent, ennyn chwilfrydedd hen feirdd gwlad i ddychanu, ac weithiau i ganmol. Cafodd y baledwr hwnnw, Rees Jones, Pwllffein, Llandysul (1797–1844) amrywiol destun baled yn yr arlwy. Gwelwn bwysiced oedd sicrwydd tenantiaeth â thipyn o afael arni, a chael prydles go sylweddol i'r tenant:

Ymddiddan rhwng Dd. Lloyd, Yswain Alltyrodyn, Llandysul ac un o'i ddeiliaid – Sara Gwaralltynyn.

Sara
Dydd da i chwi fy meistr mwyn
A ro'wch chwi glust i wrando'm cwyn?
Mae'n dilyn beunydd ofid cas
Mae'r *lease* sydd gen i bron mynd mas.

Llwyd
Mewn gofid pa'm y byddwch chwi?
Cewch *lease* o'r newydd gennyf i.

Sara
Parch i chwi, Syr, os fi a gaiff–
Y *lease three everlasting life.*

Llwyd
Pa faint o rent a rowch i mi,
Os rhoddaf *lease three lives* i chwi?
Ac os cewch chwi, nid pawb a'i geiff,
Y *lease three everlasting life.*

Sara
Cewch ugain punt pob dimau goch,
A dwy ŵydd dew o gafnau'r moch,

A dwy iâr Ynyd gribgoch lân
A llwyth o lo i gadw'ch tân.

Llwyd
Wel, bodlon wyf, chwi gewch y *lease*
Ac ar eich tir, tywynned tês;
Llwydd ar eich gwaith o bryd i bryd,
I gael crynhoi y rhent yng nghyd.

Sara
Anghofiais ofyn a gaf fi
Y cynnig cyntaf gennych chwi?
Os gwelaf, er fy ngofid cas
Three everlasting yn mynd ma's.

Llwyd
Cewch, Sara, cewch, a *lease* hir lân,
Three everlasting, fel o'r bla'n
Pan welwch chwi, neu rai o'ch tras
Un *everlasting* yn myn'd ma's.[10]

Hen Eglwys Llanfechell

Dyma'r gosodiadau a gofnodir yn y dyddiadur: 1734–43, 1747–60

Dyddiad	Daliad	Tenant	Rhent a Thelerau Blynyddol	Tymor
29 Ebrill 1734	Melin y Nant 39 erw Plwyf Llanbadrig	Lewis Humphreys ap Wm Prys	£11 10s (rhent) 1s o ernes.	4 blynedd. Dechrau ar Ŵyl yr Holl Saint – Glangaeaf
10 Mehefin 1734	Tyddyn Drym 30 erw	Thomas Roberts Cott.	45s (rhent). Dwy gywen – yr Ynyd. Chwe chyw iâr o Fawrth i Fai. Dau ddiwrnod di-dâl yn y cynhaeaf. (Rhoes yr ernes yn ôl iddo)	4 blynedd Glangaeaf
25 Gorffennaf 1734	Tyddyn Drym 30 erw Llanbadrig	Hugh Thomas Owen	£2 5s (rhent). Dwy gywen, 6 chyw iâr a dau ddiwrnod yn y cynhaeaf. Aci weithio yn y Brynddu pan fo gofyn.	4 blynedd Dechrau Glangaeaf
6 Tachwedd 1734	Bodneva 29 erw Plwyf Amlwch	John Thomas Olgra Isa	£24 (rhent). Caniatáu £6 y flwyddyn gynta iddo roi 500 bagiad o dywod i'r tir.	7 mlynedd Dechrau Glangaeaf
15 Tachwedd 1734	Clwchdernog Uchaf 149 erw	John Williams Ucheldref, a William Jones Bodwigan	£14 (rhent). Llwdwn maharen da neu 5s.	1 flwyddyn Dechrau Glangaeaf

Dyddiad	Lle	Tenant	Telerau	Cyfnod
26 Mawrth 1735	Clegyrog Uchaf a Thyddyn Rhiw Bach.	John Humphreys a Richard Humphreys	£13 10s (rhent) 17s (rhent Rhiw Bach)	1 flwyddyn Dechrau Glangaeaf
17 Mehefin 1735	Tyddyn Fiaren 9 erw Plwyf Llanfechell	Griffith Rhobart, dyn o Gaernarfon, ar hyn o bryd yn Pentir, Cemaes Fawr	£4 0s (rhent). Dwy gywen yr Ynyd, 6 chyw iâr cyn dechrau Mai a dau ddiwrnod yn y cynhaeaf.	Dechrau Glangaeaf
1 Mai 1736	Melin y Nant 39 erw Plwyf Llanbadrig	Hugh Prys Trwyn Melyn Amlwch	£11 10s (rhent).	1 flwyddyn Dechrau Glangaeaf
31 Mai 1736	Tyddyn Weyn 14 erw Plwyf Llanfechell	Hugh Owen Vodol Voel	50s (rhent). 2 gywen yr Ynyd, 6 chyw iâr cyn Calan Mai a deuddydd yn y cynhaeaf.	4 blynedd Dechrau Glangaeaf
10 Mehefin 1736	Tyddyn Weyn 14 erw Plwyf Llanfechell	Robert Prys Cemaes	Hugh Owen yn gollwng y denantiaeth ac yn gofyn am y lle i Robert Prys. Cytuno ar yr un telerau.	4 blynedd Dechrau Glangaeaf
18 Mawrth 1737	Pen y bont a'r Weynfawr. 30 erw Weyn 5 erw Plwyf Llanfechell	Hugh Owen Llanddygfael	£8 12s 6d (rhent). Dim prydles	Dim amseriad

Dyddiad	Tyddyn	Deiliad	Telerau	Cyfnod
19 Mawrth 1737	Yr Orsedd Goch (neu Tyddyn Creigiau) 35 erw Plwyf Llanfechell	Richard ap William Siôn Prys	£3 10s (rhent). 2 gywen yr Ynyd a 6 chyw iâr rhwng Mawrth a Mai. Dau ddiwrnod di-dâl yn y cynhaeaf a 6 diwrnod o waith am 3d y dydd.	11 mlynedd Dechrau Glangaeaf
28 Ebrill 1737	Tyddyn Silied 15 erw Plwyf Llanbadrig	Thomas Hughes Bodegri	£2 5s (rhent). Dwy gywen a 6 chyw iâr. Dau ddiwrnod yn y cynhaeaf, cadw'r tŷ mewn cyflwr da wrth ymadael a rhoi llwyth o wellt ar y to.	1 flwyddyn Dechrau Glangaeaf
13 Mai 1737	Gosod tyddyn yn Llaneilian	William Thomas sy'n byw mewn tŷ o eiddo Ciwrat Amlwch ar dir Plas Llaneilian.	34s (rhent).	4 blynedd Dechrau Glangaeaf
24 Mai 1737	Gwenithfryn Uchaf 15 erw	Samiwel Jones Tŷ-yn-y-Graig Plwyf Llanfechell	£2 5s 0d (rhent).	7 mlynedd Dechrau Glangaeaf
16 Mehefin 1737	Clegyrog Uchaf 172 erw Plwyf Llanbadrig	Edward Hughes Llanddygwal	£13 10s (rhent). Os talith cyn y gaeaf ni raid talu treth tir o 10s. Taenu 600 bagiad o dywod yr haf cyntaf a 600 bagiad yr ail haf.	11 mlynedd Dechrau Glangaeaf
17 Medi 1737	Tyddyn y Rhiw (Rhan o Glegyrog Uchaf)	William ap William Prys	13s 4d (rhent). Dwy gywen Ynyd a 6 chyw iâr. Atgyweirio'r tŷ.	Dechrau Glangaeaf

Dyddiad	Lle	Deiliad	Telerau	Cyfnod
25 Mehefin 1737	Gaerwen 114 erw Plwyf Llanddeusant	John Thomas Bodhalan	£9 (rhent). Dim treth os tala'r rhent cyn 15 Tachwedd. Oen tew yn anrheg neu hanner coron.	2 flynedd Dechrau Glangaeaf
23 Rhagfyr 1737	Tŷ-tan-y-Graig	Rowland ap Robert	Talu iddo 2s 7d am ei gostau ar y lle a oedd yn uwch na'r rhent.	—
24 Mehefin 1737	Tyddyn y Frogwy 20 erw Plwyf Hen Eglwys	Edward Morris Bodewra	£3 10s. Dwy gywen Ynyd, chwe chyw iâr a dau ddiwrnod yn y cynhaeaf.	4 blynedd Dechrau Glangaeaf
20 Mehefin 1738	Carreg Fawr Isaf 24 erw Plwyf Llanbadrig	John Jones	£2 (rhent). Dwy gywen Ynyd, 6 chyw iâr a dau ddiwrnod yn y cynhaeaf.	4 blynedd Dechrau Glangaeaf
20 Mehefin 1738	Gerddi Gwynnion Ganol. 1 erw Plwyf Llanfechell	Thomas King (Gwyddel)	18s (rhent).	4 blynedd Dechrau Glangaeaf
17 Tachwedd 1738	Ynys Waelod 20 erw Plwyf Hen Eglwys	John Owen o'r plwyf	£3 15s (rhent). Rhoddion: 120 llawiad o frwyn ffurf i wneud canhwyllau brwyn.	4 blynedd Dechrau Glangaeaf

Dyddiad	Tyddyn	Tenant	Telerau	Cyfnod
15 Mai 1739	Tyddyn y Drym, 30 erw, Plwyf Llanbadrig	William Jones	40s (rhent) y flwyddyn gynta yna codi i 45s yr ail flwyddyn. Dwy gywen Ynyd, 6 chyw iâr a deuddydd yn y cynhaeaf.	5 mlynedd Dechrau Glangaeaf
13 Awst 1739	Y Gaerwen, 114 erw, Plwyf Llanddeusant	Hugh Rowland Gadawta	£9 (rhent). Caiff hebgor treth tir os tâl cyn y Dolig. Caiff dâl am gario 400 o fagiau tywod yn wrtaith. Rhodd: Oen tew	5 mlynedd Dechrau Glangaeaf
7 Ebrill 1740	Tyddyn y Weyn, 14 erw, Plwyf Llanfechell	Hugh Hughes Vodol Voel	£2 10s (rhent). Dwy gywen Ynyd a 6 chyw iâr. Dau ddiwrnod yn y cynhaeaf a chaiff waith pan all ddod.	—
9 Ebrill 1740	Clegyrog Uchaf, 172 erw, Plwyf Llanbadrig	William Owen a'i frawd (Teilwriaid) Pentraeth	£14 (rhent). Dim treth tir os telir y rhent cyn Gŵyl Sant Mihangel. Caent fil o fesurau o dywod Traeth Coch i'w nôl o'r llong yng Nghemaes.	7 mlynedd Dechrau Glangaeaf
15 Ebrill 1740	Garreg Fawr, 24 erw, Plwyf Llanbadrig	Robert Owen Garnynghornwy	40s y flwyddyn gynta. 45s yr ail flwyddyn. Caiff 200 bwsiel o dywod.	7 mlynedd Dechrau Glangaeaf
26 Ebrill 1740	Tyddyn Prys, 17 erw, Plwyf Llandargig	Owen Ellis Meyrick	47s 6d (rhent). Dwy gywen Ynyd, 6 chyw iâr a dau ddiwrnod yn y cynhaeaf.	4 blynedd Dechrau Glangaeaf

Dyddiad	Lle	Tenant	Telerau	Cyfnod
24 Mehefin 1740	Tyddyn Garreglefn, heb y Caban Aur Plwyf Llanbadrig	Rowland Owen Fferam	30s (rhent).	7 mlynedd Dechrau Glangaeaf
23 Mai 1741	Bodlwyfan 29 erw Plwyf Llanfechell	Evan Williams (Gwehydd) Cors Ceiliog Cemlyn	Yr hen rent £5 0s. Os tâl y rhent cyn y Dolig ni raid talu'r Dreth Dir o 2s 8d.	4 blynedd Dechrau Glangaeaf
Tachwedd 1742	Tyddyn y Gors 12 erw Plwyf Llanfechell	David ap David Lewis a anwyd ym Mhlwyf Llanfaelog. Tadogodd blant i ferch y tenant.	30s (rhent). Rhoddion – dwy gywen Ynyd, chwe chyw iâr a deuddydd yn y cynhaeaf.	4 blynedd Dechrau Glangaeaf
31 Mai 1743	Melin y Nant 39 erw Plwyf Llanbadrig	William Owen Morgan o Felin Cefn Coch	£11 (rhent).	4 blynedd Dechrau Glangaeaf
22 Chwefror 1749	Cnwchdernog Tŷ Croes	William Pritchard Yr Ymneilltuwr	£50 50s (rhent). Os telir cyn y Nadolig hebgor Treth Tir. Cadw'r terfynau a'r gwrychoedd sy'n terfynu â'r ffordd fawr. Mae William Bwcle i hadu Cae'r Ogof y flwyddyn hon a'r tenant i hadu cae o'r un maint wrth ymddeol. Y landlord i adeiladu sgubor a beudy i ddal ugain o fuchod yng Nghnwchdernog Uchaf. William Pritchard i dalu tair gini o ernes am y gosodiad.	21 mlynedd Dechrau Glangaeaf

Dyddiad	Tyddyn	Enw	Telerau	Cyfnod
10 Chwefror 1750	Tyddyn Llech 22 erw Plwyf Llanfaethlu	Robert Pritchard Pentir Cnwchdernog	£3 (rhent). Dwy gywen Ynyd, 6 chyw iâr a dau ddiwrnod yn y cynhaeaf.	13 mlynedd Dechrau Glangaeaf
16 Mawrth 1751	Bodlwyfan 29 erw Plwyf Llanfechell	William Siôn David Tyddyn Beudda	Yr hen delerau £5 (rhent)	13 mlynedd
31 Mawrth 1752	Tyddyn y Garreg Fawr Isaf 21 erw Plwyf Llanbadrig	Richard Roberts Tyddyn y Weyn (ar dir Maes Mawr)	45s (rhent). Dwy gywen Ynyd, 6 chyw iâr a deuddydd yn y cynhaeaf.	5 mlynedd Dechrau Glangaeaf
26 Mawrth 1753	Tyddyn y Drym 30 erw Plwyf Llanbadrig	Roger 'Basiliam Owen Tyddyn Silied	£2 10s (rhent). Dwy gywen Ynyd, 6 chyw iâr a deuddydd yn y cynhaeaf.	11 mlynedd Dechrau Glangaeaf
26 Mawrth 1753	Tyddyn Silied 15 erw Plwyf Llanbadrig	Thomas Pritchard Abram Amlwch	£2 5s (rhent). 2 gywen Ynyd, chwe chyw iâr a deuddydd yn y cynhaeaf.	5 mlynedd Dechrau Glangaeaf
23 Mai 1753	Pentre Heulyn (neu Heilyn) 103 erw Plwyf Llanbadrig	Cousin Dryhurst	Prydles am oes.	

4 Mehefin 1754	Tyddyn y Gors 12 erw Plwyf Llanfechell	John Pritchard Ambrose	30s. Dwy gywen Ynyd, 6 chyw iâr a deuddydd yn y cynhaeaf	5 mlynedd Dechrau Glangaeaf
3 Mehefin 1757	Tyddyn Llwchan 25 erw Plwyf Llanfair-yn-neubwll	Hugh Lewis	£4. Rhoddion: 200 Lymeirch Rhoscolyn, Cant ar Ŵyl yr Holl Saint, a'r cant arall amser Nadolig. Yna dymuna brynu cant eto ar Ŵyl Fair.	7 mlynedd Dechrau Glangaeaf
5 Mehefin	Tyddyn Llwchan 25 erw Plwyf Llanfair-yn-neubwll	Hugh Lewis	£4 (rhent). Yn rhydd o unrhyw dreth. (Ailosod)	15 mlynedd Dechrau Glangaeaf
25 Mehefin 1759	Pant y Gist 16 erw Plwyf Llanbadrig Garreg Lefn 9 erw Plwyf Llanbadrig	Rowland Siôn Rowland Owen	Rhybudd i'r ddau adael eu daliadau erbyn Glangaeaf.	
1 Mai 1759	Garreglefn 9 erw Plwyf Llanbadrig	Robert ap Richard Lloyd	35s (rhent). Dwy gywen Ynyd, 6 chyw iâr a deuddydd yn y cynhaeaf.	5 mlynedd Dechrau Glangaeaf
28 Ebrill 1759	Tyddyn y Fronwen 11 erw Plwyf Llanfechell		17s (rhent).	5 mlynedd Dechrau Glangaeaf

18 Chwefror 1760	Tyddyn Silied 15 erw Plwyf Llanbadrig	Harry Williams Coch Colyn Cemaes	45s (rhent). Dwy gywen Ynyd, chwe chyw iâr a deuddydd yn y cynhaeaf.	5 mlynedd Dechrau Glangaeaf
20 Mai 1760	Cnwchdernog 350 erw Plwyf Llanddeusant	William Pritchard	Cafodd rybudd i adael Glangaeaf nesaf. Os na wnaiff bydd rhaid ei orfodi i fynd gan ei fod wedi torri cytundeb.	
23 Mehefin 1760	Ty'n Llan 9 erw Plwyf Llanfechell	Edward Dowdal	Gosod hefo'r holl eiddo, am fod William Griffith yno eisoes, i Edward Dowdal am rent o £4 6s (Dau denant).	
17 Gorffennaf 1760	Tyddyn Cae Owen 34 erw Plwyf Llanbadrig	Lewis Hughes	Rhoes rybudd i'w denant i ymadael ar unwaith.	
21 Gorffennaf 1760	Tyddyn Cae Owen	Lewis Hughes (a gafodd rybudd ar Orffennaf 17)	£5 10s (rhent). Rhoddion: Oen sugno da a deuddydd yn y cynhaeaf. (Ailosod)	
7 Awst 1760	Cnwchdernog 350 erw Plwyf Llanddeusant	William Pritchard	Prydles newydd.	18 mlynedd Dechrau Glangaeaf

[1] Llyfrgell Genedlaethol Cymru, Llawysgrif Bodewryd 10.
[2] Griffiths, J. E., *Pedigrees of Anglesey and Caernarvonshire Families*, 1914, t. 112.
[3] Llawysgrifau Bangor, 47, Llyfrgell Prifysgol Bangor.
[4] Evans, G. Nesta, 'The Artisan and the Small Farmer in Mid Eighteenth Century Anglesey', T.C.H.N.M., 1933. tt. 81–96.
[5] Fisher, J., 'The Welsh Calender', T.H.S. of Cymmrodorion 1894. t. 95.
[6] Wiliam, D. W., *Cofiant Richard Morris*, Llangefni 1999, t. 11–12.
[7] Richards, E., *Potsiars Môn*, Gwasg Gwynedd, 2001.
[8] *Royal Commission on Land in Wales*, Chapter vii, t. 476.
[9] *Y Genhinen Gymreig*, Chwefror 3 1886, t. 7.
[10] Jones, Rees, *Crwth y Clettwr*, Carmarthen 1848.

'Tenants' Hall'

AMAETHWR BLAENGAR

Fu erioed greadur mwy amryddawn na William Bwcle – cyflawnai oruchwylion amrywiol ei stad fechan â'r holl ofynion a ddisgwylid yn gymeithasol gan sgweier yn y ddeunawfed ganrif. Yr oedd yn Ynad Heddwch a phur anaml y collai eisteddiad o'r *Grand Jury*. Yr oedd yn ymddiriedolwr dros elusennau a byddai'n barod â'i chwe cheiniog neu dair i'r gwael a'r tlawd – yn wir byddai William Bwcle'n chwilio am le i dosturio wrth y werin dlawd. Ond, heb os, yn anad dim, ffermwr ydoedd ac fe frithir ei ddyddiadur gan gofnodion am ddyletswyddau'r dynion ar y fferm, a'r tywydd a gwaith y fferm yn cael sylw dyddiol.

Yr oedd y ddeunawfed ganrif yn gyfnod diddorol iawn yn hanes amaethyddiaeth. Yr oedd peth chwyldro amaethyddol yn Lloegr ar y pryd ac, wrth i'r boblogaeth gynyddu, daeth mwy o alw am fwyd ac o gyfeiriad y tir y deuai hynny. O ganlyniad daeth galw am ddiwygio amaethyddiaeth a chaboli a gwella'r tir. Cydiodd y diwygiad yn frwd yn Lloegr ac ymrôdd yr amaethwyr i wella'r tir er mwyn cynyddu'r cynnyrch. Oni alwyd Siôr y Trydydd yn 'Farmer George'? Ac oni bai i ddiwygiad arall afael yn Howel Harris fe gred rhai mai ffermwr mawr fyddai yntau. Erbyn 1700 yr oedd siroedd dros y terfyn yn Lloegr – Caer, Caerloyw a Henffordd – wedi cau'r tir i gadw buchesi llaeth neu fel perllannau, neu i dyfu grawn. Stori gwbl wahanol oedd hi yng Nghymru. Yr oedd hi'n bell i hanner olaf y ddeunawfed ganrif cyn i chwarter o dir comin a diffaith Cymru gael ei gau a'i drin. Fel y dywed Graham Jones: 'Araf iawn fu'r syniadau newydd mewn amaethyddiaeth i greu unrhyw argraff ar ffermwyr Cymru, nid oedd neb o'r bron yn darllen y llawlyfrau Saesneg ar amaethyddiaeth.'[1] Yr oedd tlodi enbyd ym Môn yn yr ail ganrif ar bymtheg ac fe barhaodd felly hyd at ganol y ddeunawfed ganrif, ac ni fu fawr o gynnwrf nac o osgo i gau'r tir na cheisio'i wella yng Nghymru hyd deyrnasiad Siôr y Trydydd.

Mewn darlith ar 'Anglesey in the Civil War' dyfala A. H. Dodd paham y galwyd Môn yn fam Cymru erioed.[2] Nid yn siŵr am ei bod yn 'gwpwrdd bwyd'; haws credu mai am ei bod yn grud i Gunedda a'i feibion. Dyfynna'r darlithydd hanesyn am ddyn o Sir Ddinbych, yn y cyfnod dan sylw, a oedd yn ystyried prynu tir yn ardal Penmynydd, Môn, ond fe'i rhybuddiwyd i beidio gan fod y tir yn arw a gwyllt, heb wrychoedd na choed yn tyfu, dim ond eithin a rhedyn yn goed tân. Y prif reswm am hyn oedd y ffaith fod tirfeddianwyr mawr Cymru'n absennol o'u ffermydd ac yn gwario'u harian ar eu tai mawrion tra oedd y dosbarth is – yr iwmyn – heb arian ac yn ofni mentro arbrofi.

Ond yr oedd eithriadau i'w cael. Yr oedd dau dirfeddiannwr ym Môn a oedd mor frwd â'r un ffermwr o Sais dros wella'u tiroedd a chynhyrchu mwy o fwyd. William Bwcle o'r Brynddu oedd un a'i gymydog oedd y llall – y Canghellor Edward Wynne o Fodewryd. Yr oedd y ddwy stad yn terfynu â'i gilydd yn rhannol ym mhlwyf Llanfechell a phlwyf Llanbadrig yng ngogledd Môn. Ar farwolaeth ei frawd, John Wynne, ym 1709, fe etifeddodd Edward stadau'r teulu ym Môn. Graddiodd o Brifysgol Rhydychen ym 1705 gan ddisgleirio fel ysgolhaig arbennig iawn. Daeth yn Ganghellor yn esgobaeth Hwlffordd, urddas a ddaliodd hyd at o fewn blwyddyn i'w farw. Eto, nid fel ysgolhaig na gŵr eglwysig y cofir am y Canghellor hwn, ond yn hytrach fel tirfeddiannwr goleuedig a ffermwr ymarferol. Fel ei gymydog, William Bwcle, amaethwr oedd yntau. Yn wahanol i arfer yr oes dyma dirfeddiannwr a oedd gartref yn rheolaidd, ond yn absennol o'r Gadeirlan!

Nid yn unig yr oedd ef a bonheddwr y Brynddu yn gymdogion, roeddynt hefyd yn gyfeillion agos. Fe gofnododd Bwcle am 17 Awst 1734: 'Killed a Weather for myself, with 9lb. tallow. Took half to Dr Wynne in Bodewryd and fruites.' Mae'n siŵr y byddai'r ddau gymydog yn trafod y chwyldro newydd a oedd yn fwrlwm yn Lloegr. Pan âi Edward Wynne ar ei dro i'r Gadeirlan yn Hwlffordd, eilradd oedd y dyletswyddau eglwysig yn ei olwg, gan mor awyddus ydoedd i wybod am y diweddaraf ym myd amaeth. Tra'r oedd yn Hwlffordd ymwelai â ffermwyr a beilïaid y ffermydd mawr, cofnodai bopeth a ddysgai mewn nodlyfr ac, wedi dychwelyd i Fôn, rhoddai'r wybodaeth newydd mewn grym. Byddai ei gymydog yn glustiau i gyd wrth glywed am y dulliau a'r theorïau chwyldroadol o dros y ffin. Cyfeiriwyd eisoes at ddiffyg diddordeb ffermwyr Cymru mewn diwygio amaeth, gan anwybyddu'r llenyddiaeth fuddiol a ddeuai o'r wasg Saesneg. Ar y llaw arall yr oedd Edward Wynne yn berchen llyfrgell wych o lyfrau ar amaethyddiaeth a gwelir nodiadau manwl ohonynt yn ei nodlyfr; llyfrau megis *Directions Touching the Charge of Farming* gan Tusser, *The Duty and Office of a Land Steward* gan Lawrence, *Complete Body of Husbandry* gan Bradley, *A Complete System of Husbandry and Gardening* gan Jacob, a llawer mwy. Yr oedd hefyd yn fyfyriwr eiddgar i ddulliau Blackwell o wella tiroedd diffaith drwy fraenaru'r tir yn dda a'i losgi i ddwy a thair modfedd o ddyfnder. Fel ffermwr ym Modewryd, ac fel tirfeddiannwr ei stad, buan iawn y dangosodd y cyfnewidiadau a oedd i wella'r tiroedd, a hynny cyn canol y ddeunawfed ganrif.

Nid yn unig y câi William Bwcle gwmni ei gymydog athrylithgar ond fe gâi hefyd olwg cyson dros y clawdd terfyn a gwelai'r dulliau diweddaraf ar waith yno. Adnewyddwyd adeiladau yno ac adeiladu rhai newydd. Agorwyd dyfrffos newydd i'r olwyn ddŵr lle y bu dros bedwar ugain o ddynion yn gweithio a thalodd Edward Wynne £1 5s 6d i Thomas Williams, y peiriannydd dŵr. Tynnwyd dŵr o bell ac agos i'w 'lyn malu' ac adeiladwyd sgubor a hoewal a chwt mochyn. Yn wir, mewn byr o dro fe weddnewidiwyd Bodewryd. Yr oedd rhyw brosiect newydd ar dro yn gyson ganddo.

Mewn awgrymiadau hwnt ac yma yn y dyddiadur fe welwn awydd William Bwcle yntau i wella'i dir. Mewn cofnod am 1 Gorffennaf 1734 y mae'n fawr ei ganmoliaeth i ryw John Williams a ddaeth o Lŷn i ffermio'r Gromlech, ym mhlwyf Llanfechell, ar ran ei frawd-yng-nghyfraith Hugh Wyn: 'several improvements made at Cromlech since this fellow came there, new gates and manuring with sand...'

Un o'r camau pwysicaf ym mhroses gwella'r tir a diwygio amaethyddiaeth oedd gwrteithio. Gadewid y tir i gynhyrchu grawn neu wair, yn gyfan gwbl ar drugaredd natur. Yr oedd William Bwcle ar flaen y gad yn hyn a chyfeiriai'n barhaus yn ei ddyddiadur at wrteithio. Mae'n fwy na thebyg mai ei gymydog a ddaeth â'r syniad o gario tywod cregynnog i'r tir fel gwrtaith. Byddai'r tywod yn cadw'r tir rhag caledu ac yn sefydlogi'r pridd. Ni fyddai William Bwcle byth yn meddwl am aredig cae oni fyddai wedi ei dywodlu yn dda yr haf cynt.

Yr oedd tywod Traeth Coch, Môn, yn wrtaith pur enwog ac o'r fan honno y mynnai William Bwcle gael ei dywod. Yn naturiol ni fyddai fawr o werth gwrteithiol mewn tywod glân ond yn gymysg â thywod Traeth Coch roedd cregyn cocos pydredig a faluriwyd gan ymchwydd y môr garw, ac wedi eu corddi'n fân ar y creigiau. Yr oedd yn broses ddigon costus i gael swm mawr o'r tywod hwn o Draeth Coch i harbwr Cemaes ac yna ei gario mewn bagiau i'r Brynddu. Bu cario gwymon môr i'r tir fel gwrtaith yn arferiad cyffredin mewn ardaloedd agos i'r môr. Mae hanesyn am ddau ddyddynnwr o ben draw Llŷn yn gofyn caniatâd Robert Evans, Methlem, i fynd drwy ei dir i draeth enwog Porthoer (Whistling Sands) i gyrchu tywod a gwymon i'r tir. Yn ôl traddodiad hen yr ardal honno fe roed y cais ar gân:

> Mae Wil y crydd ac Ifan
> Yn 'mofyn llwyth o wmon,
> A hwnnw'n wmon heb ei ail
> I bydru tail mewn toman.
>
> A bagiad bach o dywod,
> Yn ôl yr hen arferiad,
> I Neli'i roi o hyd y llawr
> Rhag cwilydd mawr i'w welad.[3]

Nid yn unig y cariodd William Bwcle lwythi lawer o dywod o'r llongau yng Nghemaes, ond yr oedd yn sicr yn gredwr mawr yn rhinweddau gwrteithiol tywod Traeth Coch gan fod cymaint o gregyn mâl ynddo. Fel y gwelsom yn y bennod flaenorol gwnaeth yn rhan o gytundeb gosod ei ffermydd a'i dyddynnod fod y tenantiaid i hau mesur helaeth o dywod ar eu tir. Fel rhan o'r cytundeb a wnaeth â John Thomas wrth osod Bodnefa er enghraifft, yr oedd y tenant i hau pum can bagiad o dywod yn ystod y flwyddyn gyntaf a châi, o ganlyniad, ostyngiad o chwe phunt yn y rhent. Mae ganddo gofnod diddorol am 15 Mehefin 1752: 'Paid Edward Thomas, Master of Betty, Slwp of Conway 4p 4s for three loads of 360 measures each load.' Yr oedd pedair punt yn swm reit sylweddol bryd hynny. Trannoeth, 16 Mehefin, fe dalodd bunt a dau swllt i Robert Hughes, perchennog slŵp arall o Gonwy am lwyth o dywod o'r Traeth Coch. Ar ddiwedd y cofnod hwn, mae ganddo sylw diddorol: 'I paid £1 2s for a ship load of Red Wharf Sand being the last that I intend to take this year.' Yr oedd wedi hau dwy fil o fesurau o ddywod y flwyddyn honno – sef 1752. Yn ôl ei gyfrif yr oedd wedi hau chwe llwyth llong a phob un yn cynnwys 360 o fagiau, arwydd ei fod yn barod i wario cryn dipyn er gwella'r tir.

Yn ogystal â'r tywod defnyddid tail a chalch fel gwrtaith. Byddai Edward Wynne yn hau cryn dipyn o galch, gan dalu cymaint â phunt a thri swllt i'w losgwr calch am chwe diwrnod a deugain o waith. Fe gofnododd William Bwcle ar 21 Mehefin 1740 fod y dynion yn cario calch o slŵp Owen Lloyd – y *Disart Patrick*, a thalodd swllt y peg amdano. Weithiau fe gâi'r calch o odynau eraill, dro arall fe'i llosgai adref yn ei odyn ei hun yn y Brynddu. Eto ar 2 Awst 1760 fe gofnododd fod y dynion yn cario calch o Dre'r Gof yn Llanbadrig. O'r ychydig dail a gynhyrchid ganddo byddai'r rhan helaethaf ar gyfer y gerddi. Fe ymorolai na châi'r ardd ond y gorau ganddo a chwynai'n aml fod y ddaear yn rhy wlyb i gario tail iddi. Fe gariodd gryn dipyn i dir Brynclynni ar 12 Ionawr 1740.

Math arall o wrtaith fyddai lludw o'r amrywiol ddanwydd a ddefnyddid a byddai pawb yn ofalus iawn ohono. Cofnododd Bwcle iddo brynu lludw rhedyn gan John Prys Hughes o Laneilian. Gofynnai John Prys 11s y peg am y lludw ond bu raid iddo fodloni ar 10s 5d – eithaf pris! Yn ei gofnod am 11 Hydref 1750, mae'r dynion yn cario mawnau lludw a oedd wrth ymyl tŷ Jane Prys ym Modelwyn Uchaf. Ar orchymyn William Bwcle bu i'r dynion daenu'r lludw ar y rhannau mwsoglyd yng ngweirgloddion Bodelwyn, gan y credai Bwcle fod yna rin yn y lludw a fyddai'n difa'r mwsog. Ar 28 Medi 1751 mae'r dynion yn cario'r domen ludw a oedd wrth y tŷ yn y Brynddu gan ei daenu'r tro hwn ar Gae'r Iarlles ym

Mrynclynni. Roedd Bwcle yn barod i wneud defnydd o unrhyw wastraff i wneud gwrtaith i'r tir gan mor awyddus ydoedd i'w wella ac i ysgafnhau'r ddaear gleiog.

Yr oedd dull arall o wrteithio'r tir a hynny'n anfwriadol, sef wrth gadw'r anifeiliaid mewn buarth-gaeau. O bryd i'w gilydd fe godai'r angen am gaead i'r gwartheg neu'r defaid am eu bod yn tresbasu tros y terfynau i'r ŷd neu'r caeau gwair. Mae hyn yn brawf fod y gwrychoedd a'r cloriau mewn cyflwr bregus. Fel ateb dros dro fe gaed buarth-gaeau i'w corlannu dros nos neu i ddisgwyl codi gwell terfynau. Mae'n debyg y byddai'r holl stoc, yn ddefaid a gwartheg, wedi'u cau yn y ffaldiau hyn hyd nes y caed cloddiau diogel – byddai glaslanc neu blentyn yn cadw golwg arnynt yn ystod y dydd. Byddai plant yn wir yn ddefnyddiol iawn, fel y cofnododd Shon William Pritchard, Plas y Brain, Llanbedr-goch, yn ei ddyddiadur am 10 Mehefin 1797, wrth iddo dalu ceiniog i laslanc am gadw'r brain o'r pytato.[4]

Ar 4 Hydref 1736 cofnododd William Bwcle fod y dynion yn trin darn o dir diffaith rhwng y ddwy ardd yng Nghoeden: 'to keep the cattle that trespass'. Nododd eto, yn Chwefror 1748, i'r dynion baratoi ffald yng Nghadlas y Moch i gadw defaid dros nos. Ar 4 Chwefror 1749 roedd dynion yn paratoi ffald yn barod at yr haf: 'My men this week were making Cae Cerrig yr Eirin into a Pinfold for the cattle next summer.' Byddai galw cyson ar y gweision i baratoi'r buarthau hyn a hynny ar dipyn o frys weithiau. Byddai'r anifeiliaid, yn enwedig y gwartheg, yn cynhesu'r ddaear yn dda wrth orwedd a byddai hynny'n llesol i'r pridd ac yn ei ysgafnhau. Cynhyrchent lawer iawn o dail a hwnnw'n hydreiddio'r sylffwr ohono i'r ddaear ac yn wrtaith da, a cheid digon o halen ym mhiswel yr anifeiliaid a fyddai hefyd yn llesol. Byddai'r gwrteithio hwn yn siŵr o ddangos yn fuan pan fyddai'r ddaear yn glasu. Digwyddai hyn pan gorlannai'r porthmyn eu gwartheg dros nos ar dir agored a buan iawn y glesid y llecyn hwnnw. Dyna un esboniad ar yr enw 'Tŷ Glas' ar hen furddyn y tu draw i Lyn Ogwen. Credir mai gyrroedd y porthmyn a lasodd y tir lle y buont yn aros dros nos a roddodd yr enw ar y tŷ.[5] Mae'n debyg mai'r gwrtaith hwn o swlffwr a halen oedd fwyaf effeithiol yn y cyfnod dan sylw.

Ond nid gwrteithio yn unig a wnâi William Bwcle i wella'r tir. Ymdrechai, fel y gwelsom, i lanhau'r tir o'r mwsog drwy hau lludw rhedyn arno a byddai'n aredig cryn fesur pob gaeaf hefyd. Ac onid oedd Edward Wynne ei gymydog wedi awgrymu yn ei nodlyfr ei bod hi'n hollbwysig i aredig os oeddech am lanhau'r tir o fwsog ac o chwyn?[6] Cwynai William Bwcle yn aml oherwydd tywydd gwlyb gan na allai'r dynion fynd ymlaen â'r aredig. Yr oedd ganddo gryn ddiddordeb yn yr aradr ac fe gofnododd, gyda manylder, y rhannau a brynodd ar gyfer yr erydr pan ddaeth y llong o Dal-y-Cafn i Gemaes ar 21 Tachwedd 1734:

> I went there and bought ten plough bearers (or Gwadnau eryd) for 4d each, six shingle trees (or cebystre) for 2d each, one master (or bach arad) for 8d, an ash plant would make two plough beams (or Arneddau) for 2s 6d.

Cymaint oedd diddordeb Bwcle yn y dull hwn o wella'i dir fel y bu iddo, ar ôl ugain mlynedd o aredig gyda cheffylau, droi'n ôl at yr ychain. Synhwyrai Bwcle fod yr ychain yn rhagori mewn sawl modd, ac yn un peth roeddynt yn rhatach i'w cadw o lawer. Credai Arthur Beckett y byddai pâr o eidion yn mynd trwy fwy o waith na gwedd o geffylau mewn daliad. Barnai y byddai'r eidionnau yn trin y tir yn dda gyda'u carnau fforchog wrth droi a throsi. Oni chanodd Gruffudd Hiraethog yntau yn yr unfed ganrif ar bymtheg glodydd yr ychain:

> Wyth eidion dawnwaith ydyn
> A than bob iau dau a dynn.[7]

Yn ddiddorol iawn bu i E. J. Gorringe, amaethwr o Swydd Sussex, ddal i weithio'r eidionnau du Cymreig hyd 1924 am y credai nad oedd ddull amgenach i aredig bryd hynny.[8] Credai William Bwcle hynny bron i ddau gan mlynedd o'i flaen, ac fe gofnododd gyda balchder ar 9 Tachwedd 1749: 'I begun anew to plow with Oxen after I had dismised them for about 20 years.'

Nid yr aredig yn unig a gâi sylw Bwcle, fe âi i gryn drafferth i gael had gwair glân a chymwys i groeni'r ddaear. Byddai'n neilltuo ambell gae gwair i'r pwrpas o ddyrnu'r gwair i gael yr had gorau. Cofnododd ar 19 Mai 1752 fod y dynion yn hel cerrig ac yn glanhau Cae Cefn y Groes gan ei fod yn gobeithio ei gadw'n wair. Dyma fel y cofnododd ar 23 Gorffennaf 1752: 'My people carrying the hay of Cae Cefn y Groes for thrashing for hay seeds in Spring.' Ar 17 Mawrth 1739 hefyd fe gofnododd fod y dynion yn dyrnu'r gwair er mwyn cael had. Mae'n debyg nad oedd yn hawdd iawn tyfu'r had gwair, gyda'i egin eiddil, ar ambell wanwyn oer a gwynt y dwyrain yn ysu pob tyfiant newydd. Daeth William Bwcle dros yr anhawster hwn trwy hau had eithin mân yn gymysg â had gwair er mwyn rhoi cysgod i'r egin gwair (2 Ebrill 1742). Cofnododd iddo hau had gwair yn gymysg â had meillion yng Nghae Caled ar 6 Ebrill 1737. Bu i'r Canghellor Wynne yntau, dan ddylanwad amaethwr o Swydd Henffordd, hau dau fath o had meillion – meillion i'w bori a meillion i'w dorri'n wair. Bu'r meillion yn gaffaeliad gwerthfawr i'r borfa ac i'r gwair a chymerai William Bwcle bob gofal wrth eu hau, fel y cofnododd ar 8 Ebrill 1737, iddo hau Cae Ty'n Llwyn â had gwair a meillion a'i lyfnu â drain. Byddai'r og ddrain yn llawer iawn tynerach ar yr had mân na'r og bren ddanheddog.

Arwydd arall o hwsmoniaeth dda bonheddwr y Brynddu oedd ei awydd i arbrofi, a byddai'n barod i roi cynnig ar y newydd a'r dieithr. Ar 28 Ionawr 1752 anfonodd am wraig William Pritchard, Cnwchdernog, un o'i denantiaid, i ddod i'r Brynddu i ddangos i'r gweision ddull Eifionydd o halltu bîff: 'Gave 5s to William Pritchard Cnwchdernog's wife for coming hither to show my servants the way of her country in salting beef.' Cofnododd Edward Wynne Bodewryd yn ei nodlyfr iddo astudio dull o baratoi gwenith cyn ei hau a ddefnyddid gan amaethwr o Swydd Essex. Rhoes y Canghellor gynnig ar yr arbrawf ym Modewryd ac yn siŵr bu i'r arbrawf ennyn diddordeb ei gymydog. Tybed ai dyna sydd gan William Bwcle yn ei gofnod ar 3 Tachwedd 1752 pan fo'n paratoi i hau tri mesur o wenith yng Nghae Cefn Tŷ Fferam. Nododd yr arbrawf:

> To day I finished sowing 3 measures of wheat in the field behind Feram house having first steeped it, half at a time in very strong pickle that only covered the corn and two inches above it, in which I melted 40lb of white salt, I added $1\frac{1}{2}$lb of Allom, and leave it for 24 hours.

Aluminium Sulphur oedd yr 'Allom' y credid fod ynddo ryw rinwedd i'r had gwenith, a chan fod yr amaethwr o Loegr a'i gymydog wedi rhoi cynnig ar yr arbrawf, cystal i William Bwcle roi cynnig arni hefyd. Ychydig o wenith a dyfid ym Môn yn y ddeunawfed ganrif ac roedd pob amaethwr blaengar yn awyddus i gynyddu'r swm. Yn ei gofnod ar 22 Hydref 1757 nododd iddo gymysgu amrywiaeth o had gwenith i'w hau yng Nghae Pyllau, yn cynnwys tri mesur o wenith coch, dau fesur a hanner o wenith gwyn ac un cibyn o wenith hirglust, a oedd yn ddieithr iawn i Fôn.

Cofnododd yn ofalus iawn swm yr ydau ym mhob cae gan eu cymharu â thymhorau blaenorol. Ar 15 Medi 1753 nododd iddo orffen cywain yr ydau. Mae rhyw swyn yn enwau'r caeau wrth iddo gyfrif y cropiau:

Cae Ffrwd y Wrach	71 stwc
Cae Mieri	49 stwc
Cae'r Fuwch Wen	16 stwc
Cae Pin Brynclynni	56 stwc
Cae'r Beudy ac Erw'r Llidiart	44 stwc

Yr oedd William Bwcle ac Edward Wynne yn gryn arloeswyr ym Môn mewn tyfu cropiau. Codai Bwcle gropiau da o geirch, rhug, haidd, ffa, pys, meillion, maip a thatws. Ni ddaeth tatws yn ffasiynol ym Môn hyd chwarter olaf y ddeunawfed ganrif, ond yr oedd William Bwcle yn paratoi i blannu tatws yng ngardd Bryniau Duon ym 1739 ac yn eithaf cynnar yn y tymor, ar 19 Mawrth. Ymhen deng mlynedd yr oedd yn plannu tatws Rwsia ar y dydd olaf o Chwefror 1749. Er bod tatws yn ddigon dieithr bryd hynny eto fe arbrofodd William Bwcle yn y dulliau o'u plannu. Âi i gryn drafferth i'w lapio'n ofalus mewn hen wair gan roi gwellt pydredig oddi tanynt yn y rhes. Credai fod cynhesrwydd a gwrtaith yn hanfodol i'r daten, a dyma'r dull a ddilynodd bob blwyddyn i'w plannu. Mae'n amlwg y cynyddai'r swm o datws a blannai'n flynyddol canys, erbyn gwanwyn 1757, cofnododd i'r dynion blannu cymaint â phedwar peg. Mae'n debyg iawn mai dylanwad ei gymydog a barodd iddo dyfu'r tatws pan oeddynt mor ddieithr yng ngweddill y sir. Nododd y Canghellor yn ei nodlyfr iddo blannu tatws mewn tair gardd yn nhri degau'r ddeunawfed ganrif. Mae'n ddiddorol sylwi mai yn y *gerddi* y plannai'r ddau arloeswr eu tatws, nid oes sôn iddynt eu plannu yn y caeau.

Ar wahân i'r tatws fe dyfai Bwcle faip hefyd yn ei ardd. Ac er i Wallter Mechain (1761–1849) honni yn *Agriculture in North Wales – Anglesey 1810*, na welwyd maip ym Môn cyn 1765 fe'i gwrthddywedir gan Edward Wynne a gyfeiriodd at y gost o chwynnu'r maip ym 1737, ac fe gyfeiriodd William Bwcle at faip yn ei ardd yntau yn y Brynddu tua'r un cyfnod.

Fel rhan o'r chwyldro amaethyddol yr oedd y ddau gymydog, fel ei gilydd, yn awyddus iawn i wella'u stoc ac i roi gwell gofal iddynt. Gwelsom eisoes y byddai rhan helaeth iawn o wartheg a defaid Môn yn marw o ddiffyg porthiant ac amrywiaeth o afiechydon. Ymffrostiai William Bwcle am y prisiau da a gâi am ei stoc yn y ffeiriau lleol. Âi William Davies, y gwas, â'r bustych gorau i ffair Bangor gan dalu 6d y pen am eu cludo ar draws y Fenai. Yr oedd meddyginiaeth yn brin iawn i ddyn ac anifail yn y ddeunawfed ganrif ym Môn ac ni fyddai dim amdani ond gadael i anifail sâl gymryd ei siawns i farw. Ond ymdrechai William Bwcle i wella'i stoc ac adfer yr anifail gwael. Fel hyn yr ysgrifennodd ar 13 Ionawr 1752: 'Gave 1s to Owen Warmingham for coming to see a sick cow which is since died.' Mae'n amlwg fod Owen Warmingham yn dipyn o ffariar gwlad. Cofnododd eto iddo dalu cymaint â 5s i'r ffariar gwlad am ei ymweliadau yn ystod gwanwyn y flwyddyn honno.

Ond roedd gan William Bwcle gariad arall. Rhannai ei amser prin rhwng ei fferm a'i ardd ac ni fu erioed arddwr mwy pleserus na Bwcle. Treuliai oriau lawer rhwng muriau uchel ei ardd gaerog ac, fel ei ddyddiadur, yr oedd yr ardd hefyd yn ddihangfa i'r bonheddwr.

Etifeddodd yr ardd, ynghyd â'r plasty, gan ei dad tua diwedd yr ail ganrif ar bymtheg. Ychwanegodd yntau berllan ar gryn gost mewn amser a llafur. Ymffrostiai yng nghynnyrch y berllan hon o goed ceirios, afalau, eirin, eirin blewog, eirin betus, gellyg, afalau cwins, mafon, mefys, cyrains a hyd yn oed goeden oren. Ac, er iddi rewi'n drwchus mor ddiweddar â 21 Mai 1750, nes gwywo dail y mwyar Mair a duo blaenddail y winwydden a sigo gwlydd y tatws i'r ddaear, eto yr oedd y goeden oren yn gwbl ddianaf. Erbyn 1755 yr oedd wedi plygu brigau deiliog y ffawydden yn ddeildy cysgodol iddi.

Pan hwyliodd William Bwcle, yn ôl ei arfer, i Iwerddon yn Nhachwedd 1735, aeth i erddi enwog Mr Walkers yn Marybone a Killmainam a phrynu yno feichiau o goed ar gyfer yr Ardd Gaerog: deuddeg coeden afal, deuddeg llath o lwyni-llwybrau, chwe choeden gyrains (rhai gwynion), gan dalu 17s 6d. Rhoddwyd y llwyth anghelfydd ar y *Cloxen* – slŵp Gabriel Jones.

Yr oedd yr ardd lysiau hefyd yn hynod o lawn o bob rhyw ddewis, a chadwai fwrdd y plas drwy'r flwyddyn mewn ffa a phys, tatws a bresych amrywiol, letys a bresych gwynion, nionod, merllysiau, moron, radys a chiwcymerau, a William Bwcle yn ei gyfrif ei hun yn gryn arbenigwr ar eu tyfu. Yr oedd ganddo hefyd welyau-poeth i roi cychwyn i'r had tyneraf.

Nid yn unig yr oedd y sgweiriaid a'r bonheddwyr yn ddibynnol ar gynnyrch eu gerddi, erbyn y ddeunawfed ganrif fe fagwyd cryn falchder tuag atynt a thyfodd cryn gys-tadleuaeth rhyngddynt. Yr oedd y Canghellor Bodewryd yntau yn bur ymffrostgar yn rhestru cynnyrch ei ardd. Nid rhyfedd i safle'r garddwr fod cyfuwch ag unrhyw weithiwr ar y stad. Yn wir yr oedd yn uwch ei gyflog na'r pen certmon a oedd â gofal am: 'ye whole charge of his master husbandry and implements thereunto belonging' fel y cofnododd y dyddiadurwr ar ddechrau ei gyfrol gyntaf. Câi'r pen certmon £3 5s y flwyddyn o gyflog ond câi'r garddwr £3 10s. Ar 23 Hydref 1734 fe gofnododd William Bwcle iddo gyflogi Richard Jones, cyn arddwr yr Henblas ac un a fu'n arddwr dan John Grisdall, garddwr pur enwog. Yr oedd yn bwysig iawn fod i'r garddwr gymeradwyaeth uchel ac iddo fwrw prentisiaeth wrth draed rhyw Gamaliel o arddwr. Cytunodd William Bwcle i dalu £3 10s o gyflog y flwyddyn iddo a rhoes iddo 6d o ernes. Byddai'r bonheddwyr yn cyfnewid planhigion a choed â'i gilydd gan fwynhau a phleseru yn yr arfer. Nododd William Bwcle ar 23 Ionawr 1751 iddo gael deg coeden geirios (du a choch) gan William Lewis, o Lys Dulas.

Ond gwerth y rhodd oedd i'w frawd-yng-nghyfraith yn ei dro gael y coed gan arddwr tra enwog – Littleton o Gaer.

Ond, heb os, y cyfraniad pennaf a phwysicaf i wella a chwyldroi amaethyddiaeth yn y ddeunawfed ganrif fu cau'r tir agored yn gaeau. Credai Bwcle, fel diwygiwr amaeth, na cheid fyth ddatblygiad mewn amaethyddiaeth heb amgáu'r tiroedd. Emyn y diwygwyr hyn oedd eiddo'r bardd hwnnw, John Dyer:

> Inclose, inclose, ye swains!
> Why will you joy in common field, ...

Pa les gwella'r tir oni fyddai rheolaeth ar y stoc, yn ddefaid, gwartheg a cheffylau, fel y câi'r amaethwr lonydd i drin ei dir i godi grawn a gwair? Yr oedd yn gwbl amhosibl cael unrhyw raen na threfn ar ddatblygu amaethyddiaeth heb gymryd 'Cau'r tir' o ddifrif. Bu gan y Canghellor Wynne, a grwydrai'n ôl a blaen i Henffordd, gymaint o ddylanwad â neb ym Môn ar y broses hon. Gwelodd y Canghellor y wyrth yn digwydd yn Lloegr ac roedd am i bob llain o dir ar stad Bodewryd fod wedi eu cau yn ddiogel. Derbyniodd William Bwcle efengyl ei gymydog â breichiau agored ac, fel y tystia ei ddyddiadur, aeth ati o ddifrif i gau tiroedd stad y Brynddu. Mae ei ddisgrifio manwl o'r orchwyl hon yn berlau prin yn hanes astudiaeth amaethyddol y ddeunawfed ganrif. Wedi'r cwbl, 'Cau Tir' oedd asgwrn cefn y Chwyldro Amaethyddol yn oes William Bwcle. Nid tystiolaeth goruchwyliwr yn ei swyddfa a gawn ni yn y dyddiadur ond tystiolaeth un a oedd â rhan a chyfran bwysig yn y gwaith hefo'r dynion. Ar wahân i'r tywydd, y cofnod mwyaf cyson wedyn drwy'r dyddiadur yw'r disgrifiadau cyson a manwl o'r dynion yn codi waliau cerrig, a thro arall tywyrchu'r banciau a phlannu planhigion byw a choed. Nid oes yr un planhigyn na choeden a blennir nad yw'n enwi eu rhywogaeth ac, yn ddi-ffael, byddai rheswm da dros ddewis y rhywogaethau hynny. Gwyddai Bwcle beth oedd gwerth ei ardd gaerog a'r winllan gaeedig, lle y câi'r planhigion oedd ar fin ffrwytho bob llonydd i dyfu heb anifail i dresbasu, ac fe ddyfalai paham nad oedd modd cau tiroedd y fferm yn yr un modd. Gwyddai William Bwcle hefyd, ar dystiolaeth ei gymydog, fod modd gwireddu'r freuddwyd. O ganlyniad aeth ati â'i holl egni i roi caead diogel ar ei dir fel nad âi ond a ehedo o gae i gae. Fel y cyfeiriwyd eisoes, yr oedd llawer iawn o diroedd yn Lloegr wedi'u cau mor gynnar â 1700. Ond yr oedd pethau'n bur wahanol yng Nghymru ac yn Sir Fôn. Y mae sawl cyfeiriad yn nyddiadur Bwcle yn nodi mor anodd oedd cadw'r anifeiliaid dan reolaeth, e.e. cyfeiriodd mewn cofnod ar 24 Ebrill 1742, iddo baratoi cae bach i'r lloeau a chodi gwrychyn o gwmpas yr ŷd. Mae'n wir y bu cryn godi ar waliau a gwrychoedd ym Môn yn ystod yr ail ganrif ar bymtheg ond mae'n ddigon amlwg mai cloddiau a gwrychoedd hynod o ddi-raen oeddynt – llawer ohonynt yn wrychoedd dros dro. Dywedir yr ymledai Môn o'r naill orwel i'r llall heb goed na chlawdd nes gorfod llyffetheirio ceffylau yn ogystal â defaid rhag iddynt grwydro.[9] Fe ddarllenwn yn 'Arolwg o Stad Bodorgan ym Môn' mor ddiweddar â 1774, dair beirniadaeth gan yr Arolygwyr: 'there are no drainage, no fences and no land being cultivated'.[10] Ysgrifennodd William Bwcle yn ei ddyddiadur ar 13 Mawrth 1752: 'pd. 4d for 4 dozen sheep fetters'.

Yn wir yr oedd William Bwcle yn awyddus iawn i wella'r tir a'r cloddiau. Fe bwysleisiodd Henry Rowlands (1655–1723) yn ei draethawd ar amaethyddiaeth, nad trin y tir a'i hau yw unig gamp hwsmoniaeth dda ond gwarchod a diogelu'r tir hwnnw.[11] Y mae'n fwy o fuddugoliaeth amaethyddol i amddiffyn a chadw'r tir a enillwyd rhag yr anifeiliaid nag i ysgafnhau'r pridd cleiog a thrwm, neu ddaear ddiffaith. Cawn yr ymdeimlad o argyfwng ar y mater yn rhedeg trwy ddyddiadur William Bwcle. Manteisia ar bob cyfle a gaiff rhwng cawodydd y cynhaeaf i droi'r dynion i godi cerrig yn y mân chwareli neu i agor y ffosydd. Dyma fel y cofnododd ar 16 Gorffennaf 1739:

> My servants were in the hay until 10, when the rain came drove them home afterwards they were digging stones in Bryniau Duon and carrying them to the west side of Cae Rhyd y Garreg where the river washes that hedge and pulls it down every year, to build there a strong wall between me and Cae Maen Arthur which I could never secure from trespass from that quarter.

Y mae sawl awgrym yn y dyddiadur o gyflwr gwael y cloddiau a'r terfynau rhwng dau ddaliad hefyd, fel y cwynodd Bwcle yn y cofnod uchod pa mor anodd oedd cadw'r tresbaswyr draw. Yn ôl y cofnod am 22 Chwefror 1748 mae'n amlwg y cedwid y defaid dan gaead yn y nos: 'My men making a Pinfold at Cae'r Gadlas to keep the sheep in by night.' Cyfeiriodd eto yn y cofnod am 9 Chwefror 1739 at fath o ffald dros dro: 'my people all this week were emloyed some in cutting Gors for faggots – others carrying them and setting them on end by way of fence in Cae'r Sgubor Bach to turn in my Oxen to eat hay.' Bu i'r arfer hwn o dorri eithin a'u clymu'n ysgubau mawr a'u gosod fel soldiwrs yn y bwlch neu'r adwy, ddal hyd ganol yr ugeinfed ganrif. Erys yr enw yn Llŷn o hyd, llygriad o'r Saesneg 'ffaggots – ffystogau'. Ffens dros-dro fyddai hon ac fel y crinai'r eithin ac ysgafnhau byddai'r gwynt yn siŵr o'i dymchwel. Felly hefyd yr oedd y dynion ar 11 Chwefror 1758 yn codi gwrychoedd i baratoi buarth-gae i gadw'r buchod dros yr haf. Yn ôl condemniad Henry Rowlands mae'n amlwg mai rhywbeth dros dymor byr yn unig oedd y gwrychoedd a'r cloddiau yn y cyfnod hwn. Dyma ddywed awdur y traethawd: 'it is the custom here after a crop of Rye to throw down the bank or Hedge with which they fenced their Pinfold.'[12] Yr oedd o'r pwys mwyaf i berswadio'r tirfeddianwyr a'r tenantiaid i wario ar goed ifanc a pherthi byw er mwyn sicrhau gwrychoedd a therfynau parhaol a fyddai'n gaead diogel ac yn gysgod gwerthfawr i'r anifeiliaid. Cytunai William Bwcle â'r ddamcaniaeth hon fod ar yr anifeiliaid angen cysgod rhag y gwynt o'r môr, a'u cadw dan reolaeth.

Golygai'r cau hwn ddau ddull, naill ai wal gerrig neu glawdd pridd gyda gwrychoedd byw a choed o faint rhwng y perthi. Yn ôl pob tystiolaeth yr oedd digon o gerrig da i'w cael ym Môn, cerrig tir a ddeuai i'r wyneb wrth aredig, neu gerrig a dorrid o'r chwareli lleol. Fu erioed y fath fynd ar gerrig ag a oedd yn ail hanner y ddeunawfed ganrif. Casglai William Bwcle bob carreg o faint wrth aredig er mwyn eu cael i gau ac, o bryd i'w gilydd, byddai'n cyflogi dyn i ffrwydro'r cerrig mawr. Talodd hanner coron i William

Pritchard Parry am bum diwrnod o waith yn ffrwydro cerrig hefo powdwr gwn yng Nghae Ffrwd y Wrach, Bodelwyn. Mae'n amlwg ddigon, oddi wrth gofnodion y dyddiadur am godi waliau, fod William Bwcle yn ymfalchïo yn y gwaith gorau posibl, sy'n profi fod y safon wedi codi gryn dipyn. Yn ei adroddiad ar 27 Mai 1734 soniodd am y dynion yn codi cerrig yng Nghae Sgubor Bach ond buan y gwelwyd nad oedd y cerrig yn cyrraedd safon y ddau waliwr. Ysgrifennodd: 'these stones proving rotten and brittle'. Yn yr un cofnod daw'r un safon o walio i'r amlwg: 'I ordered John Bengam and Roger Hughes Saxton (who are the chief pioneers) together with two of the servants to try Bryniau Duon quarry.' I William Bwcle y ddau arloeswyr hyn oedd y pencampwyr ar godi wal gerrig ac mae'n amlwg fod y meistr yn falch ohonynt, a'u gwaith hwy a weddai i stad y Brynddu. Aeth y dyddiadurwr i drafferth wrth chwilio am ddynion cymwys i'r gwaith gan drefnu cytundeb a'i selio ag ernes o swllt. Ar gyfer codi wal gerrig yn derfyn rhwng Bodelwyn a Chlegyrog Isa cyflogodd chwech o ddynion cymwys i'r gwaith, sef Hugh Hughes, Tyddyn y Weyn, William Roberts, Brocket Hall, Richard Parry, Tyddyn Fadog a Richard Siôn David, y pedwar o blwyf Llanfechell, ynghyd â dau o blwyf Llanbadrig: Robert Owen, Garreg Fawr ac Owen Roberts, Tyddyn Beiddy. Nododd fanylion ynglŷn â'r gwaith: 'they are to have all the old stones in the wall already to that use.' Mae'n amlwg fod yno ryw fath o wal yno eisoes ond fod honno wedi dirywio a disgyn. Ond byddai'n rhaid wrth lawer mwy o gerrig i godi wal newydd. Mae'n debyg fod y cytundeb yn ysgrifenedig gan fod ynddo gryn fanylion ynglŷn â'r wal. Yr oedd i fod yn bedair troedfedd a naw modfedd o uchder ac yn ddwy droedfedd a hanner o led yn ei sawdl. Mae'n ffaith bwysig mai wal derfyn rhyngddo a thenant Clegyrog Isa oedd hon ac roedd yn bwysig iddi fod yn gaead diogel. Yr oedd y dynion i gael 4s y rhwd am eu gwaith, rhwd o wyth llath mae'n debyg. Yr oedd hon yn wal o gryn hyd, i gychwyn yng nghwr dehau'r graig, wrth y caeau bychain, a rhedeg at gornel gwergloddiau Bodelwyn – rhai cannoedd o lathenni.

Gan y byddai pob plwyf i ymorol am y priffyrdd yr oedd pwysau ar y tirfeddianwyr i godi'r waliau ar derfyn y ffyrdd.

Yn ei gofnod am 22 Mai 1734 dywedodd: 'John Bengam begun to raise stones, in order to make wall between Bryniau Duon and the Highway.' Gan mai'r Ustusiaid a benodai'r Arolygwyr Priffyrdd yn flynyddol fyddai wiw i'r ffyrdd na'r waliau fod yn wael o gylch stad y Brynddu! Fe red y wal gerrig hon o boptu'r ffordd o Lanfechell i Rosgoch a chred arbenigwyr mewn waliau cerrig fod y wal wreiddiol a godwyd gan John Bengam yn dal yno o hyd. Heb os, mae codi wal gerrig yn grefft neilltuol iawn a gall gwaith y pencampwr sefyll yn hir iawn.

Awgryma cofnodion ei ddyddiadur fod gan William Bwcle ryw obsesiwn rhyfedd ynglŷn â chau tir a chodi waliau. Yn wir, pan aeth i'r oedfa fore Sul, 6 Mawrth 1737, yr oedd yn fwy beirniadol nag arfer o bregethu'r person a bregethai ar eiriau o'r Salmau: 'Llawenychais pan ddywedant wrthyf, Awn i Dŷ yr Arglwydd.' Bytheiriodd y Sgweier fod y bregeth yn llawn ofergoeliaeth – rhoes ei anniddigrwydd yn ofalus yn ei ddyddiadur wedi dychwelyd i'r plas:

> endeavouring to maintain the absurd Doctrine of cencesating churches and churchyards – denouncing God's anger and Judgement on they that should convert them to any other use, but that of meeting in them to say prayers, when he very well knows that there are in this country it self above 40 church lofts that are fallen to ruins long ago and the profane neighbours and owners of the ground about them have made no scruple of carrying away the stones for making stone walls.

Yr oedd y dwymyn 'cau-tir' wir wedi gafael yn William Bwcle a'i gymydog, Edward Wynne ac, yn hyn o beth, yr oeddynt ar y blaen i weddill ffermwyr yr Ynys. Ymhen hanner canrif y gwelwyd cau ar diroedd yng ngwaelod y sir. Yr oedd hi'n ddiwedd y ganrif (1797) pan ysgrifennodd George Kay ei arolwg o amaethyddiaeth ym Môn. Ynddo y mae'n canmol Paul Panton o Blasgwyn, Pentraeth, gan ei fod wedi cau mwy o dir na neb ar yr Ynys – yr oedd ganddo ugain milltir o waliau cerrig ar ei stad.[13] Yn yr un flwyddyn, ar 11 Mehefin 1797, cofnododd Shon William Prisiart, Plas y Brain, Llanbedr-goch: 'Euthum i'r Plas Gwyn heddiw at y Conslar Panton i drefnu'r cloddiau ar y fferm a'r Cefnbychan.' Yr oedd hi'n go bell yn y ganrif ganlynol pan gerddodd George Borrow (1803–81) trwy'r ardal honno ym Môn a chanmol ei gwrychoedd uchel a thwt.[14]

Cyn canu clodydd amaethwyr de yr Ynys, dylem gofio fod William Bwcle a'r Canghellor Wynne wrthi'n cau eu tiroedd yn ddyfal ers tri degau'r ganrif. Yn wir, mae Bwcle yn cloi ei ddyddiadur ar 27 Medi 1760, ychydig wythnosau cyn ei farw, gyda chyfeiriad at godi cerrig i walio: 'My people all this week were digging stones at Bryniau Duon and carrying them to make the wall in the River betwixt me and Tyddyn Mieri.' A chawn gofnod gan Edward Wynne yn ei nodlyfr ym 1747 iddo godi wal gerrig o Foderwyd i Rosbeirio – yr oedd yn gant a phedair rhwd ac fe gostiodd swllt a deg ceiniog y rhwd i'w chodi. Fe gostiodd y cyfan, gan gynnwys clirio'r hen wrych a chodi a chario'r cerrig a'r llafur, gymaint â £19 6s 5d. Ymhen tair blynedd, ym 1750, cofnododd iddo godi wal gerrig arall a gostiodd chwe phunt a phymtheg swllt a saith geiniog iddo. Pe bai William Bwcle a'r Canghellor Edward Wynne yn byw yn nes i Afon Menai dichon y caent fwy o sylw ac o glod am eu llafur.

Ond nid â cherrig yn unig y caewyd y tiroedd. Yr oedd dull arall a oedd lawn mor boblogaidd, am ei fod yn rhatach beth – sef cloddiau pridd, perthi byw a choed amrywiol. Yn ffodus iawn y mae gan William Bwcle gofnodion manwl a disgrif-iadau gofalus o'r dull hwn. Mae'n wir mai'r wal gerrig oedd y gampwaith ddewisol mewn cau; eto yr oedd codi clawdd a phlannu perthi a'u plygu hithau'n dipyn o grefft, a buan iawn y daeth y gwrychoedd hyn yn addurn ar y tirlun ac mae dyddiaduron Bwcle yn gyfraniad gwerthfawr i'n gwybodaeth am yr orchwyl hon. Yr oedd ganddo brofiad o'r gwaith ei hun, gan nad meistr mewn swyddfa yn gorchymyn ei weision ydoedd ond yn hytrach un oedd yn cydweithio â'r dynion. Byddai gwrych a godwyd yn gelfydd yn creu clawdd a ffens hynod effeithiol. Gresynodd Henry Rowlands ar ddechrau'r ddeunawfed ganrif na fyddai tenantiaid a thirfeddianwyr wedi ymroi ati'n flynyddol i godi gwrychoedd i gau'r tir. Ond, ar waetha'r ffaith fod tiroedd stad y Brynddu mor agored a digysgod i wyntoedd gogledd- orllewin o'r môr a hwnnw'n wynt gwenwynig iawn i dyfiant tyner, mae'n rhyfeddod fel y llwyddodd William Bwcle. Byddai'r gwrychoedd a'r cloddiau hyn yn gysgod gwerthfawr i'r cropiau ac yn gynhesrwydd i'r tir a'r anifeiliaid. Cysgodent y stoc rhag drycinoedd diwedd y flwyddyn a'r ychydig borfa ar wanwyn oer. Yr oedd William Bwcle yn gryn arloeswr yn y dull hwn o gau tir. Canmolai'r dull a chredai, o'i weithio'n gelfydd a da, y byddai cystal â'r wal gerrig. Bu cryn gymell ar dirfeddianwyr a thenantiaid i godi'r gwrychoedd hyn os teimlent fod wal gerrig yn rhy ddrud. Yr oedd amaethwyr Môn yn gynefin â rhyw fath o godi gwrychoedd ond, fel y gwelsom, rhai drosdro oedd y rheini. Mynnai'r amaethwyr gadw at y dull di-lol o godi ffens rwydd i warchod crop o rug neu ryw rawn arall ac yna, wedi'r cynhaeaf, eu bwrw i lawr i'w cyd-bori. Ond roedd y gwrychoedd hyn a ddaeth yn sgil y chwyldro amaethyddol i fod yn arhosol. Fe olygai'r gwrychoedd newydd brynu coed ifanc a pherthi byw i gynnal a chadw'r clawdd a godwyd. Pwysleisiodd Henry Rowlands yn ei draethawd y dylai pob tirfeddiannwr sicrhau ei fod yn cau un buarth-gae bob blwyddyn, neu bwyso ar ei denant i wneud hynny. Dylid codi'r gwrych i uchder arbennig gyda dwy ffos ddofn o boptu'r clawdd, ac roedd yn bwysig cynhyrchu crib yr arglawdd. Byddai gwrychoedd wedi eu gweithio'n dda yn ffurfio caead diogel i gadw'r stoc mewn porfa neu i'w cadw o'r ŷd neu'r gwair. Byddai hyn yn gaffaeliad eithriadol ac, o dipyn i beth, fe ddaeth cryn dipyn o reolaeth ar yr anifeiliaid crwydrol. Rhoes hyn hefyd gyfle i'r amaethwr dyfu grawn a chodi gwell cropiau o wair. O sicrhau un cae fel hyn bob blwyddyn, ymhen pymtheg i ugain mlynedd fe geid tyddyn neu fferm fechan wedi'i chau yn dda gyda chloddiau arhosol a'r perthi'n tyfu'n gryfach o hyd.

Dyma'r patrwm a ddilynodd William Bwcle a'i gymydog, yn ôl ei ddyddiadur. Fel y gwelsom, manteisiai ar bob cyfle, hyd yn oed yn ystod y cynhaeaf gwair, i weithio ar y gwrychoedd. Ymdrechai i sicrhau un buarth-gae o gryn faint bob blwyddyn. Dyma fel y daw'r patrwm a oedd ganddo i'r golwg mewn cofnod am 6 Chwefror 1748, pan oedd wrthi'n paratoi at yr haf canlynol: 'My people were hedging at Cae'r Iarlles... I intend to plant Hawthorn quicks, that field being designed for a pinfold next summer.'

Cyfeiriodd at y broses yn ddiweddarach yn y flwyddyn ar 27 Hydref: 'My people to-day begin a new ditch at the south side of Cae'r Iarlles – the other side being finished a year ago...' Mae'n debyg y dilynai William Bwcle o gae i gae ar derfyn ei gilydd ac felly yn cydio'r cloddiau â'i gilydd. Fel y cofnododd ar 7 Tachwedd 1748: 'Finished to day planting my hedge about (around) Cae'r Iarlles' – a dyna'r cylch wedi'i orffen, gan fod cae ar derfyn pob clawdd i'r cae arbennig hwnnw. Mae'n werth nodi un enghraifft arall o'r broses hon o gau un cae ar y tro gan gynnwys terfynau caeau eraill. Ar 30 Tachwedd 1751: 'My labourers making new ditch about Cae'r Defaid in Bodelwyn (Cae Erw Trosol and Cae'r Fuwch being ordered in this same manner before).' O graffu ar ei fanylion mi welwn y broses: agor y ffos o'r ddeutu a, chan y byddai'r ffos tua llathen o ddyfn a rhai troedfeddi o led, fe godid cryn swm o ddaear i godi'r arglawdd yn weddol uchel. Gyda rhai dulliau, ar wahân i blannu rhesi o berthi byw ar y clawdd, byddid yn tywyrchu'r banc hefyd. Yn yr enghraifft dan sylw fe agorwyd y ffosydd yng Nghae'r Defaid fel cychwyn y broses. Mae ganddo awgrym diddorol mewn cromfachau fod cloddiau Cae Erw'r Trosol a Chae'r Fuwch Wen wedi eu cau y flwyddyn cynt. Aiff y broses yn ei blaen, yn ôl cofnod 7 Rhagfyr 1751: 'the day labourers were making a new hedge at Cae'r Defaid, Bodelwyn.' Ymhen pythefnos cofnododd eto (14 Rhagfyr) fod y dynion yn dal i wrychu'r argloddiau a godwyd o'r ffosydd. Ond, ar 20 Rhagfyr, ymhen yr wythnos, cyhoeddodd: 'Today I finished the new hedge in Cae'r Defaid in Bodelwyn and part of Cae'r Erw Trosol' – a dyna gae arall wedi'i orffen â gwrych a chlawdd arhosol. Dilynai batrwm o gau drwy orffen un cae i ddechrau a dilyn i'r caeau ar y terfyn. Gynt, byddid yn cau yn frysiog lle roedd angen a gwendid, ac mae'n amlwg fod y dull yn fethiant. Wrth ddilyn y patrwm o sicrhau un cae ar y tro hefo gwrych arhosol mae'n debygol fod yna gaead da iawn ar dir y Brynddu a'r ffermydd cylchynnol erbyn marw William Bwcle ym 1760.

Cadarnheir hyn gan arolwg a wnaed o stad y Brynddu bymtheng mlynedd wedi marwolaeth y Sgweier ym 1775: 'The fences are very good being mostly stone walls and the land in very good state of cultivation having lately been laid down with the best Hay and grass seeds.'[15]

Yn y manylion hyn a gofnodir gan y dyddiadurwr fe gawn syniad gweddol glir o ansawdd a nodwedd y clawdd pridd. Mae'n debyg yr amrywient, o ran dull ac ansawdd, i wrychoedd mewn gwahanol rannau o'r wlad. Yn siŵr mae'r cofnodion hyn o eiddo William Bwcle ymhlith y disgrifiad cynharaf o godi a thyfu gwrychoedd ym Môn. Nid ei fwriad oedd cyflwyno i'r oes a'i dilynai batrwm ysgrifenedig o godi cloddiau, yr hyn a wnâi ef oedd cofnodi'n syml ei orchwylion ef a'r gweision am ddiwrnod blinedig arall. Ond, ar ddamwain megis, fe adawodd inni drysor o wybodaeth o'r modd a'r dull y codwyd y gwrychoedd hyn, sy'n dal i addurno tirlun cefn gwlad.

Down i wybod am yr amrywiol rywogaethau o blanhigion, perthi a choed a blannodd ar y cloddiau. Mae'r cofnod sydd ganddo am 20 Rhagfyr 1751 yn enghraifft dda o hyn:

> Today I finished the new hedge in Cae'r Defaid in Bodelwyn and part of Cae'r Erw Trosol; the New Banks alone which have a ditch of a yard broad and 30ins deep and about six hundred yards in measure.

Yna ar y banc hwn a godwyd o'r ffosydd gwlyb y plennid y llwyni a'r coed: ' ...where in one planted about four thousand Quicksets most of them Hawthorn with crab, holly, hip, blackthorn, yew, hazel and plum suckers'. Yna wedi gorffen Cae'r Defaid mae'n symud i Gae'r Erw Trosol a phlannu eto:

> planted in regular order on the verge of the Bank with standard plants of Hawthron, blackthorn, Crab, plumb, Holly, and Yew besides 125 Ash, 18 Elms and one Service planted on the verge of Bank at proper distances, besides two standard Laurells of about five foot high.

O'r planhigion byw a blannwyd, drain gwynion oedd y rhan fwyaf ohonynt a'u mân frigau clòs i ffurfio palis cryf. Yn gymysg â nhw, coed afalau surion a choed celyn, a dyma gryfder a chadernid i'r clawdd. Byddai'r byr-frigau hyn yn cynnal y perthi law yn llaw ym mhob drycin. Yna fe geid gwrychoedd rhosod gwylltion a drain duon, a dyma dywyllu'r gwrych â'u mân-ddail trwchus. I dynhau'r gwead

145

pigog a'i glosio'n fwyfwy plannodd goed eirin tagu a, rhag i'r clawdd simsanu, fe roddwyd yr ywen yn glo a chynifer â chant dau ddeg pump o goed ynn cryfion, deunaw llwyfen ac un griafolen. Pwysleisia iddynt blannu'r cyfan gyda'r mesurau priodol, nid gwrychoedd dros dro oedd y rhain. Ni fu'r fath amrywiaeth o lwyni ac o goed erioed a'r rheini'n rhan allweddol yn y broses Cau'r Tir.

Buom, yn blant yng nghefn gwlad, yn rhyfeddu at y cloddiau hirion, trwchus hyn a buom yn cyd-fwydo hefo'r adar llwglyd ar ffrwyth y perthi – eirin tagu ac afalau surion. Dyna'r dreiniach a fu'n rhwygo'n dillad prin ac yn arteithio'n pengliniau brau. Ar amser Nadolig caem gelyn, llwythog o aeron cochion, yn rhad ac am ddim a buom yn herio'n gilydd i ddringo'r onnen esmwyth, y siacen (neu jacan i ni yn Llŷn) a'r llwyfen. Daethom i adnabod y coed i gyd heb holi erioed 'pwy a blannodd y rhain?' nac ystyried fod rhywun wedi plannu pob un yn unigol, ofalus. Fe welid y rhywogaethau hyn i gyd yn amddiffyn caeau mân dyddynnod a ffermydd stad y Bryndduc ac amryw ohonynt, yn ôl coedwigwyr fel Alan Mitchell, yno o hyd. Gall rhai o'r coed hyn a enwyd fod yn bum cant oed. Yn ôl tystiolaeth yr arbenigwr mae coeden sy'n mesur wyth troedfedd mewn tewdra oddeutu cant oed, ac os tyf mewn coedlan gysgodol, bydd dros ei dau gant. Y mae hyn yn wir am y rhan fwyaf o rywogaethau o goed, boed genwydd neu frasddail.[16] Arferai'r diweddar William Grove-White ddangos imi gylch o bump o goed sycamor a dyfai'n glòs at ei gilydd. Yn ôl a ddeallai ef, yr oedd y sycamor-wydden yn aildyfu o foncyff yr hen goeden a fu farw. Credai ef mai William Bwcle a blannodd y coed gwreiddiol.

Yn ei gofnod am 7 Tachwedd 1748 gwelwn ddull beth yn wahanol i'r arfer, sef rhoi rhes ddwbwl o ddrain gwynion ac felly yn twchu'r gwrych gryn dipyn. Yn ychwanegol at hyn fe blannodd amrywiaeth o goed: 'Finished today planting my hedge about Cae'r Iarlles with double row of Hawthorn and crab plants and planted at proper distances 75 Ash, 33 Elm, 15 great Maple vulgarly called Sycamors and two Lyme Trees,' a dyma sicrhau terfynau diogel a pharhaol i Gae'r Iarlles.

Roedd yn bur anghyffredin gweld y garddwr yn gwneud

dim y tu allan i'r ardd a'i ddyletswyddau, ond, fel y cofnododd William Bwcle am 15 Rhagfyr 1750, bu raid i'r garddwr ymuno yn yr orchwyl o godi'r gwrychoedd ac fe brofa hyn mor hanfodol yr oedd Cau'r Tir yng ngolwg William Bwcle. Yr oedd am wneud defnydd o wybodaeth a sgiliau'r garddwr i sicrhau'r cloddiau gorau: 'My Gardner who planted Hawthorn in a Hedge about Cae'r Fuwch Wen in Bodelwyn and also Ash at proper distances.' Pwysleisia'n barhaus bwysigrwydd y bwlch priodol rhwng y coed a'i gilydd a'r planhigion a'i gilydd.

Yr oedd y clawdd terfyn yn rhan bwysig iawn o'r cau a'r gwrychu, oherwydd dyma'r ffin rhwng tyddyn a thyddyn a fferm a fferm. Bu'r clawdd hwn yn achos sawl anghydfod a chweryl erioed a byddai pob amaethwr doeth yn ei wneud yn ddiogelach na'r un clawdd arall. Yr oedd mesurau clawdd terfyn yn wahanol gan eu bod yn llawer lletach na'r cloddiau cyffredin, ac fe erys felly o hyd. Yn ddiddorol iawn y mae gan William Bwcle gofnod am 12 Ionawr 1736 am delerau codi clawdd terfyn i ddynion wrth y dydd:

Agreed to day with Rowland Pritchard, Richard Luke and John Pritchard to work the hedge of Cae Gorsedd Rŷs, which is to be two yards and a half at the bottom with a double ditch each to be four and a half broad and a yard deep for 9d. a rood. William Mathew who hold the field to be at half the expense, gave them 6d. earnest and 3d. for ale.

Pwysleisia Bwcle bwysigrwydd y clawdd terfyn eto yn ei gofnod am 7 Medi 1747: 'My people are now in the wet ditch between Feram making that broader and very deep, being my boundary between me and Ty'n Llan and Cors y Ddafad.' Yr oedd bonheddwr y Brynddu am sicrhau terfynau llydan a diogel rhyngddo a'i gymydog.

Ond nid mater o godi'r banciau ac agor y ffosydd a phlannu'r gwahanol goediach yn unig oedd Cau'r Tir – yr oedd y gwrychoedd hyn yn gofyn am ofal cyson drwy chwynnu a glanhau rhwng y coed. Y mae William Bwcle yn cyfeirio'n gyson at chwynnu rhwng y coed ac, yn ôl George Kay, byddai'n arferiad i wneud hyn â llaw ddwywaith y flwyddyn. Byddent hefyd yn tocio'r llwyni yn gyson, gan ymorol na fyddent yn gordyfu allan o reolaeth. Wrth docio yr oedd y gwrychoedd fel pe baent yn ffyrnigo ac yn tewychu a chyda gofal cyson deuai'r gwrychoedd i'w llawn dwf mewn pum mlynedd. Dywed yr arbenigwyr mewn coedwigaeth nad oes derfyn ar oes y llwyni hyn pe caent eu tocio a'u glanhau'n flynyddol.

Cawn enghraifft o'r tocio hwn yn y dyddiadur am 21 Gorffennaf 1740: 'Set today my mear hedges [sef clawdd terfyn] bordering on Bronheulog to Mr William Thomas o Cnwchdernog to be fenced and scowered at the rate of 3d a Rood.' Mae ganddo air diddorol iawn am docio a barbio – 'scoured' – fe'i Cymreigeiddiwyd yn 'sgwrio' i olygu glanhau cloddiau o bob rhyw dyfiant gan ddefnyddio rhaw yn hytrach na'r cryman. Mae'n debyg y byddai William Bwcle yn cytuno â dynion wrth y dydd i wneud y gwaith hwn ac, yn amlwg, cyfrifai hyn yn orchwyl hollbwysig i lwyddiant yr amgáu. Ceir yr un peth ganddo eto yn ei gofnod am 8 Tachwedd 1748: 'Today I cut down the other side of the Hawthorn Hedge that is to the West of my new Orchard – the side within the orchard being cut two years ago.' Yr oedd ganddo system fel y byddai pob gwrych yn ei dro yn cael sylw a'i docio, a thrwy hynny yn cael y gofal gorau.

O sylwi y byddai William Bwcle wrthi'n ddyfal gydol y flwyddyn yn plannu miloedd o blanhigion a channoedd lawer o goed, mae'n naturiol i ofyn o ble ar wyneb y ddaear y câi'r fath gyflenwad? Fe gydnebydd iddo blannu cynifer â phedair mil o blanhigion ar fesur o glawdd yng Nghae'r Defaid. Yn wir, yr oedd fel pioden ar amser nythu, yn crafu coediach ym mhobman. Bob tro yr âi trosodd i Iwerddon, planhigion a choed o bob math oedd bennaf ar restr ei siopa yno. Mewn cofnod yn ei ddyddiadur am 12 Ionawr 1736: 'Planted at Cae Ty'n Llan eleven Elm Trees I bought in Dublin.' Ar 21 Tachwedd 1735 prynodd gynifer â chant o goed llwyfen, yn Nulyn eto, i'w gefnder Morgan yr Henblas, a chafodd rai iddo'i hun yn siŵr.

Ond byddai'n llawer iawn rhy ddrud i fonheddwr y Brynddu hwylio i Iwerddon yn unswydd i geisio coed a pherthi. Byddai Bwcle, fel eraill, yn ymorol am gyflenwad at ddefnydd y gwrychoedd o'i blanhigfeydd ei hun a chofnododd yn gyson fel yr ymwelai â nhw i gadw golwg ar ei blanhigion. Ar un achlysur saethodd afr yn ei blanhigfa ar yr Allt Ddu yn Bodelwyn ac fe'i ffromwyd yn fawr gan y difrod a wnaeth y geifr i'w goed ifanc.

Yr oedd, ym mhob fferm o faint, blanhigfa i dyfu ac i feithrin planhigion a choed ar gyfer y gwrychoedd. Yn ei ddarlith ar 'Enwau Caeau' cyfeiriodd Bedwyr Lewis Jones at yr enw 'Cae Nyrseri' neu 'Cae Nyrs'; 'enw,' chwedl yr athro, 'a allasai fod yn gamarweiniol.' Ystyr yr enw, wrth gwrs, yw'r ffaith y bu, ar un amser, blanhigfa yn y cae hwnnw. Fel y tardd yr enw 'Cae Helyg' o'r ffaith y tyfid helyg yn y cae hwnnw i wneud basgedi. Y mae yma sawl cyfeiriad at y meithrinfeydd hyn ac, yn amlwg, caent bob sylw a gofal ganddo. Dyma fel y cofnododd ar 23 Mawrth 1748: 'Finished to day sowing ... and also two large pieces with crab apples.' Fel y gwelsom roedd y coed afalau surion yn rhan bwysig iawn o'r gwrychoedd gan mor gryf fyddai eu canghennau.

Nid yn ei ardd a'r berllan yn unig y byddai'n tyfu ac yn meithrin planhigion. Byddai'n amgáu cornel neu gefn yn un o'r caeau i'r pwrpas hwn hefyd pan nododd ar 21 Medi 1734 iddo ymweld â'i blanhigfa goed pinwydd yn y weirglodd wrth Gae'r Person lle yr oedd wedi plannu cryn gant o goed fis Mawrth cynt. Ar ei ymweliad y tro hwn yr oedd dwsin o'r coed wedi gwywo. Trannoeth cofnododd iddo ymweld â'i blanhigfa yng Nghae Ty'n y Llwyn a Chae Caled, gan iddo blannu llawer iawn o blanhigion yno hefyd, ond roedd deg ar hugain o'r rhain wedi marw. Fe gydnebydd y Sgweier iddo fod yn llawer iawn rhy esgeulus o'i blanhigfeydd gan fod y border yn llawn rhedyn a drain. Cafodd well hwyl o lawer ar y coed pinwydd ym mhlanhigfa Cae'r Gegin; pedair yn unig a gollwyd yno. Profodd hyn mai gorchwyl anodd mewn hinsawdd oer a gwlad agored i wyntoedd y môr fyddai tyfu a meithrin coed ifanc.

Er pob rhwystr ac anhawster, ymdrechai William Bwcle i gael cyflenwad ar gyfer y cloddiau noethion gan gymaint ei awydd i ddilyn ffasiwn y Chwyldro Amaethyddol. Mewn cofnod am 8 Rhagfyr 1736 nododd gam arall yn y broses o dyfu coed: 'My men to day transplanting Yew Trees from the seed-bed in the border.' Yna ar 10 Rhagfyr y mae'n palu'r border wrth wal ogleddol yr ardd a phlannu'r cyfan ohono â choed llarwydd. Yna plannodd lawer iawn o goed cwinswydd a cherrig eirin surion. Ar 19 Ionawr 1742 cofnododd iddo blannu coed ffawydd a choed llwyfen mynydd ym mhlanhigfa Cae Ty'n y Llwyn a'r blanhigfa yng Nghae Caled. Mae'n amlwg y byddai ganddo gyflenwad o blanhigion wrth law o gylch y tŷ ar gyfer eu plannu. Sylwn hefyd gorchwyl a phroses mor drafferthus oedd y cyfan gan fod cymaint o alwadau eraill ar y fferm. Ond, fel y tystia'r dyddiadur, fe fynnai Bwcle gael digon o goed a phlanhigion i ffurfio caeau twt a thaclus ar stad y Brynddu.

Mae'n anodd gwybod pa mor gyfarwydd y byddai William Bwcle, neu'r Canghellor Wynne, â thraethawd Henry Rowlands ar amaeth ym Môn. Mae'n amlwg fod y ddau yn dilyn awgrymiadau'r traethawd hwnnw'n glòs iawn. Apeliai ef ar i bob tenant a thirfeddiannwr, os na allent fforddio prynu planhigion byw, ffensio gardd fechan neu blanhigfa wrth y tŷ neu yng nghornel cae, rhoi digonedd o dail iddi a hau hadau, aeron a chnewyll y planhigion byw er mwyn cael cyflenwad at eu defnydd. Dyma'n gywir yr hyn a wnaeth William Bwcle a thrwy hynny daeth yn gryn arloeswr yn y broses o gau'r tir â gwrychoedd ym Môn ganol y ddeunawfed ganrif.

Yr oedd o'r pwys mwyaf i'r coedwigwyr fedru dewis a dethol y coed a'r planhigion priodol ar gyfer y tir a'r tywydd. Mae'n naturiol y byddai canol ynys Môn yn llawer mwy cysgodol na'r tiroedd ger y glennydd. Yr oedd gwynt y môr, yn naturiol ddigon, yn wynt miniog a halenog. Dyma'r math o wyntoedd y byddai'n rhaid i William Bwcle eu hystyried a'u parchu. Byddai rhai coed a phlanhigion yn ymateb yn well na'i gilydd i wynt y môr. Fe ddywed yr arbenigwyr ar goedwigaeth fod y dderwen, yr onnen, y sycamorwydden, y llwyfen, y fasarnen a'r ddraenen wen i gyd yn goed halenog ac, o ganlyniad, yn ymateb beth yn well i wynt y môr. Yn sicr fe ymdrechodd William Bwcle, gyda chymorth ei gymydog ysgolheigaidd, i adnabod y gwahaniaeth rhwng coeden a choeden, rhwng perth a pherth, ac fe lwyddodd i godi terfynau diogel rhwng cae a chae a rhyngddo a chymdogion tlawd. Wrth holi pa faint o'r perthi a'r llwyni a blannwyd gan William Bwcle sy'n aros o hyd, chwiliais a chefais ateb arbenigwr: 'The Quicksets – hawthorn, crab, hazel and blackthorn are used to establish hedges, and if these hedges are well cared for, they could easily still be there after 250 years.'[18] Dyna farn Dr William Linnard o'r Amgueddfa Werin Gymreig, Sain Ffagan, mewn nodyn personol ataf. Felly nid oes dim yn debyg i'r llwyni a'r coed hyn ar gloddiau'r Bryndu i'n cydio ni â William Bwcle a'i oes. 'William Bwcle mwy nid yw, ond fe erys y perthi a blannodd!'

[1] Jones, Graham, *Hanes Cymru*, Gwasg Prifysgol Cymru, 1994.
[2] Dodd, A. H., 'Anglesey in the Civil War', Darlith Flynyddol Cymdeithas Hanes Môn, T.C.H.N.M., 1952, tt. 1–33.
[3] Griffith, E. J., 'Mynd a Dod ar Benrhyn Llŷn', Darlith Llŷn 1985.
[4] Llyfrgell Prifysgol Bangor, 2125 (Papurau Plas y Brain).
[5] Richards, E., *Porthmyn Môn*, Gwasg Pantycelyn, 1998.
[6] Llyfrgell Genedlaethol Cymru, Llawysgrif Boderwyd, 64.
[7] Llyfrgell Genedlaethol Cymru, Gweithiau Gruffudd Hiraethog.
[8] Richards, E., *op.cit.*
[9] Jenkins, R. T., *Hanes Cymru yn y Ddeunawfed Ganrif*, Caerdydd, 1930.
[10] *Royal Commission on Land in Wales*, 1896.
[11] Rowlands, Henry, *Ideal Agriculture, 1704.* Cyhoeddwyd 1797. T.C.H.N.M., 1936.
[12] *ibid.*
[13] Kay, George, *General View of the Agriculture of Anglesey*, Caeredin, 1797, tt. 10–11.
[14] Borrow, George, *Wild Wales*, Collins, 1943.
[15] 'Bryndu Hall and Lands, 1775'. Trwy garedigrwydd Robin Grove-White.
[16] Mitchell, Alan, *A Field Guide to the Trees of Britain and Northern Europe*, Collins, 1974, t. 20.
[17] Jones, Bedwyr Lewis, Darlith ar 'Enwau Caeau', Cwrs Llên Gwerin, Plas Tan y Bwlch (heb ei chyhoeddi).
[18] Linnard, Dr William, *Welsh Woods and Forests: A History*, Gwasg Gomer, 2000.

ENWAU'R CAEAU

Mae'n gwbl naturiol, ar ôl cau'r tir a ffurfio clytwaith o gaeau twt, y byddai'n rhaid enwi'r caeau hynny. Mae'n debyg fod yna fath o gaeau – rhai diraen – cyn dyddiau William Bwcle ond cododd ef gloddiau gwell ac ef hefyd a roes sawl enw ar y caeau. Cydnabyddir fod yna fwynglawdd o ffeithiau ac o hanes yn yr enwau hyn, yn enwedig hanes lleol.

Yn ei ddarlith 'Enwau Caeau' dyfalodd yr Athro Bedwyr Lewis Jones yn ddifyr tybed pa bryd y dechreuoddd yr holl beth, y cau a'r enwi, a newidiodd dirwedd ein gwlad.[1] Agorodd yr Athro'r ddarlith fel pregethwr yn codi'i destun, gan gyhoeddi mewn llais uchel, 'Daw ein testun o lyfr y Proffwyd Eseia – y bumed bennod a'r bumed adnod: "Mi a wn beth a wnaf i'm gwinllan, tynnaf ymaith ei chlawdd."' Ac, fel yr arferai pregethwyr mawr erstalwm ei wneud, cyhoeddodd yntau ei destun yn Saesneg, 'I will take away the hedge round it.' A dyna fo, am wn i, y clawdd a'r cau cynta y gwyddom amdano, mor bell yn ôl â'r wythfed ganrif Cyn Crist. Dyma 'glawdd' sy'n golygu cau allan dir i ffurfio 'cae' – lle caeedig. Yna daeth y ddarlith yn nes adre gan droi i drydedd gainc y Mabinogi, chwedl wedi'i dyddio rhyw wyth can mlynedd yn ôl. Yr oedd Manawydan a Cigla wedi eu gadael yn unig, heb ddyn nac anifail o fewn y lle, yn Arberth tua gwaelod Sir Ddyfed. Yno y buont yn pysgota ac yn hela ceirw. Wedi blino ar gig troesant ati i drin y tir gan hyforio'r tir ac yna hau 'groft' (sef darn bach o dir wedi'i gau). Gair wedi'i fenthyca o'r Saesneg ydyw am nad oedd gennym air Cymraeg am 'gae'. Felly maestir oedd yma wyth can mlynedd yn ôl gyda llawer iawn o goed. Gydag amser torrwyd llawer o'r coed a rhannu'r maestiroedd yn stripedi ac yn lleiniau gyda math o falciau i'w gwahanu. Yn y man fe berchnogwyd y tiroedd a chodwyd cloddiau rhag i neb arall eu meddiannu. Dichon mai ychydig o gaeau bychain o gwmpas y tŷ oedd y patrwm ar y dechrau.

Soniodd yr Athro wedyn am ddiwedd y ddeuddegfed ganrif gyda dyfyniad o gywydd mawl gan Iolo Goch (1320–1398) i Lys Owain Glyndŵr yn Sycharth. Canmolodd y bardd y croeso mewn bwydydd a gwinoedd, gan ddotio at y perllannau braf a'r parc lle porai ceirw a chwningod, a sylwi ar y dolydd gwair toreithiog a'r caeau ŷd. Golygai cae iddo yntau dir caeedig fel cwilt rhwng gwrychoedd. Mae'n siŵr fod y cau cynnar wedi ffurfio ffermydd a thyddynnod ac, yn naturiol, aeth enwau'r caeau'n enwau ar y tyddynnod a'r ffermydd hynny. Dyna ddamcaniaeth Dr Thomas Parry yn ei ddarlith ar fro ei febyd, sef Carmel yn Arfon, gan ddweud:

> Tyddynnod wedi eu cau o'r mynydd yw rhan helaethaf yr ardal fel y profa llawer o'r enwau: Cae Uchaf, Cae Forgan, Cae Ddafydd, Caesion, Cae Moel, Cae Ymryson a Chae'r Cyd. Y mae'n debyg fod yma gau go gynnar a chau diweddarach oherwydd y mae hen wal y mynydd yn ddigon hawdd i'w hadnabod hyd heddiw, sef terfyn uchaf y rhes ffermydd: Cae Ucha, Cae Forgan a Caesion Mawr.[2]

Heb os, mae enwau caeau yn drysorfa o wybodaeth i'r hanesydd lleol. Deuwn o hyd i'r enwau hyn mewn papurau stadau ac mewn hen ewyllysiau ac mae'n ymchwil ddiddorol anghyffredin, ond nid ymchwil i neb ar ei eistedd mewn llyfrgell ac archifdy yw hon yn bennaf nac yn gyntaf. Mae'n rhaid gweld y cae, dilyn ei gloddiau gwyrgam ac adnabod ansawdd y ddaear. Wedi'r cwbl, dyma'r pethau sy'n rhoi bywyd yn enw llawer cae ac yn rhoi ystyr iddynt. Y mae o hyd fyrdd o enwau caeau ar lafar gwlad a gall ambell was fferm ffraeth fel John Williams, Penbol Uchaf, leoli'r enwau fel chwaraewr draffts. Dyma beth ydi cof da: 'Mi rydw i'n cofio Miss Roberts yn deud yn Rhydygroes erstalwm – "mae'r menyn yn codi pan aiff y buchod i Erw Fach gymaint â deunaw pwys." Felly yr oeddan nhw yn nabod caeau erstalwm.' A chyn gorffen y stori: 'Ydach chi'n gwybod lle mae'r Erw Fach?' holodd, 'Wel mi ddeuda i wrtho chi – ar derfyn Hafod Llin Bach,' gan fy ngorfodi i fynd draw yno i weld. Pwy fydd yma yfory, ys gwn i, yn medru stribedu enwau caeau?

Teimlir gwahaniaeth amlwg rhwng darllen rhestrau o enwau caeau ym mhapurau'r stadau (Plas Coch a'r Brynddu) neu ar fapiau degwm Plwyf Llanfechell, a'r un enwau yn nyddiadur William Bwcle. Yn amlach na pheidio mae'r dyddiadurwr yn lleoli'r cae ac yn cofnodi rhyw ddigwyddiad arbennig yno, megis wrth y gamfa yng Nghae Penrhyn, y Brynddu, y cafodd y person bwl gwael ryfeddol y noson y bu farw ym mis Mawrth 1575. Mae gan William Bwcle dros ddeugain o'r enwau hyn yn ei ddyddiadur a phob un yn enw Cymraeg rhywiog ac yn golygu rhywbeth arbennig iawn. Nid damwain na hwylustod yn unig fu bedyddio'r caeau yn ei oes ef.

Yn ei ewyllys, a arwyddwyd ar 14 Medi 1723, rhydd Richard Gwynne fferm Rhydygroes i'w briod, Eleanor Gwynne, gan enwi'r caeau yn yr ewyllys oherwydd y caeau a'r enwau hyn *oedd* Rhydygroes i Richard Gwynne. Mae'n amlwg fod i bob cae y cyfeiria William Bwcle ato gymeriad arbennig a rhyw nodwedd neilltuol. O ganlyniad maent yn enwau sy'n ymwneud â daearyddiaeth ac â daearyddiaeth hanesyddol, â hanes amaethyddiaeth a threfniadaeth dal tir ac nad anghofiwn fod ambell enw cae yn ymwneud â llên gwerin hefyd. Mewn gair, dyma astudiaeth gwerth chweil.

Gwyddom fod i enw sawl swyddogaeth ac fe sylwn ar y swyddogaethau hynny:

Enw yn gwahaniaethu

Yn ôl Llyfr Genesis bu i Adda: 'alw holl fwystfilod y maes ac ehediaid y nefoedd wrth eu henwau i wahaniaethu y naill oddi wrth y llall.' Cofiaf fel y byddai dau o'r un enw yn yr un dosbarth yn creu dryswch llwyr yn yr ysgol erstalwm, cymaint fel y byddai'n rhaid i un o'r ddau gael enw arall i'w wahaniaethu. Fe saif enw am hanfod neu gymeriad, ac mae gan bob cae ei gymeriad hefyd ac, er i'r Athro Bedwyr ddweud fod yna lawer iawn o enwau coman a dwl ar gaeau, eto mae gan Cae Cefn Beudy a Chae Bach eu cymeriad a'u nodweddion arbennig. Daw'r caeau hyn, er mor goman, â llu o atgofion hiraethus yn ôl inni. Credwn, pan oeddwn yn blentyn, nad oedd cae yn y byd i gyd i'w gymharu â Chae Cefn Tŷ neu Gae y Domen!

Yn yr Oesoedd Canol, ac yn ddiweddarach hefyd, pan rannwyd y tir agored yn lleiniau hirgul, nid oedd dim i'w gwahaniaethu gan eu bod mor debyg i'w gilydd. Er mwyn adnabod y llain rhoed enw'r tenant arno, neu enw'r perchennog. I bwrpas casglu'r rhent yr oedd o'r pwys mwyaf medru gwahaniaethu rhyngddynt. Yr ydym yn gynefin ag enwau o'r math gan fod amryw yn dal i gael eu defnyddio: Cae Ddafydd, Cae Ifan, Caesion a Chae Forgan. Y mae yn nyddiadur William Bwcle rai fel Cae Carreg Ddafydd (29 Rhagfyr 1739) a Chae Iarlles (26 Mehefin 1737) a cheir Parc y Ficer a Chae Owen ar ddwy o ffermydd y stad.

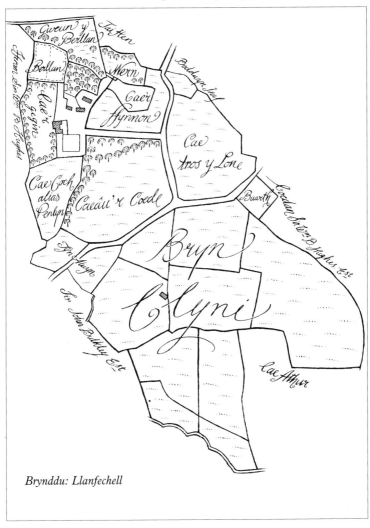

Brynddu: Llanfechell

155

Enw yn lleoli

Y mae William Bwcle yn troi pob cae yn llwyfan i gofnodi digwyddiadau arbennig. Nid rhestrau difywyd yw'r enwau caeau yn ei ddyddiadur, maent yn lleoliad myrdd a mwy o ddigwyddiadau ym myd a bywyd ffermio yn y rhan hon o Fôn yn y ddeunawfed ganrif. Cafodd Gabriel Jones lwc anghyffredin pan saethodd at giang o wyddau gwylltion, oherwydd disgynnodd dwy yng Nghors y Ddafad a hynny ar 17 Medi 1739. Onid yw rhoi amser a lleoliad yn bywiogi digwyddiad digon cyffredin?

Ar 6 Hydref 1736 yr oedd Roger Hughes, y clochydd a Hugh Thomas, y Drym, yn dechrau codi wal gerrig yng

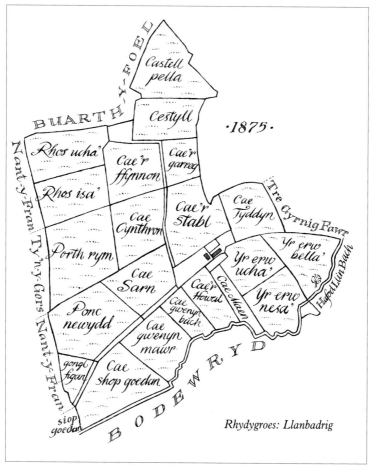

Rhydygroes: Llanbadrig

156

Nghae Sgubor, Coeden, oedd yn terfynu â Chae Glas y Drym ac ymlaen i Gae y Banadl. Dyna'r dyddiadurwr yn lleoli'r gampwaith o godi'r wal gerrig, a chan fod rhai o enwau'r caeau yn dal o hyd, mae modd dod o hyd i'r wal gerrig honno heddiw yn agos i dair canrif yn ddiweddarach.

Nid yn unig, fel y gwelsom, y cawn ddisgrifiadau manwl o'r gelfyddyd o godi wal gerrig a wynebu cloddiau pridd, ond cawn hefyd enw ar bob cae a gallwn berthnasu pob clawdd a wal i'r enwau hynny. Fel y nodwyd eisoes, gwyddom fod William Bwcle yn gryn arloeswr mewn cau tir a chodi waliau

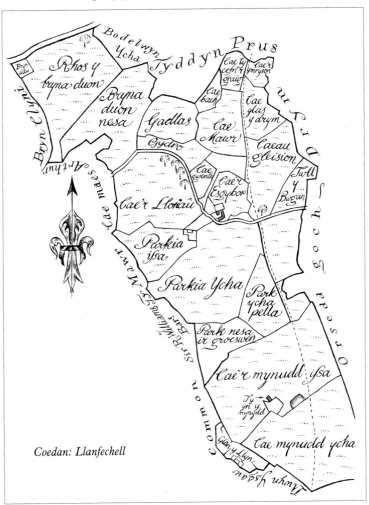

Coedan: Llanfechell

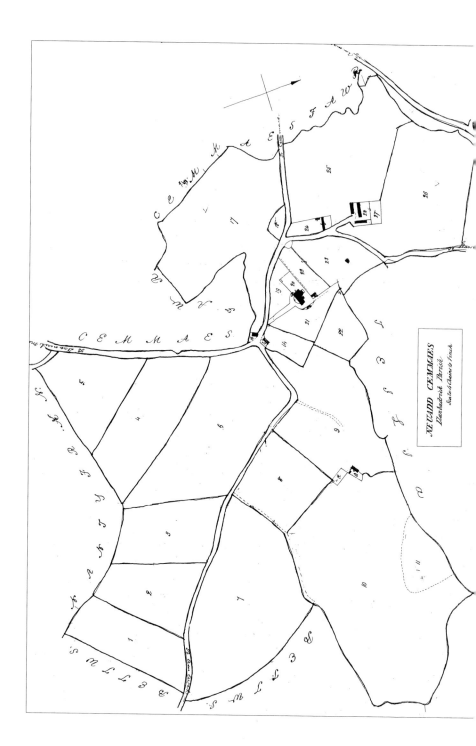

NEUADD CEMMAES
Llanbadrick Parish
Santa Claire & Inch

Neuadd, Llanbadrig
Cymharu Enwau Caeau yn 1775 a 1945

1775	1945
1. Bonydd	1. Bronydd
2. Bonydd	2. Bronydd
3. Bonydd	3. Bronydd
4. Fron hir	4. Cae Nant
5. Fron Pellaf	5.
6. Fron Refail	6. Cae 'Refail
7. Cae mab bach	7. Mab Bach
8. Waun bach	8. Waen Newydd
9. Waun fawr	9. Waen Baeddi
10. Bryn braich	10. Bembrych
11. Bog	11. Dorran
12.	12.
13.	13.
14. Cae moch	14.
15.	15.
16.	16.
17. Cae glas	17. Cae Glas
18. Paint Works	18. Cae Glas Cottage
19.	19. Llain Bach
20. House etc	20. Neuadd
21. Cae moch	21. Bonc
22. Dryll cwtta	22. Cae Ffynnon
23. Rhyddio bach	23. Cae Dan Tŷ
24.	24. Llain Beuau
25. Rhyddio fawr	25. Cae Towyn
26. Cae Gadlas	26. Cae Gadlas
27.	27. Llain Stabal
28. House, Gardens etc	28. Beudai

parhaol, felly y mae pob lle i gredu fod llawer o'r enwau a gofnodir ganddo yn enwau gwreiddiol.

Cwynai William Bwcle yn go arw am gropiau gwair haf 1740. Yr oedd tri chae ym Modelwyn dan wair y tymor hwnnw – Cae Mieri, Cae'r Gamfa a Chae Tan Talcen y Myrddyn. Tri chocyn bach o wair yn unig a gafwyd yn y tri chae, er yr arferid gael pedwar cocyn mawr yng Nghae Tan Talcen y Myrddyn yn unig ar dymhorau cynt. Yr oedd enwau'r caeau yn gymaint o help i gofio ac i gymharu. Yn wir, byddai William Bwcle, fel pob ffermwr da, yn cadw cyfrif manwl o'i gropiau. Ar 12 Medi 1760, ac yntau wedi cwblhau'r cynhaeaf, rhoes gyfrif o'r swm yn ei ddyddiadur. Cyfrifid yr ydau wrth y stwciau a'r gwair wrth y cocynnau. Dyma'r cyfrif o'r haidd am dymor 1760:

Cae Lloriau:	324 stwc o haidd
Cae Gadlas Newydd:	218 stwc
Cae Ty'n Llyn a Chae Caled:	150 stwc
Dau barc yng Nghefn y Groes:	180 stwc

Mewn oes heb ffeil na chabinet, ac yn siŵr heb gyfrifiadur, yr oedd enwau'r caeau yn gwbl angenrheidiol i'r pwrpas o gadw'r math hwn o gyfrifon. Yn yr un modd yr oedd enwau'r caeau'n bwysig iawn pan ddechreuwyd gwrteithio'r tir. Nododd William Bwcle yn fanwl pa gaeau gafodd galch a thywod a pha bryd, ac fe restrodd y caeau a oedd i'w gwrteithio'r flwyddyn ddilynol.

Ystyr ac arwyddocâd yr enw

Y mae i bob enw ystyr a gall enwau caeau, fel pob enw arall, ildio cruglwyth o wybodaeth fuddiol i'r ymchwilydd a'r hanesydd – yn arbennig yr hanesydd amaethyddol. Bu cyfraniad yr Athro Bedwyr Lewis Jones yn aruthrol yn y maes hwn a llwyddodd i'w wneud yn bwnc mor ddiddorol, fel y gwnaeth Ifor Williams, Melville Richards a Tomos Roberts hwythau. Ceidw'r Athro Hywel Wyn Owen yr ymchwil i fynd a'i rhoi ar seiliau diogel. Defnyddia ef dermau fel 'topograffi' i gorlannu mathau arbennig o enwau caeau, term sy'n disgrifio nodweddion amlwg yn y tirwedd.

(a) Maint

Mae'n naturiol y byddai maint caeau yn siŵr o awgrymu enwau i'r caeau hynny. Ac, er i Bedwyr gyfeirio at Gae Bach a Chae Mawr fel rhai cyffredin a choman, mae'n werth sylwi fod i'r caeau bychain arwyddocâd neilltuol iawn. Y rhain oedd y caeau cynharaf mae'n debyg, fel lle i gau a chadw'r anifeiliaid o gwmpas y tŷ. Bathwyd enwau arbennig i'r caeau hyn o gwmpas y tŷ.[3] Dyma enghreifftiau o'r rhai yn nyddiadur William Bwcle ac yn yr ardal:

Buarthau'r Cae Bach: Ceir yr enw hwn ar un o ffermydd stad y Brynddu, sef Pentre Heilyn ym mhlwyf Llanbadrig. Cyfuniad yw buarth o *bu* (sef buwch) ac *arth* (lle wedi ei gau i mewn).

Llain Cefn Tŷ: Llinyn cul o dir yw'r llain. Ar y dechrau dyma fel y rhennid y tir agored a dyma'r enw odid mwyaf cyffredin yn y ddeunawfed ganrif. Yr oedd 'Llain Cefn Tŷ' ym Mhant y Gist ar stad William Bwcle a 'Llain y Pyttia' yn Nhyddyn Tŷ Newydd, Llanbeulan, ar stad y Brynddu eto, a cheir 'Llain Bach' yn y Garreg Fawr Isa ym mhlwyf Llanfechell.

Sling: Yn ôl yr Athro Bedwyr, streipen fain o dir ar ochr lôn yw Sling. Daeth Sling yn enw lle yn Nhregarth ger Bangor. Yn y de 'slang' yw'r gair a ddefnyddir i olygu'r un peth, ac yn Sir Gaerfyrddin dywedir 'stang' (a 'stangau' yn y lluosog), a dyna esboniad ar enw cartref Dewi a Magdalen ym Menllech, Môn, gan mai merch o Sir Gaerfyrddin yw Magdalen. Ei ystyr mewn perthynas â thir yw mesur o dir – stribyn cul gan mai polyn yw ei ystyr. Fe gyfeiriodd William Bwcle at sawl 'sling' yn ei ddyddiadur. Ym Mhant y Gist a Choeden, yn ddiddorol iawn fe geir, ymhlith rhestr o enwau caeau'r stad, gyfeiriad fel hyn am Dyddyn Silied: 'pasture in the Road' – tybed ai'r 'sling' a olygir?

Dryll, Dryll Cwtta: Mesur bychan o dir yw hwn hefyd, o'r gair a olyga bisyn bychan, fel yn y dywediad, 'malu yn ddryllia', neu fel yn y ferf, 'dryllio'n chwilfriw'. Ceir yr enw mewn dwy o ffermydd stad y Brynddu a'r ddwy yn terfynu â'i gilydd, sef Neuadd Llanbadrig a Thyddyn Cae Owen.

Hwylfa: Math o ffordd i yrru gwartheg oedd hwylfa. Un yn unig a geir ar stad y Brynddu, sef yn Rhydygroes ym mhlwyf Llanbadrig.

Rhyddid: Mae'n debyg, fel yr awgryma'r enw, mai tir rhwng dwy ffrm neu ddau dyddyn â hawl i yrru anifeiliaid drwyddo ydyw, er nad yw eu lleoliad yn aml yn cefnogi hynny. Fe'i defnyddir hyd heddiw ar ffrm Coeden ym mhlwyf Llanfechell – rhyw gorn gwddf cul o dir wast. Y mae un go helaeth yn Rhydygroes a byddant hwythau yn dal i ddefnyddio'r gair. Fe ddefnyddir yr enw yn y Neuadd, Llanbadrig, ac yng Nghefn Helyg, Cemaes, hefyd.

(b) Siâp

Ceir cryn amrywiaeth o enwau caeau sy'n deillio o'u siâp yn nyddiadur y Brynddu. Byddai Hugh Evans, y Maes, Llanfair-yng-Nghornwy yn arfer cwyno am y tyddyn a ffermiai ei dad ar fynydd y Garn, 'Sut y medar neb fyw mewn rhyw hosan ddiawl o le?' Heb fod ymhell o Benygraig y mae 'Tyddyn Llawes'!

Cae'r Delyn, Llain Delyn neu *Erw'r Delyn:* Bu'r offeryn cerdd yn gamarweiniol yn yr enw hwn ac arweiniwyd rhai i gredu y bu rhyw delynor yn gysylltiedig â'r cae. Dim byd o'r fath; cae ar siâp telyn a olygir. Cae tri-ongl ydyw ac y mae sawl Cae'r Delyn ar stad y Brynddu, fel a geir ym mhob ardal. Cyfeiriodd William Bwcle yn fynych at yr enw yn ei ddyddiadur (7 Tachwedd 1748). Ceir hefyd yr un enw ar gaeau yn Llanbabo ym Môn ac yn Llaneilian. Y mae llain go helaeth o dir yn Rhoshirwaun yn Llŷn a gaiff ei adnabod fel 'yr hetar', yr hen haearn smwddio erstalwm a'i dri-ongl amlwg.

Cae Sgwâr, Cae Hir: Caeau hawdd iawn i'w hadnabod yw'r rhain a chanddynt enwau digon diddychymyg.

Cae Castell neu *Gaeau Cestyll:* Yn Rhydygroes, plwyf Llanbadrig, y ceir yr enw anghyffredin hwn ac mae'n dal yn fyw gan drigolion hynaf yr ardal. Mae'n dyddio'n ôl i 1723, yn ewyllys Richard Gwynne, Rhydygroes (14 Medi 1723). Erbyn 1775, mewn Arolwg o stad y Brynddu, aeth yr enw yn Gaeau Cestyll. Cred rhai fod yma safle rhyfel yn y gorffennol gan fod y ffordd sy'n arwain o Neuadd Llanbadrig i gyfeiriad Rhydygroes yn cael ei galw hyd heddiw yn 'Lôn Rhyd y Corffau', a dyna ddigon o osgo i gysylltu brwydro â'r ardal. Ond tybed ai dyna yw'r esboniad? Pe safem ar y ffordd sy'n arwain at dŷ a buarth Rhydygroes ac edrych i fyny'r llethr o gaeau mawr, Cae Cestyll yw'r cae uchaf, a'i glawdd yn ffurfio'r gorwel. Mae'r gorwel yn union ar ffurf tyrau castell sydd mor hawdd i'w hadnabod ac yn gwneud yr esboniad hwn yn fwy derbyniol. Mae amlinelliad y castell yma fel y diafol yn llun enwog Salem, o'i weld unwaith, ni welir ond y diafol wedyn.

Weyn Big, Rhos Fain, Llain Fain, Cae Pigfain: Dyma rai o'r enwau sydd yn nyddiadur William Bwcle sy'n perthyn i'r dosbarth lle mae'r siâp yn rhoi enw i'r cae. Caeau ar ffurf pigwrn neu gôn ydynt, y rhan fwyaf.

Trwyn y Buarth: Dyma enw sy'n dal yn fyw ac mewn defnydd cyson yn ardal Cemaes. Llafn o dir ydyw sy'n ymestyn i'r môr ar ffurf trwyn, yn agos i hen Eglwys Llanbadrig. Mae'n perthyn i Dyddyn Cae Owen, a oedd yn rhan o stad y Brynddu.

Erw Trosol: Cae ym Modelwyn yw hwn, a chan fod Bodelwyn yn cael ei ffermio gan William Bwcle, mae ganddo sawl cyfeiriad at y cae hwn. Yr oedd trosol yn erfyn pur ddefnyddiol ar y fferm yn yr oes honno: fe'i defnyddid i symud a chodi cerrig mawr o ffordd yr aradr gan eu defnyddio i sylfaenu wal gerrig. Erfyn hirfain ydyw, yn mesur gwell na llathen. Fe gyfeiria at siâp y cae, sef un hirgul. *Y Fron, Bron:* Dyma enw cyffredin iawn ar gae ar dipyn o lethr sy'n ymchwyddo allan yn fryncyn. Ceir tri o gaeau o gryn faint yn Neuadd Llanbadrig a elwir yn Fron Hir, Fron 'Refail a'r Fron Bellaf. Fel y cyfeiria Huw Jones y mae'n enw cynnar iawn ar gae ac fe'i ceir mewn hen gân werin:

> Mae gen i drol a cheffyl
> A merlyn newydd sbon,
> A thair o wartheg brithion
> Yn pori ar y fron.[4]

Ac meddai Dewi Hafesb:

> Mae holl ogoniant natur
> Ar fron pob bryn a gallt.

(c) Ansawdd Cae

Y mae'r enwau hyn yn rhai hynod ddiddorol ac yn dangos gwybodaeth drylwyr a diddordeb yn nhir a daear y cae. Yr oedd y genhedlaeth honno a fu'n enwi'r caeau yn adnabod eu tir mor dda fel nad oedd raid iddynt wrth wyddoniaeth i ddadansoddi'r pridd. Byddent mor sylwgar, gwyddent i'r dim am rinweddau pob cae. Nodais eisoes fel y dywedai John Williams, a fu'n was yn Rhydygroes am flynyddoedd, am Maggie Roberts yn dweud, wedi troi'r buchod i Erw Fach, 'Mi gyfyd y menyn rŵan tua deunaw pwys.'

Mae'r enwau hyn yn cynnwys disgrifair ac mae'r rhan fwyaf ohonynt mewn cylchrediad o hyd, er nad ydynt yn golygu dim bellach: Gweyn, Dôl, Gweirglodd, Ffridd a Chors gyda'r enwau yn cyfeirio at ansawdd y tir. Ceir yr enwau i gyd yn nyddiadur William Bwcle, ac eithrio 'Ffridd'. Mae'n debyg mai 'tir wast' oedd ystyr 'ffridd' yn wreiddiol ond fe ddaeth, yn naturiol ddigon, i olygu'r tir hwnnw y tu draw i'r tir llafur ar lethrau'r mynydd – yr ochr draw i wal y mynydd.

Y mae Rhos yn gyffredin iawn yn Sir Fôn a cheir sawl enghraifft yn nyddiadur bonheddwr y Brynddu: Cae Rhos Pill, Rhos Padrig, Cae Rhosydd yn Rhydygroes, Llanbadrig, Rhosydd yng Nghnwchdernog, plwyf Llanddeusant, a Rhos Pant y Rhyd Goch, ym mhlwyf Llanfaethlu.

Enw arall cyffredin iawn yw 'Cors'. Lle gwlyb yn llawn tonenni ac yn ddigon peryglus i anifail. Mae'n enw cyffredin ar dyddynnod a cheir cymaint â thri ar stad y Brynddu: Tyddyn y Gors, neu Ty'n Gors. Clywais esboniad diddorol ar yr enw gan Thomas Williams, Cae Owen. Clywodd Thomas, pan oedd yn blentyn, am yr arferiad o osod y tyddynnod hyn i wraig weddw neu hen ferch, yn ddi-rent, ond eu bod i gadw golwg cyson ar y gwartheg a borai'r gors a phan âi anifail i gaethgyfle, yr oeddynt i alw am help yn syth. Dyna esboniad Tom Cae Owen o'r enw 'Ty'n Gors' ac mae o'n un da. Mae'r tyddynnod hyn ar gwr corstir ac, yn ôl papur trethi tir ac yn ewyllys Richard Gwynne ym 1723, merch o'r enw Janet ach Hugh oedd yn byw yn Nhy'n Gors, Llanbadrig, ac yn ôl cofnod William Bwcle, bu iddo osod yr un tyddyn ar 12 Medi 1737 i ferch o'r enw Jane ach Evan. Gan y bu cymaint o dir Môn yn gorstir mae'n ddiddorol sylwi fod 'Ty'n y Gors' yn enw cyffredin iawn drwy'r sir.

Yr oedd yma hefyd lawer iawn o waundir, tir beth yn ddiogelach na'r gors. Mae hwn eto yn enw hynod o gyffredin yn nyddiadur y Brynddu: Gweyn Tan y Berllan, y Weun Fawr, Weyn y Bont, Weyn Bach, Weyn Fain, Weyn y Beudy Newydd, a'r mwyaf diddorol ohonynt i gyd: Weyn Lasinwen – cae yng Nghnwchdernog Hir. Enw'r culfor rhwng Caergybi ac Ynys Môn yw'r Lasinwen neu Afon Lasinwen. Cofnodwyd y gair gyntaf ym 1634 yn y ffurf 'Lasinwen'. Cred Thomas Roberts a Gwilym T. Jones fod cysylltiad rhwng yr enw a 'thywarchen las' neu 'dir glas', fel a geir yn yr enw 'Glasinfryn'. Eto cytunai'r ddau ei bod yn fwy tebygol mai cyfeiriad at liw y dŵr sydd yma, cymysgfa o wyrdd a gwyn.[5] Ond paham ei roi'n enw ar waen yng Nghnwchdernog?

Gweirglodd yw'r enw arall sy'n dynodi ansawdd y tir – tir

trwm a brwynog ond tir rhyfeddol o dda am fath neilltuol o wair, fel y dynoda'r enw, 'gwair' a 'clawdd'. Arferid torri gwair y weirglodd yn llawer diweddarach, a chan ei fod yn wair mor fondew, yr oedd gofyn am gryn bladurwr i'w dorri. Tybed ai dyna paham yr enwyd y Weirglodd Fach ym Modelwyn yn 'Pladur Forgan' (22 Gorffennaf 1748)? Dichon fod Morgan yn dipyn o bladurwr ac y cyflogid ef i dorri'r weirglodd fach ac, yn naturiol, rhoed enw'r pladurwr ar y weirglodd. Ceir enwau caeau gydag enwau arfau i ddynodi maint y cae fel, 'cae tair pladur', neu 'cae deunaw llath' yng Nghemlyn, Môn. Eto, tebygol iawn mai Morgan oedd yn dal y weirglodd fach, gan fod cryn osod ar gaeau unigol fel y tystia'r dyddiadur.

(ch) Amaethyddiaeth
Mae'n naturiol y byddai swyddogaeth y cae yn awgrymu enw, fel y cyfeiria'r arbenigwyr yn y maes hwn.[6] Prif bwrpas cae, wedi'r cwbl, yw tyfu cnydau o wair ac ydau neu lle i anifeiliaid bori. Cawn fod y rhan fwyaf o enwau caeau yn perthyn i'r dosbarth hwn mewn rhyw fodd neu'i gilydd:

Anifeiliaid
Cae'r Fuwch Wen (15 Rhagfyr 1750): Gan y byddent yn arfer godro'r buchod allan yn yr haf, tybed ai dyma'r eglurhad ar yr enw swynol hwn? Cyfeiria'r dyddiadurwr: 'My gardener was planting hawthorn in the hedges about Cae'r Fuwch Wen in Bodelwyn.' Onid yw'r ffaith mai'r garddwr oedd yn cau yn awgrymu inni mai cae cymharol fychan ydoedd ac yn agos i'r tŷ, ac felly'n addas i odro allan?
Cae'r Lloi: Enw cyffredin iawn eto ac, fel arfer, cae bach agos at y tŷ a'i derfynau'n reit ddiogel i droi'r lloeau iddo am y waith gyntaf. Cadarnheir hyn mewn cofnod gan William Bwcle ar 24 Ebrill 1742 gan nodi fod y dynion yn paratoi buarth-gae i'r lloeau wrth y tŷ.
Cae Moch, Gadlas y Moch: Ceid Cae'r Moch ym mhob fferm o faint ac yn ôl y rhestrau caeau, caeau bach o ryw acer neu ddwy oeddynt, lle i ollwng y moch i bori ac i dyrchu.
Weun y Gaseg, Cors Ceffylau: Yr oedd yn bwysig y byddai'r ceffylau gwaith o fewn cyrraedd hwylus. Gan y byddai galw

165

cyson am wasanaeth y gaseg, fe'i cedwid hithau mewn cae bach wrth y tŷ.

Cae'r Defaid, Cae'r Ŵyn: Roedd y rhain hefyd yn gaeau digon cyffredin. Roedd yn llawer anos cadw'r defaid o fewn terfynau na'r un anifail arall. Cofnododd y dyddiadurwr ar 22 Chwefror 1748 i'r dynion baratoi buarth-gae i gadw defaid yn y nos, a thybed a oeddynt yn gorfod eu cau i mewn? Yr oedd yna Gae'r Defaid yn y Garreg Fawr Isa ac ym Modelwyn.

Cae'r Ychain: Nid oes gan William Bwcle yr un cyfeiriad uniongyrchol at Gae'r Ychain er iddo gofnodi yn ei ddyddiadur ar 9 Chwefror 1739 fod y dynion yn paratoi buarth yng Nghae Sgubor Bach, Caedu: 'My men cutting Gors for faggots, setting them as a fence to turn in my Oxen to eat hay.' Dichon y daeth y buarth-gae yna yn Gae'r Ychain mewn amser. Yr oedd i'r ychain le pwysig iawn gan William Bwcle, fel y cofnododd ar 9 Tachwedd 1749: 'I begun a new plow with Oxen to-day.' Rwy'n siŵr y byddai gan yr ychain hyn gae arbennig i'w cadw.

Cropiau a Thyfiant

Mae'n amlwg y byddai i'r amrywiol gropiau a chnydau a godid mewn cae roi eu henwau iddynt, yn enwedig os byddai'n ddaear go dda am y gwahanol gropiau. Byddai'n rhaid wrth dir da i godi gwenith ac fe geir, erbyn 1804 yng Nghoeden, gae o'r enw Cae Gwenith. Yn yr un modd, fel y bu inni sylwi, fe geid caeau da am fenyn ac, yn yr un modd, fe geid cae neu dir gwael am fenyn. Y mae tyddyn yn Uwchmynydd yn Llŷn o'r enw 'Gwag y Noe'. O gofio mai llestr pren i wneud menyn yw'r 'noe' mae'r ystyr yn glir iawn. Arferai Owen Jones, Plas y Brain, Llanfechell, ddweud y medrai farnu ansawdd tir wrth gneifio defaid. Os byddai'r gwlân wedi codi'n dda ac yn cneifio'n hwylus, gwyddai Owen i'r ddafad honno bori ar ddaear dda.

Dyma gaeau eraill a enwyd ar gyfrif eu cynnyrch:

Cae Eithin, Cae Eithin Mân: Yr oedd eithin yn borthiant i wartheg a cheffylau, ac fe'i heuid yn gyson i sicrhau porthiant dros y gaeaf. Parhawyd i dorri ac i falu eithin mân ar ffermydd hyd at chwarter cyntaf yr ugeinfed ganrif. Yr oedd

gan bob tyddyn a fferm eu cae eithin a chafwyd cryn
drafferth i'w difa pan roed y gorau i'w ddefnyddio.
Cae y Ceirch Mawr: Ychydig iawn o gaeau â'r enw yma a geir.
Cae yn Nhyddyn Rhwng Dau Fynydd oedd hwn, nid am yr
arferid hau ceirch mawr yn gyson ynddo, ond am fod yno
ddaear dda am geirch.
Cae Gwair: Un cyfeiriad yn unig a geir at hwn o berthynas â
stad y Brynddu. Fe'i nodwn am ei fod yn enw cynnar iawn ac
fe'i gwelir hefyd yn ewyllys Richard Gwynne ym 1723 ond fe
ddiflanna wedyn ac nis ceir yn yr un rhestr arall.
Cae'r Lloriau: Dyma un o'r enwau mwyaf diddorol ohonynt i
gyd ac, yn siŵr, y mwyaf anghyffredin ond ni ellir ei restru fel
enw am gynnyrch y cae. Cae o bedair acer ar hugain yng
Nghoeden ydyw ac ynddo y ceir y ffynnon arbennig,
Trinculo (30 Mehefin 1736). Ond nid y ffynnon, er ei
phwysiced, a roes ei henw i'r cae, ond yn hytrach graig
arbennig a dorrai i'r wyneb ynddo. Y mae'r graig hon o
wneuthuriad neilltuol iawn gan fod modd ei thafellu'n
hwylus fel 'torth dafellog'. Mae ôl naddu blynyddoedd arni o
hyd a defnyddid y tafelli hwylus yma i lorio adeiladau. Y mae
adeilad, wedi ei lorio â'r graig hon, i'w weld o hyd ac yn brawf
i'r enw anghyffredin. Pwy fyddai byth yn dyfalu'r fath
esboniad? Diolch am enwau sydd wedi byw cyhyd ar dafod
leferydd pobl cefn gwlad.
Cae Banadl, Maes y Banadl: Y mae'r enw hwn eto yn eithaf
cyffredin, fel Cae Eithin. Credid bod yn y banadl rin
arbennig i iacháu anifeiliaid. Yr oedd cae o gryn ddeuddeg
acer yng Nghnwchdernog, a elwir hyd heddiw ym 'Maes y
Banadl'. Heuid had y banadl mewn conglau caeedig i'r
pwrpas hwn.
Cae'r Helyg: Plennid helyg hefyd i bwrpas arbennig, sef i'w
ddefnyddio i wneud basgedi at bwrpas y fferm a'r tŷ. Yr oedd
gan William Bwcle sawl planhigfa lle y tyfai pob math o
berthi a choediach i godi gwrychoedd o gylch y caeau. Diau y
tyfai helyg yn y planhigfeydd hyn hefyd a dyna paham,
mae'n debyg, nad oes 'Cae Helyg' yn y Brynddu. Er hynny
cyfeiria yn ei ddyddiadur at ddyn o Lanfwrog a fu yn y
Brynddu am rai dyddiau yn gwneud basgedi gwiail.
Cae'r Gwenyn: Yn Rhydygroes ceir dau gae o'r enw Cae

Gwenyn Mawr a Chae Gwenyn Bach. Cyfeiriwyd eisoes fel y byddai'r plastai a rhai o'r ffermydd yn cadw gwenyn, gan mor werthfawr fyddai'r mêl i felysu bwydydd a'r cwyr i iro'r dodrefn, a chyfrifid y medd yn ddiod o gryn safon. Un esboniad o'r enw hwn fyddai'r ffaith y denai'r caeau hyn y gwenyn oherwydd y meillion a dyfid ynddynt. Yr oedd hau meillion yn dod yn boblogaidd yn y cyfnod hwn ac roedd William Bwcle yn bur awyddus i wella'r borfa a'r gweiriau trwy ei dyfu. Yr oedd hefyd yn awyddus i'w denantiaid ddilyn ei esiampl.

(d) Amrywiol

Mae'n amlwg ddigon fod enw sawl cae heb eu corlannu gan fod rhai enwau yn anodd iawn i'w gosod mewn categori taclus. Yn ogystal ag ymwneud â hanes, mae enwau caeau'n ymwneud â llên gwerin hefyd – maes diddorol anghyffredin a maes sy'n galw am ei drin. Mae ychydig enwau y tu mewn i gylch dyddiadur y Brynddu a berthyn i'r categori hwn:

Cae Lleidr: Heb fod ymhell, ym mhlwyf Llandyfrydog, y ceir Carreg Lleidr. Carreg ar siâp dyn a phac ar ei gefn ydyw. Y chwedl tu ôl i'r garreg yw i ddyn ddwyn llyfrau o'r Eglwys ac wrth ddianc fe'i trowyd yn garreg – ac yno mae hyd y dydd hwn. Mae llawer o hen chwedlau yn ymwneud â lleidr a dichon fod yma, tu ôl i'r enw ar y cae yng Nghoeden, ryw chwedl neu'i gilydd.

Cae Ffynnon Wenn: Byddai Cae Ffynnon ym mhob fferm, gan bwysiced oedd y ffynnon i ddyfrio dyn ac anifail, ond mae yna ryw swyn gwahanol yn yr enw Ffynnon Wenn.

Cae Twll y Bwgan, Cae Pwll y Bwgan: Yng Nghoeden y mae'r cae yma eto, enw a ddaliodd ei afael trwy bob newid tan 1921, pan newidiwyd perchnogaeth y fferm ac fe gollwyd yr enw gan gael enw reit ddiddychymyg yn ei le, sef 'Cae Canol'. Yr oedd yn ddigon naturiol i gysylltu bwgan hefo hen dyllau chwareli neu ambell bwll. Heb fod ymhell o'r cae hwn y mae Gallt y Felin sy'n arwain i Fynydd Mechell. Yn ddiddorol iawn fe gysylltir bwgan â'r allt honno a chredid, mae'n debyg, fod ei gartref yn y twll neu yn y pwll yng nghae Coeden.

Beddi'r Allt: Caeau mawr ar y Fron yn Rhydygroes yw'r rhain. Ceir peth amrywiad yn yr enw gan mai'r enw gwreiddiol ym 1723 oedd 'Bodd yr Ast' nad yw'n eglur iawn. Yna daeth yn Beddi Allt erbyn Arolwg 1775 o stad y Brynddu a byddai'n naturiol cysylltu beddi â'r ardal hon. Fel y cyfeiriwyd eisoes, yr oedd 'Lôn Rhyd y Corffau' yn arwain i'r cyfeiriad a byddai'n naturiol cael beddau i gladdu'r cyrff. Erbyn 1871 mae'r enw wedi diflannu'r llwyr er na fu newid perchnogaeth tan 1890.

Congl Cenfigen: Cae o chwe erw yn Rhydygroes oedd hwn a does wybod beth yw ystyr yr enw. Cyfeiriodd Bedwyr Lewis Jones at enw tebyg iddo, sef 'Cae y Gamfa Glecs', sy'n haws ei esbonio. Yn oes y cerdded ar lwybrau a thros gamfeydd mae'n debyg y byddai'r gamfa'n lle da i hel clecs! Ond Cae Cenfigen?

(dd) Enwau Ansefydlog

Gwyddom y bu i rai enwau caeau fynd yn enwau ar dyddynnod a ffermydd; dyma'r enwau parchus chwedl Bedwyr Lewis Jones, ac mae digonedd i'w cael – Cae Dafydd a Chae Owen yn eu plith. Ond mae'r rhan fwyaf o'r enwau caeau yn hynod ansefydlog. Pan ddaw tyddyn neu fferm yn ddaliad mae dogfen gyfreithiol sy'n profi'r berchnogaeth, gydag enw'r tyddyn neu'r fferm arni. Pan werthir yr eiddo bydd yr enw yn aros ar y ddogfen. Bydd yr enw ar y mapiau hefyd – map y Degwm a map yr Ordinans – ond mae enwau'r caeau yn newid, nid oes ganddynt hwy yr un amddiffyniad cyfreithiol. Pan werthir yr eiddo bydd gan y perchennog neu'r tenant newydd bob hawl i enwi'r caeau fel y mynn.

Rwy'n ein cofio ni fel teulu yn symud i ddyddyn bach ym mhlwyf Bryncroes yn Llŷn ym 1939. Y ni'r plant fu'n bedyddio'r caeau bach hynny bob un a chan na newidiwyd y berchnogaeth mae'r enwau wedi aros heb eu newid.

Bu'r arfer o gydio maes wrth faes a thyddyn wrth dyddyn yn fodd i golli sawl enw am byth hefyd. Ond, heb os, y golled fwyaf i enwau caeau fu biwrocratiaeth Brwsel. I bwrpas cadw cyfrifon y ffermio papur yr oedd yn llawer haws bwydo ffigyrau yn hytrach nag enwau i fol y cyfrifiadur. Pwy ym Mrwsel neu yng Nghaerdydd fyddai'n deall ystyr 'Cae Dan Dalcen y Myrddyn' – byddai'n ddigon i godi camdreuliad ar unrhyw gyfrifiadur! Ond mae ffigyrau moel yn ddealladwy i

169

bawb ym mhob man. Yn raddol bach diflannodd yr enwau rhywiog Cymraeg a roes dipyn o gymeriad a statws i sawl cae, a daeth pob cae yn ddim ond rhif. Diolch i'r bonheddwr o'r Brynddu am brydferthu'i ddyddiadur ag enwau caeau ei fferm a'i stad.

[1] Jones, Bedwyr Lewis, 'Enwau Caeau', darlith (na chyhoeddwyd), Cwrs Llên Gwerin, Plas Tan y Bwlch.

[2] Parry, Thomas, 'Tŷ a Thyddyn', Darlith Flynyddol Llyfrgell Pen-y-groes, 1971–72.

[3] Owen, Hywel Wyn, *Hanes Enwau Lleoedd*, Y Ganolfan Astudiaethau Addysg, Prifysgol Cymru, Aberystwyth.

[4] Jones, Huw, *Cydymaith Byd Natur*, Cyfrol 1, Gwasg Carreg Gwalch, 1999.

[5] Roberts, Thomas a Jones, Gwilym T., *Enwau Lleoedd Môn*, Cyngor Sir Môn, 1996.

[6] Bedwyr Lewis Jones a Hywel Wyn Owen, *op.cit.*

Y NATURIAETHWR

Cofnododd William Bwcle am 5 Ebrill 1749: 'Have not seen neither cwcw nor the swallow this year.' Yr oedd ymddangosiad yr ymwelwyr hyn yn bwysig iawn i Sgweier y Brynddu, ac yn amlwg byddai'n disgwyl yn eiddgar amdanynt. Yr adar hyn oedd arwyddion cynta'r gwanwyn iddo, a byddai rhyw swyn iddo yng nghân y gog ac yn ymddangosiad y wennol. Euthum draw i holi rhai o drigolion hynaf ardal Llanfechell yn gynnar fis Ebrill 2002, a chwyno wnaethant na chlywsant y gog hyd yma, gan ddangos cryn bryder gan na chlywsent hi y llynedd chwaith. Rhyfeddais gan mai dyma'r ardal y clywai William Bwcle y gog yn ddifeth bob tymor cyn diwedd mis Ebrill a dyma'r fro y gwelai'r wennol yr un mor ddiffael. Ond yn wir bu gostyngiad mawr yn niferoedd y cogau dros y deng mlynedd ar hugain diwethaf o gymaint ag ugain y cant ar dir fferm ac, yn anhygoel, chwe deg y cant mewn coetir. Fe ddywedir mai newid hinsawdd ar ein hamgylchoedd sydd i gyfrif am y lleihad.[1]

Credai'r Sgweier mai'r gog a'r wennol a ddeuai â'r gwanwyn hir-ddisgwyliedig. Ni châi'r gog drafferth cael mam faeth i'w chywion yng nghoed y Brynddu a châi hithau borthi'n ddiog ar y lindys blewog ar hen goed y plas. Ni fu raid i William Bwcle ddisgwyl yn hir ar ôl cwyno ar y pumed o Ebrill gan iddo gofnodi, ar 19 Ebrill, iddo glywed y gog am y waith gyntaf y tymor hwnnw.

Yr oedd byd natur yn llawn rhyfeddodau i William ac ymgollai yng nghyfaredd y bywyd gwyllt. Down yn ymwybodol yn fuan iawn wrth ddarllen ei ddyddiaduron ein bod yng nghwmni naturiaethwr diddorol a oedd yn adnabod symudiadau pob aderyn o fewn ei gynefin a phob aderyn symudol a ymwelai â'r ardal.

Gan mai cerdded neu farchogaeth fyddai'r unig fodd i deithio yn oes William Bwcle, câi gyfle gwych i astudio bywyd gwyllt ar ei deithiau. Dywedodd William Morris mewn llythyr at ei frawd, Richard, wrth iddo deithio ar draws y sir: 'Yr ail ddydd myned y boreu yn llu ir Traeth Coch ar Benllech ar ein meirch i weled rhyfeddodau'r greadigaeth.'[2] Felly hefyd y naturiaethwr enwog, Gilbert White, pan farchogai'n ôl a blaen o Selborne yn swydd Hampshire i'r Coleg yn Rhydychen, taith o hanner can milltir. Cariai White nodlyfr bob amser er mwyn nodi'r hyn a welai ar ei deithiau. Ar 4 Gorffennaf 1768, ac yntau'n marchogaeth adref, cofnododd: 'Saw the first young swallow.'[3] Felly hefyd pan deithiai William Bwcle o'i gartref yn Llanfechell i Fiwmares neu i Gaergybi – daliai yntau sylw manwl ar ryfeddodau'r greadigaeth.

Fel naturiaethwr gofalai'n dyner am bob planhigyn a blodyn yn ei ardd gan ofidio'n arw os byddai i storm neu rew eu difrodi. Cafodd sawl aderyn clwyfedig ymgeledd a gofal ganddo a phwy ond y bonheddwr hwn o'r Brynddu fyddai'n barod i roi cartref i lwynog, pennaf gelyn pob sgweier a chipar? Ni wyddom o ble y daeth y llwynog i Fôn gan fod culfor Menai'n atalfa mor ddiogel, er y gwyddom i William Gruffudd, y Garreg Lwyd, Llanfaethlu, gael rhodd o lwynog gan gyfaill iddo o Sir Feirionnydd flynyddoedd ynghynt.[4] Dihangodd y llwynog hwnnw un noson, yn ôl ei elfen, ac aeth i grwydro'r ardal hyd at Lanrhyddlad. Yno cyfarfu â'i ddiwedd gan ergyd gwn ceidwad y sgubor ddegwm. Mae'n debyg mai'r llwynog anffodus hwnnw fu'r cyntaf ym Môn. Ym 1730 y cafodd William Bwcle ei lwynog ond ymhen pum mlynedd wedyn y sonnir amdano gyntaf yn ei ddyddiadur, ar 29 Ionawr 1735: 'today was ye first time my fox barked this year.' Yn wahanol i lwynog William Gruffudd, fe ddychwelodd llwynog William Bwcle yn ddianaf ar ôl dianc. Ac, er ei fod yn llwglyd ac yn oer, bu'n ddigon bonheddig i basio iâr a'i chywion ar fuarth y Brynddu ac aeth i'w wely, fel hogyn drwg! Mae'n amlwg y câi'r llwynog le anrhydeddus yn y plas a bu fyw yno am ddeng mlynedd, hyd at 18 Mawrth 1741, pan ymosodwyd arno gan gŵn dieithr, a bu farw o'i glwyfau.

Yn yr un modd, tosturiodd wrth aderyn gwyllt a erlidiwyd gan hen gudyll glas barus trwy agennau'r sgubor. Aeth

William Bwcle i gryn drafferth i lapio'r aderyn clwyfedig mewn cawell a'i gadw yn y tŷ ac ymdrechu i'w fwydo, ond yn ofer. Pwdodd yr aderyn gan wrthod ei fwyd ac unrhyw faldod yn ei gylch. Aethpwyd â'r aderyn allan a'i osod dan y goeden lle y nythai. Dychwelodd y sgweier toc i weld beth oedd hanes y claf ond yr oedd yn rhy hwyr, dychwelodd y cudyll a'i ladd a'i fwydo i'w gywion gwancus. Er bod y diwrnod hwnnw yn ddiwrnod Ffair Dydd Iau Duw yn Llannerch-y-medd, ac er i William Bwcle fynd i saethu hwyaid gwylltion i Lyn Cromlech gyda'i gymdogion, eto nid pris y farchnad na'r helfa hwyaid a gafodd ei sylw yn y dyddiadur y noson honno. Yn hytrach adroddodd hanes yr aderyn a glwyfwyd gan y cudyll glas gyda'r fath fanylder, fel pe bai dim byd arall wedi digwydd y diwrnod hwnnw, am mai dyna fyddai prif ddigwyddiad y dydd i naturiaethwr.

Ond nid mewn digwyddiadau anghyffredin ym myd natur yn unig yr ymddiddorai ychwaith. Astudiai a gwyliai symudiadau'r adar, y rhai o fewn eu cynefin parhaus a'r adar symudol. Cofnododd yn ofalus eu dyfodiad ac fe sylwodd os byddai i'r un ohonynt aros yn rhy hir. Ymddengys y credai fod i'r adar symudol hyn ryw swyddogaeth arbennig gan y caent y fath sylw cyson ganddo. Mae'n debyg yr oedd, fel sydd o hyd, rhyw gred neu goel ynglŷn â dyfodiad a dychweliad yr adar hyn. Yn siŵr, perthynai rhyw gyfaredd ynglŷn â'r ymwelwyr o bell mewn oes pryd yr oedd crwydro mor gyfyng ac anodd.

Rwy'n cofio fel y byddai'r tyddynnwr, Fred Lewis, Gwyddelyn, Cemaes, yn sicrhau y byddai cil o ddrws uchaf y stabl ar agor o ddechrau mis Ebrill gan y deuai'r gwenoliaid yno i nythu bob blwyddyn. Byddai drws y stabl ar glo am weddill y flwyddyn. Yr oedd croesawu'r gwenoliaid yn llawer pwysicach nag atal y lladron hyd yn oed gan Fred Lewis! Felly William Bwcle hefyd; yr oedd gan y gog a'r wennol eu negeseuon arbennig iddo. Y mae'n rhestru'n gyson o 1739 hyd 1760 (ac eithrio 1752 ac 1753), pryd y clywodd y gog gyntaf a'r diwrnod y gwelodd y wennol gyntaf. Mae'n rhyfedd mor gyson yw eu hymweliadau: o 7 Ebrill hyd 29 Ebrill ym 1758.

Mae yna rai amrywiadau diddorol yn y tabl hwn o'i eiddo.

Yr oedd hi cyn hwyred â'r 4ydd o Fai pan glywodd y gog am y waith gyntaf yng ngwanwyn 1756, ac fe welodd y wennol gyntaf mor gynnar â Mawrth ym 1749. Ar 18 Ebrill 1739 gwelodd wennol gynta'r tymor ond fe welodd y wenci hefyd yn ei chôt ffwr ddrud. Ychwanegodd at y cofnod fod yr ymwelydd bach blewog wedi ymddangos ddeg diwrnod yn rhy gynnar. Ond nid cofnodi dyddiad yr adar hyn yn unig a wna Bwcle; roedd yr un mor sylwgar o'u dychweliad hefyd. Gwelodd wennol mor ddiweddar â 30 Medi ym 1748, ond roedd bythefnos yn ddiweddarach ym 1759, ar 15 Hydref. Mae'n werth sylwi fod gan Gilbert White, yn ei ddyddiadur, gofnod fel hyn ar 4 Hydref 1775: 'One swallow! What can this bird be doing behind by itself, why might not they have all staid, since this individual seems brisk and vigorous.' Tueddai William Bwcle i feio'r tymhorau a'r tymheredd yn hytrach na beio unrhyw ddiffyg yn yr adar pan fyddai amrywiaeth yn eu patrwm.

Ymwelwyr byr eu haros oedd cesyg y ddrycin ac, fel yr awgryma'i henwau, ymwelwyr y gaeaf yw'r rhain. Cwynai eu bod wedi aros braidd yn hwyr yn ôl ei gofnod am 13 Ebrill 1751: 'Birds of passage have not left. I saw some Fieldfares.' Ni fyddai'r adar hyn byth yn aros i ddodwy na deor ac, o ganlyniad, ni fyddai hi byth yn hawdd iawn i'w gweld. Gan eu bod o deulu'r fronfraith, mae eu plu yn hydrefol eu lliw a hynny yn eu gwneud yn anos i'w gweld. Fe gofnododd am 20 Ebrill 1737 iddo weld cynifer ag ugain ohonynt hefo'i gilydd yn yr ardd isaf.

Yr oedd yr hinsawdd a'r tymheredd yn tueddu i ansefydlogi'r adar a'r anifeiliaid a chadwai William lygad barcud arnynt hwy a'r tymhorau. Yr oedd gwanwyn 1751 yn anarferol o oer. Cofnododd am 7 Chwefror 1751 fod dŵr y gwartheg yn rhewi wrth i'r gwas dorri ei wyneb ac, ar ddiwedd y mis, cafwyd stormydd enbyd a oedd yn dadwreiddio'r coed. Dadwreiddiwyd cynifer â deg yn y Gromlech. Erbyn 20 Ebrill 1751 yr oedd y porthiant wedi gorffen gan bawb a sawl un wedi troi'r anifeiliaid allan i ddaear oer a llwm. Nid rhyfedd i gesyg y ddrycin aros hyd 13 Ebrill pan oedd y gaeaf mor gyndyn o ildio i'r gwanwyn.

Ond, os oedd gwanwyn 1751 yn ddiweddar ac oer a rhai o'r

adar symudol yn loetran yn hirach nag arfer, yr oedd gwanwyn 1749 yn hynod o gynnar. Yr oedd y daffodiliau yn eu llawn ogoniant yn melynu'r rhodfa yn y Brynddu ar 7 Chwefror ac, ar 11 Chwefror, sylwodd William fod nodau gwahanol yng nghri'r cornchwiglod. Yr oedd yn ddigon craff i wahaniaethu rhwng clochdar adar wedi dodwy ac adar yn canu: 'the cry they used to have in the time of laying and hatching in the Month of March,' a hithau yn ddim ond yn gynnar ym mis Chwefror. Yr oedd yn adnabod arferion y cornchwiglod yn ddigon da i wybod na fyddent yn dodwy na deor yn y mis bach.

Yr oedd ei ddiddordeb a'i sylw cyson o'r adar yn gymorth iddo ddarllen arwyddion y tywydd yn eu harferion a'u hymddygiad. Ar 29 Rhagfyr 1737, sylwodd ar heidiau o adar mân o dylwyth yr ehedydd fel pe baent yn chwilio am gysgod a lloches. Gwyddai Bwcle'n syth fod tywydd mawr ar ddyfod a gwir y proffwydodd. Trannoeth, ar 30 Rhagfyr, cafwyd gwynt stormus, oer drwy'r dydd. Ar 8 Medi 1735 sylwodd ar hediad o wyddau gwylltion yn anelu am Iwerddon. I William yr oedd hyn yn arwydd o aeaf caled.

Gan fod rhagdybio'r tywydd yn bwysig yn y ddeunawfed ganrif, yr oedd ganddo sawl coel ac nid yr adar yn unig fyddai ei arwyddion a'i broffwydi tywydd. Nododd ar 5 Hydref 1735 fod yna awyr fflamgoch yn y dwyrain y bore hwnnw, yn dod i lawr hyd at y gorwel, a gwyddai Bwcle y deuai'r glaw cyn hir. Ar y llaw arall pan fyddai lloriau'r tŷ-llaeth a'r gegin yn diferu o'r cig moch a grogai'n hallt o gypla'r gegin, byddai'n arwydd ei bod am droi i sychu. Ceir coel pan fyddai'r ffynhonnau'n sychu ar hafau sych, 'fod y ddaear yn tynnu ati'. Yna, pan godai'r ffrwd, fe geid glaw mewn mater o oriau. Ar 1 Tachwedd 1740 cofnododd fod y gwynt yn y dwyrain a'i bod yn ddiwrnod oer iawn. Yn ôl Bwcle fe gred rhai pobl o ble bynnag y chwyth y gwynt ar ddydd cyntaf unrhyw chwarter o'r flwyddyn, o'r fan honno y chwyth gydol y chwarter hwnnw. Fe dystia y gwireddwyd y goel yn ystod y chwarter cynt; yr oedd y gwynt yn y gogledd ar y dydd cyntaf o Dachwedd 1739 ac yno y bu hyd y dydd olaf o Ionawr 1740.

Er cymaint o ddiddordeb a oedd ganddo mewn arwyddion a choelion tywydd, byddai'n bur amheus o unrhyw elfen o ofergoel ynddynt. Ar 25 Ionawr 1738 cofnododd fod y gwynt yn y de-orllewin, ac nid oedd dim awel o wynt, na haul, na glaw. Yn ôl coel gwlad y dydd yr oedd y fath hinsawdd yn achos pryder ac ofn ond, i William Bwcle, nid oedd hyn yn ddim amgen nag ofergoeliaeth ynfyd.

Heb os, fel ffermwr a naturiaethwr, y tywydd oedd pennaf diddordeb Bwcle. Cyfeiriwyd eisoes fel y bu i gymdeithas-egwyr ac economegwyr gael ffeithiau a chyfeiriadau gwerthfawr am y ddeunawfed ganrif yn ei ddyddiadur; mae'n syndod cyn lleied o ddefnydd a wnaeth yr hinsoddegwyr ohonynt hyd at yn ddiweddar. Dyma ddyddiadur o dros fil o dudalennau, ac yn cynnwys manylion am y tywydd yng ngogledd-orllewin Môn o 1734–43 ac o 1747–60. Dau ddiwrnod yn unig o'r holl ddyddiau a gofnodir ynddo sydd heb gofnod am y tywydd, a dyna i chi oddeutu naw mil a hanner o ddyddiau. Dyma felly gofnodion manwl mewn llecyn ar arfordir gorllewinol Prydain lle mae'r wybodaeth yn eithriadol o brin yn y cyfnod dan sylw. Yr oedd teclynnau i fesur y gwynt ac i gofnodi'r tymheredd yn brin iawn ac yn aneffeithiol yng ngogledd Cymru ganol y ddeunawfed ganrif. Oherwydd hynny fe dystia'r Athro Oliver o Adran Ddaearyddiaeth Prifysgol Cymru Abertawe fod y cofnodion hyn o eiddo William Bwcle ac eraill yn amhrisiadwy yn eu hymchwil a'u cymhariaeth o dywydd y ddeunawfed ganrif. Yn ôl yr Athro Oliver yr oedd y Brynddu ar safle hynod o fanteisiol i gael cyfeiriad y gwynt ac ansawdd tywydd. Nid oedd dim yn cysgodi'r tŷ rhag gwynt o'r môr, dim ond rhyw godiad tir o gan llath a hanner, tua chwe chan llath i'r gogledd.[5] Fel ffermwr da a naturiaethwr brwd fe gofnododd ansawdd a nodweddion y tywydd fel yr effeithient ar fyd amaeth ac ar ei deithiau i'r ffair ac i'r llys. Mae'r cofnodion tywydd wedi eu clymu'n glòs â gwaith y fferm ac â'i ddyletswyddau fel Sgweier. Yn wahanol i'r rhan fwyaf o ddyddiaduron y cyfnod y mae cofnodion tywydd Bwcle yn llawn ac yn gyson. Cofnodion byr, swta a hynod o fylchog a oedd gan Robert Bwcle o'r Ddronwy (1630–36), ganrif o'i flaen. Yn yr un modd y mae dyddiadur Shon William Prisiart, Plas y Brain (1749–1829) yn tueddu i gofnodi'r tywydd anghyffredin yn unig â phytiau byrion, er enghraifft:

10 Mai 1797: Eira mawr ar fynyddoedd Arfon;
4 Mehefin 1797: Eira ar y mynyddoedd;
24 Medi 1797: Glaw mawr, anferthol;
22 Tachwedd 1797: Lluwchfeydd o eira.[6]

Yn wahanol i hyn mae gan William Bwcle, ym mhob cofnod am y tywydd, gyfeiriad y gwynt a manylion pellach am nodweddion a dylanwad y tywydd ar weddill y diwrnod. Yn wir, mae ganddo obsesiwn rhyfedd ynglŷn â chyfeiriad y gwynt, ac mae'n ei gofnodi gyda manyldra a hynny yn ddifeth, bob dydd. Ymddengys fod cyfeiriad y gwynt yn bwysicach yn ei olwg na'i rym a bod ei gyfeiriad yn hollbwysig i adnabod ymddygiad y tywydd. Cyfeiriodd mewn sawl cofnod ato yn newid ei gyfeiriad, weithiau fe newidia yn ystod y nos, ond fe gawn yr amser a'r cyfeiriad ganddo i drwch y blewyn. Ar 28 Tachwedd 1734 er enghraifft, am dri o'r gloch y bore, fe droes y gwynt i'r de-orllewin a chodi'n gêl o storm hyd wyth o'r gloch nos trannoeth. Pan gododd William Bwcle ar 8 Mai 1740 wedyn roedd y gwynt yn y de ond, erbyn y prynhawn yr oedd wedi symud i'r gogledd-ddwyrain a hwnnw'n wynt oer iawn. Weithiau fe ddeuai cawod sydyn ddigon i newid cyfeiriad y gwynt. Ar adegau byddai'r gwynt yn hynod o ansefydlog, fel ym mis Gorffennaf 1750 – cofnododd yn gyson sut y newidiodd y gwynt ei gyfeiriad, er mai ond symudiadau bychain iawn oeddynt, o'r gorllewin i'r de-orllewin ac yna yn ei ôl. Ond fe fynn Bwcle eu cofnodi'n ofalus, fanwl. Ar 12 Hydref 1752 clywodd daran uchel: 'Loudest crack of thunder that ever I heard, brought wind to the west.'

Yn wir, cymaint oedd ei ddiddordeb fel y cefnogodd y syniad o gael Ceiliog Gwynt ar dŵr yr eglwys yn Llanfechell. Mae'n amlwg ddigon mai ef a ysgogodd y syniad. Bu'n manylu'n bleserus yn ei gofnod am 19 Mai 1737 fel yr anfonwyd y clochydd at y gof yn Rhosbeirio i wneud cyfeiriwr gwynt am bymtheg swllt. Cofnododd y mesurau yn ofalus: ugain modfedd o hyd a naw modfedd o led ac i droi ar echel haearn mewn sgwâr o fodfedd a chwarter. William Bwcle ei hun a dorrodd y siâp llew gyda choron frenhinol yn gyfeirnod. Cydiai'r llew mewn bwndel o saethau yn ei bawen a mynnodd William gael talu am y gwaith o euro'r llew ei hun. Ond go brin y medrai weld y teclyn o'r Brynddu ac, o ganlyniad, ni fyddai o fawr o werth iddo, ac erbyn heddiw pysgodyn sydd ar dŵr yr eglwys.

Fel pob dyddiadurwr, fe apeliai'r anghyffredin at William Bwcle, a chawn ganddo hanesion hinsawdd ansefydlog a thywydd anarferol. Ar 7 Medi 1735 er enghraifft cychwynnodd William am y Sesiwn Fawr ym Miwmares ond daliwyd ef mewn glaw trwm wrth y Glasgraig (Rhosgoch). Bu'n bwrw'n ddyfal ar hyd y ffordd trwy'r Traeth Coch ac i Fiwmares. Nid rhyfedd iddo dalu pum ceiniog am gwrw y noson honno, nid tair fel arfer! Ar achlysur arall fe gofnoda iddo alw yn Llys Dulas ar ei ffordd i'r Sesiwn. Wedi pryd a llymaid yno cychwynnodd i'w daith eto, ond roedd y glaw a'r gwynt yn ddidostur a gorfu iddo droi'n ôl i Lys Dulas ac aros noson yno. Trannoeth, 31 Awst 1736, gadawodd am Fiwmares am chwech o'r gloch y bore i gyrraedd y dref erbyn naw.

Byddai'r amdywydd mewn stormydd ac oerni yn achos colledion enbyd ac fe gofnododd amryw byd o'r rhain. Deffroes am dri y bore ar 3 Hydref 1742 i sŵn storm o wynt a ddiwreiddiodd goed cedyrn, chwalu toeau tai a theisi gwair ac ŷd. Drylliwyd dwy long yn ufflon i'r de-orllewin o Gaergybi, wrth draeth Trefadog. (Mae'n ddiddorol sylwi mai un o'r trasedïau gwaethaf a fu ym Môn, o berthynas i storm ar fôr, fu dryllio'r *Royal Charter* ar arfordir gogledd-ddwyrain yr Ynys ar 25 a 26 Hydref 1859. Bu'r golled hon o bedwar cant o fywydau yn un o'r ffactorau mwyaf allweddol dros ffurfio 'Gwasanaeth Rhybuddio Storm' cyntaf erioed ym Mhrydain, ym Medi 1860.)

Ar 13 Gorffennaf 1736 daeth glaw oer am deirawr yn ystod y nos a lladd ei dyrcwn ifanc i gyd. Cafwyd tywydd hynod o annaturiol yn ystod wythnos olaf mis Mai 1749 – gwynt miniog a chryf o'r gogledd yn duo gwlydd y tatws a'r mwyar Mair. Erbyn trannoeth yr oedd y gwynt wedi symud beth i'r dwyrain a pheri ei bod hi'n oerach fyth, gan wywo'r planhigion meddal a gwan. Wrth fwrw golwg dros y flwyddyn 1749–50 fe gofnododd fod y gwanwyn a'r hydref yn debycach i dymor y gaeaf o lawer. Yr oedd wedi cychwyn yn wanwyn hynod o gynnar, pan welwyd y daffodiliau yng nghanol mis Chwefror. Darllenodd y dyddiadurwr yn ei bapur newydd am haid o wenyn wedi codi yng nghyffiniau Llundain a hithau ond canol Chwefror. Ymhen y mis, ar ganol Mawrth, fe flodeuodd yr *Innquils*, y *Narcissus*, yr *Anemonies* a'r *Viola tricolor* – fu'r fath ryfeddod erioed. Y mae'n dueddiad naturiol gyda'r anghyffredin mewn tywydd i'w gymharu â thywydd anghyffredin a gofir neu a glywyd amdano. Fel y dywedodd Bwcle, gydag elfen o ormodiaeth, ar 18 Awst 1741: 'This summer and Autumn exceeds in heat and dryness all the summers in the memory of man.' Ar 30 Rhagfyr 1741 cwynodd yn go arw am fod y gaeaf mor oer a chaled a'r eira yn drwchus, ond meddai ar ddiwedd y cofnod: '...but nothing compared to December 1739'. Nodwyd eisoes fel y cofnododd ar 7 Chwefror 1751 fel yr oedd dŵr y gwartheg yn rhewi fel y torrwyd ef gan y gwas ond fe gysurai ei hun ei bod hi cynddrwg, os nad yn waeth, ym 1739 a 1741, ac yn waeth fyth ym 1683. Am 15 Ebrill 1757 fe ddywed: 'No one alive can remember anything like this.'

Mae Bwcle yn nodi'r amrywiaethau hyn yn ofalus iawn ac yn dangos mor ddifaol yr oedd yr hinsawdd annaturiol ac eithafol. Yn ôl ei gofnodion fe gafwyd rhew mor ddiweddar â 27 Gorffennaf ym 1741, ar 10 Mehefin ym 1749, 8 Mehefin ym 1750, 2 Gorffennaf ym 1751 ac ar 6 Mehefin ym 1757. Yn ddiddorol, ym mhum degau'r ganrif y cafwyd y rhew diweddar ar y cyfan ac felly hefyd y rhew anarferol o gynnar. Gwelwyd rhew cyntaf 1752 ar 25 Awst, 1756 ar 7 Medi ac ym 1757, ar 13 Awst.

Ar wahân i'r tywydd ymddiddorai William Bwcle yn y bydysawd hefyd. Roedd ganddo ysfa'r amgylcheddwr, ac ymddiddorai yn yr haul a'r lleuad a'i symudiadau a darllen amdanynt. Tebygol iawn fod hyn yn rhan o ystod ei gred gan y credai'n ddiffuant iawn mai Duw oedd Creawdwr popeth ac fe fynega hynny'n gyson. Yr oedd o bwys iddo ymateb mewn rhyfeddod i'r fath greadigaeth ac fe'i symbylid hefyd, yn siŵr, gan Almanaciau'r cyfnod. Gwyddom y byddai'r Morrisiaid yn ddarllenwyr cyson ar yr Almanaciau ac mae'n siŵr y byddai William Bwcle yn eu hefelychu gan y câi'r

Almanaciau o Gaer gan berchnogion y llongau a ddeuai i Gemaes.

Wrth edrych trwy'r ffenestr ar ben y grisiau a wynebai'r haul yn machlud dros fynydd y Garn, sylwodd fel yr oedd yr haul yn graddol symud i'r gogledd. Ymhen rhyw ddeg diwrnod eto byddai wedi symud i'r eithaf, ar y dydd hwyaf. A phwy ond naturiaethwr craff a sylwai ar arferion y niwl? Cofnododd ar 9 Awst 1752 bod y niwl yn tagu'r haul am ddwyawr wedi iddo godi ac yn ei dywyllu am ddwyawr cyn iddo fachlud: 'Sun shining except when the fog prevented it (which is generally two hours after sunrise and two hours before the sun set).' Soniodd hefyd mewn cofnod ar 23 Medi 1752 am ryw 'wett scotch mist'.

Mae'n debyg y byddai'r Almanaciau yn rhaghysbysu am ddiffyg ar yr haul neu'r lleuad, gan y byddai William Bwcle yn disgwyl yn eiddgar amdanynt. Ar 18 Chwefror 1737 bu diffyg amlwg iawn ar yr haul. Yr oedd deg rhan o ddeuddeg ohono wedi ei guddio a hwnnw'n parhau am ddwy awr, o hanner awr wedi dau hyd hanner awr wedi pedwar y prynhawn. Mae'n siŵr iddo ddarllen yn y papur newydd o Lundain am y digwyddiad gan iddo nodi yn y cofnod: 'The whole of England had satisfyed their curiosity.' A diamau y bodlonwyd cywreinrwydd y dyddiadurwr hefyd, gan iddo fynd i gryn fanylder, yn ôl ei arfer, i ddisgrifio'r haul y pnawn hwnnw: 'The Sun appears as a three day old moon with sharp horns.' Fu erioed gymhariaeth mwy priodol yn siŵr! Bu diffyg eto ar yr haul yn ôl ei gofnod am 23 Gorffennaf 1739 a'r tro hwn fe guddiwyd tua hanner yr haul am hanner awr. Mae'n debyg y byddai golygfa o'r fath yn creu cryn ofn a dychryn ymhlith y bobl a chawn William Bwcle fel pe'n dyfalu eglurhad ar y sefyllfa.

Perthynai llawer mwy o hudoliaeth i'r lleuad nag i'r un o'r planedau. Bu i lên 'gwerin ein cynefino â hi, a dod â'r lleuad yn annwyl o agos-atom mewn ambell gân werin neu serch. Byddai i'r lleuad a'i hamseru ran bwysig yn nefodau a gwyliau'r grefydd Iddewig a dichon mai dyna sut y daeth rhai o'r coelion hyn atom. Y mae arwyddocâd arbennig i lawer o hyd mewn gweld lleuad newydd am y waith gyntaf, a honno yn ddim ond rhyw ewin digon disylw. Gwyddai William

Bwcle am y goel honno ond, iddo ef, gweld y lleuad am y waith gyntaf wedi iddi newid oedd yn arwyddocaol, doedd fawr o wahaniaeth am ei hoed. Dyma'r cofnod am 31 Awst 1750: 'I first saw the moon after the change being eleven days old.'

Ar 16 Ebrill 1748 fe gyfeiriodd at 'Leuad Sadwrn'. Mae'n debyg i Bwcle ddarllen gan y seryddwyr, a honnai na chyfrifid lleuad a newidiai ar y Sadwrn, cyn deuddeg o'r gloch y bore, yn 'Lleuad Sadwrn'. Fel y cofnododd y dyddiadurwr, dyma Leuad Sadwrn: 'This being a right Saturday moon, when the moon changes after 12 in the forenoon.' Mae'n amlwg fod gan William Bwcle ddiddordeb mawr yn astudiaethau'r astrolegwyr hyn: 'those people prognosticated extraordinary things in respect of the weather from these moons which if they be true we shall soon see.'

Yr oedd William Bwcle yn llawn cywreinrwydd ynghylch y sêr hefyd. Cododd am bedwar o'r gloch y bore am iddo gael ar ddeall fod seren gynffon arbennig wedi ymddangos wythnos ynghynt yn Lloegr. Felly, ar 26 Chwefror 1742, yr oedd y seryddwr o Fôn yn disgwyl amdani, a chafodd olwg dda arni fel y cofnododd am 27 Chwefror 1742: 'very serene and clear.' Seren fechan oedd hon gyda chynffon o bump i chwe throedfedd o hyd a rhyw ddeg i ddeuddeng modfedd o led.

Byddai'n llawn chwilfrydedd ynglŷn â'r hyn a elwid yn 'Wawl y Gogledd' neu 'Oleuadau'r Gogledd'. Yr oedd wastad ar wyliadwriaeth am y rhain a chofnododd, gyda'i fanylder arferol, ddisgrifiad ohonynt. Ar 15 Mawrth 1742, tua naw o'r gloch yr hwyr ymddangosodd yr *Aurora Borealis,* yn lluchio'i llafnau golau hirion o'r gorwel i'r entrych. Yr oedd yn noson mor olau â phe bai'r lleuad yn llawn, tra parhaodd.

Bu'r goleuadau hyn am ddwy noson yn ddilynol, fel y nododd am 4 Hydref 1735. Aiff ymlaen i egluro y bu i'r goleuadau hyn fod yn gyffredin iawn ym Mhrydain yn ystod yr ugain mlynedd diwethaf, ond eu bod yn brin ac yn bur anghyffredin cyn hynny. Mae hon yn ffaith ddiddorol iawn ac yn brawf o ddiddordeb Bwcle yn y bydysawd er yn ifanc iawn. Cofnododd mai er tua 1715 y daeth y Goleuadau yn gyffredin. Yn ddiddorol iawn nid oes gan William Bwcle yr un cyfeiriad at yr *Aurora* ar ôl 1750, nac ychwaith o 1744–49. Mae rhywbeth yn arwyddocaol yn hyn, yn ôl yr Athro Oliver, gan nad mater o'r dyddiadurwr yn colli diddordeb yn y pwnc sydd i gyfrif. Mae'n wir nad yw'r dyddiadur mor llawn a manwl yn ei flynyddoedd olaf, ond yn siŵr, ni fyddai hynny yn eglurhad digonol dros beidio nodi iddo eu gweld. Dichon mai'n ysbeidiol mewn cylch o ryw ugain mlynedd yr ymddangosent, fel yr awgryma William.

Roedd ganddo ddawn neilltuol i ddisgrifio'r golygfeydd hyn ac, o ganlyniad, fe golla'r dyddiadur beth o'i liw yn y deng mlynedd olaf. Sylwodd ar oleuni mawr a llachar yn ymestyn o'r dwyrain i'r gorllewin fel bwa ar 14 Hydref 1736. Mae ganddo hefyd ddisgrifiad lliwgar am 18 Mawrth 1739. Yr oedd caenen o eira ar y ddaear, a'r lleuad yn ugain niwrnod oed. Goleuwyd chwarter yr hemisffer o'r deddwyrain i'r de-orllewin â goleuni scarled llachar, o'r gorwel i'r entrych. Yr oedd cymylau duon trwm yn gwingo'n aflonydd i ollwng llafnau o'r goleuni. Tua hanner awr wedi wyth saethodd llafnau gwynion yn y dwyrain, de-ddwyrain a'r de-orllewin, ac nid, yn ôl yr arfer, yn y gogledd. Cydnebu'r dyddiadurwr fod yr olygfa yn codi arswyd arno. Ond erbyn naw o'r gloch y nos yr oedd y cyfan wedi diflannu a gadael noson glir braf.

[1] Y Golygydd, *Y Cymro*, 2 Mawrth 2002.
[2] *Additional Morris Letters II*, tt. 82–83.
[3] Johnson, Walter (editor), *Gilbert White's Journals*, Routledge & Kegan Paul, 1970.
[4] Wiliam, Dafydd Wyn, *Llwynogod Môn ac Ysgrifau Eraill*, Cyhoeddiadau Mei, 1983.
[5] Oliver, T., 'William Bulkeley's record of weather of Anglesey 1734–1743, 1747–1760', *Quarterly Journal of the Royal Meterological Society*, Rhif 8, 1958, tt. 126–133.
[6] Papurau Plas y Brain, Llyfrgell Prifysgol Cymru, Bangor, 2129.

CYMHARU'R TYWYDD

Tueddwn heddiw, ni sy'n lleygwyr yn y maes, i gredu fod yr hinsawdd wedi newid yn amlwg ddigon. Holwn, beth a ddigwyddodd i'r hafau hirfelyn braf pan oeddem yn blant? Byddai pob Nadolig yn "Ddolig Gwyn' erstalwm. Tybed ai prawf yw hyn fod tueddiad ynom bawb i ddianc i'r gorffennol a oedd mor berffaith? Mae gennym ni yn y rhan yma o Fôn, ar ogledd-orllewin yr Ynys, fantais werthfawr o fedru cymharu ein hafau a'n gaeafau heddiw â'r math o dywydd a gafwyd yma yng nghanol y ddeunawfed ganrif.

Yr oedd dosbarth o blant Ysgol Llanfechell wrth eu boddau yn cymharu tywydd mis Mawrth 2000 â'r tywydd ym mis Mawrth 1750, dau gant a hanner o flynyddoedd ynghynt.

Yn astudio'r tywydd yn 2000 oedd y brifathrawes, Meinir Hughes, a'r plant Stephen Kay (Pant y Crwyn), Wyn Allen (Maes Bwcle), Seiriol Edwards (Rheithordy), Dafydd Owens (Brynawelon, Cemaes), Darren Clutton (Trysor), Dewi Owen (Peterfield), Gareth Jones (Sarn), Jonathan Owen (Maes Bwcle), Caian Thomas (Penygroes, y Sgwâr), Gwion Wright (Penrhos View, Caergybi), Huw Colin York (Llwyn Ewryd, Rhosgoch), Michael Williams (Penffordd), Amy Backhouse (Cartref, Tregela), Samantha Gahan (Penlan), Ffion Owen (Maes Gwynedd, Tregela), Dannielle Paynter (Gorffwysfa) a Ruth Yarwood (Stad Glan'rafon).

Y Tywydd am fis Mawrth 2000

1: Y gwynt o'r gogledd-ddwyrain. Awyr glir, dim glaw. Tymheredd:10°C.

2: Gwynt o'r de-orllewin. Cafwyd peth glaw. Tymheredd: 10°C.

3: Gwynt o'r gogledd. Awyr glir a dim glaw.

4: Awel o'r gogledd-orllewin. Ysbeidiau heulog. Erbyn 4pm

symudodd y gwynt i'r gogledd-ddwyrain. Tymheredd: 9°C.

5: Diwrnod oer, y gwynt o'r gogledd-orllewin. Tymheredd: 5°C.

6: Cymylog a dwl a'r gwynt o'r de-orllewin.

7: Gwynt yn y gorllewin – awel oer. Tymheredd: 5°C.

8: Y gwynt o'r gorllewin. Dipyn o law. Tymheredd: 13°C.

9: Diwrnod oer ond yn braf. Gwynt o'r gogledd-orllewin. Tymheredd: 6°C tua 3pm. Wedi bwrw peth.

10: Diwrnod cymylog ond yn sych, pur oer. Tymheredd: 7°C oddeutu 2pm.

11: Diwrnod braf a chynnes. Tymheredd: 9°C. Y gwynt yn codi at y pnawn.

12: Heulwen braf trwy'r dydd, dim gwynt.

13: Chwythu'n oer, dim glaw. Tymheredd: 7°C am 2.45pm.

14: Diwrnod cynnes, gwynt o'r de. Tymheredd: 7°C tua 2.30pm. Dim glaw.

15: Awel ysgafn, pen y mynydd yn glir – arwydd o dywydd braf. Erbyn y pnawn, tymheredd yn 10.5°C.

16: Y tywydd yn braf, y mynydd yn glir. Gwynt ysgafn o'r de-orllewin. Cynnes am yr adeg o'r flwyddyn. Tymheredd yn 18°C.

17: Niwl yn y bore, clirio erbyn 9.00am. Gwynt yn fain o'r gogledd-orllewin. Dal yn eithaf cynnes.

18: Awel fain ond yn clirio ac yn cynhesu yn ystod y dydd. Heb weld y gwylanod yr wythnos yma – arwydd o dywydd braf efallai?

19: Diwrnod braf eto. Cymylau yn clirio erbyn y pnawn a'r haul yn boeth.

20: Dim glaw – a'r gwylanod yn cadw draw.

21: Diwrnod cynta'r gwanwyn – dim gwynt. Tymheredd: 10°C. Mae'r mynydd yn glir.

22: Niwl yn codi'n gynnar, bore braf, awyr las fel bore o wanwyn, dim glaw. Tymheredd: 13°C.

23: Awyr las – dim glaw. Tymheredd yn codi i 17°C. Cynnes iawn erbyn y pnawn, 28°C.

24: Bore gwyntog, llawer oerach. Tymheredd: 8°C. Cynhesu at y pnawn a chodi i 10°C am 3.30pm.

25: Diwrnod poeth iawn.

26: Bore heulog ond yn oer, ychydig o awel yn y prynhawn ond troi i rewi erbyn y nos.

31: Bore o farrug oer. Codi'n braf at y pnawn ond awel oer.

Y Tywydd am fis Mawrth 1750

1: Gwynt cymedrol o'r gorllewin – cymylau duon a glaw mân. Cynnes.

2: Gwynt cymedrol o'r gorllewin, cymylog a chynnes. Oeri at y pnawn.

3: Gwynt tawel o'r gorllewin, ychydig o law.

4: Gwynt yn y gorllewin, cymylog a niwlog a dipyn o law mân.

5: Gwynt yn y de-orllewin, gwynt cymedrol, dim glaw.

6: Gwynt o'r gogledd-ddwyrain yn gryf. Cymylog ac oer. Glaw oer. Cododd y gwynt at y nos a chafwyd eirlaw oer. Chwythu'n uchel drwy'r nos.

7: Gwynt yn y gogledd yn chwythu'n ffri. Cymylog a thywyll, hynod o oer. Cafwyd cawod o genllysg.

8: Gwynt yn y gogledd-ddwyrain yn chwythu'n gryf ac yn eithriadol o oer. Rhew yn ystod y nos.

9: Gwynt yn dal yn y gogledd-ddwyrain. Dal yn oer iawn ond dim rhew neithiwr.

10: Gwynt cymedrol o'r gogledd, tywyll a chymylog. Peth eira yn y bore, er na safodd.

11: Gwynt wedi symud i'r gorllewin. Haul yn gwenu tan dri o'r gloch, cymylu wedyn a pheth glaw.

12: Gwynt yn y gogledd, gogledd-orllewin, chwythu'n galed ac yn oer iawn. Rhewi'n galed eto. Dal yn gymylog.

13: Gwynt yn y gogledd, tawel a chymylog a rhew caled.

14: Gwynt yn y gorllewin yn y bore, dod i'r de-orllewin erbyn canol dydd. Dal yn oer iawn.

15: Gwynt cymedrol yn y de, cynhesu. Glaw yn y bore, gweddill y diwrnod yn ddymunol.

16: Gwynt cymedrol o'r gorllewin i'r de. Diwrnod oer iawn. Wedi rhewi'n galed neithiwr. Cawod drom o eirlaw tua thri y pnawn yn cael ei dilyn gan gawod o genllysg a hwnnw wedi rhewi erbyn y bore.

17: Gwynt yn y gorllewin, reit oer drwy'r dydd. Daeth yn haul at y pnawn.

18: Gwynt yn y dwryain, chwythu'n gymedrol. Dal yn oer gyda rhew caled y bore yma, ond daliodd yn sych drwy'r dydd.

19: Gwynt yn y dwyrain. Yn dawel, sych a braf.

20: Gwynt yn y gorllewin, tueddu i'r de. Cynnes a dymunol, ychydig o haul yn y bore. Cymylu a thywyllu at y nos, dal yn sych trwy'r dydd.

21: Gwynt yn y dwyrain, tueddu o'r gogledd, yn chwythu'n gymedrol. Cymylog ac oer.

22: Gwynt gogledd-ddwyrain, chwythu'n gymedrol. Eto'n oer iawn.

23: Gwynt gogledd-orllewin, chwythu'n gymedrol a dim glaw.

24: Gwynt o'r gogledd, gogledd-ddwyrain. Chwythu'n gryf, peth haul, ond oer iawn.

25: Gwynt o'r de, de-orllewin, codi'n gryf a stormus at y nos. Bwrw'n drwm o 12.00 i 2.00pm

26: Gwynt yn y de a hwnnw'n gymedrol, eto'n oer ac amrwd drwy'r dydd.

27: Gwynt de-orllewin yn chwythu'n gryf, cymylog drwy'r dydd a niwl gwlyb.

28: Gwynt o'r de, de-orllewin yn gryf a stormus drwy'r dydd ond dim glaw.

29: Gwynt o'r de, de-orllewin yn chwythu'n ffres ac oer, dim glaw.

30: Gwynt o'r de-orllewin yn chwythu'n gryf. Oer iawn drwy'r dydd. Gyda'r nos stormus eto, dim glaw.

31: Gwynt o'r de, de-orllewin yn chwythu'n oer a stormus. Cymylog a thywyll. Dechreuodd fwrw'n ddwys tua 1 pm am hanner awr.

Y Daith i'r Llys

Fel un o Sgweiriaid y sir yr oedd William Bwcle yn un o'r Ynadon ac, yn rhinwedd hynny, yn un o'r Uchel Reithgor hefyd. Heb os, cyfrifid y swydd a'r safle arbennig hwn yn uchel iawn yng ngolwg boneddigion yr ynys ac fe lwyddai i wau ei holl ddyletswyddau cymdeithasol eraill o'i chwmpas. Perthynai i'r swydd lawer iawn o rwysg a phomp a byddai William Bwcle yn ymdrechu'n ddyfal i gadw pob gofyn a fyddai arno mewn ymddangosiad a moesgarwch. Gwariai swllt yn siop y barbwr a chymaint â deg a chwech am berwig. Byddai hefyd yn anhygoel o hael yn talu am ddiod i'w gyd-Ynadon a châi'r Sirydd bryd o fwyd ganddo weithiau.

Yr oedd dau brif gorff yn gweinyddu'r gyfraith ym Môn yn y ddeunawfed ganrif: Llys y Sesiwn Fawr oedd un a'r Llys Chwarterol, neu Lys yr Ynadon, oedd y llall. Yn ychwanegol at y ddau lys yma yr oedd y prif swyddogion cyfreithiol – y Crwneriaid a'r Siryddion. Un cyfeiriad yn unig sydd gan William Bwcle at y Crwner a'i swydd a hynny yn achos llofruddio George Warmingham – gwas y Brynddu ar 29 Mehefin 1742. O ganlyniad ychydig iawn a gawn wybod o'r dyddiadur am swydd y Crwner yn y cyfnod hwn. Yr ydym yn fwy cyfarwydd o lawer â swydd y Sirydd yn y dyddiadur. Erbyn y ddeunawfed ganrif ef a oedd yn gyfrifol am fanion ddyletswyddau'r Llys Chwarterol a gwyddom y bu i statws y swydd godi'n uwch erbyn diwedd y ganrif.

Y tirfeddianwyr llai oedd yr Ynadon fel arfer, tra penodwyd y bonheddwyr a'r sgweiriaid i fod yn Siryddion hefyd. Penodwyd un ohonynt yn eu tro yn Uchel-Sirydd, megis ym mlwyddyn gyntaf teyrnasiad Siôr y Cyntaf, 1715, William Bwcle'r dyddiadurwr oedd Uchel-Sirydd Môn ac yntau ond yn bedair ar hugain oed ac yn weddw ers dwy flynedd. Fe'i dilynwyd yn y swydd gan eraill o'r teulu, Henry Morgan yr Henblas a Richard Hampton yr Henllys.[1]

Ar wahân i alw'r Sesiwn Fawr yr oedd yr Is-Sirydd yn

geidwad y carchar hefyd ym mhob sir a bu peth anghydfod ynglŷn â'r carchar. Yr oedd cryn ddiddordeb gan yr Ynadon yng ngwaith y Siryddion yn cynnal y carchar gan mai hwy fyddai'n casglu arian y sir i'w gynnal. Fodd bynnag, o dipyn i beth fe symudodd gofal am y carchar i'r Ynadon.[2] Mae gan William Bwcle gofnod i'r cyfeiriad ar 14 Mehefin 1751, gan y dywed iddo dalu 6s 10d, sef 2d yn y bunt, tuag at godi carchar: 'This is a project of the hot-headed Jacobite of this Country.'

Yr oedd y Sesiwn Fawr yn sefydliad Cymreig ac yn gwbl wahanol. Bu hyn yn abwyd i'r haneswyr Cymreig chwilio a chwalu'n ddyfal yn ei gylch. Y mae gwaith W. R. Williams yn llyfr safonol iawn ar nodweddion arbennig y Llys Cymreig.[3] Fe gyfyd ef sawl ysgyfarnog mewn maes mor ddiddorol ond gwell fydd ymatal a gadael i'r dyddiadurwr ein harwain o achos i achos ac o lys i lys.

Gwyddom nad yw'n gwbl ddiduedd yn ei arolwg a'i feirniadaeth o waith y llysoedd, eto cawn ganddo adroddiadau a deifl oleuni buddiol ar weinyddu'r gyfraith ym mhrif lysoedd Môn y cyfnod. Yr oedd gan Lys y Sesiwn Fawr awdurdod sifil a throseddol llawn dros Gymru gyfan. Ond yr oedd William Bwcle mor feirniadol o'r llysoedd a'u penderfyniadau ag yr oedd o berson Llanfechell a'i bregethu dienaid. Cofnododd yn gyson yn ei ddyddiadur ei anfodlon-rwydd gydag anghysonderau ac anweddusrwydd y barnwyr a'r rheithgor. Weithiau byddai'n rhaid gohirio eisteddiad y llys am y byddai'r barnwr yn ei wely yn dioddef o effeithiau'r ddiod, megis ar 25 Ebrill 1734:

> ... put off to the ye next Sessions occasioned by Martin the Judge being almost continually drunk and afterwards lyeing in bed till 10–11 o'clock every-day.

Fe wyddai William Bwcle trwy brofiad am drafferthion y llys gan iddo ddwyn sawl achos personol yno. Cofnododd yn gyson yr helbul a gafodd ynglŷn â'r achos hwnnw gan ei fam yn erbyn rhai o'i thenantiaid yn Llŷn am na thalent y rhent. Ond am ryw reswm fe ohirid y gwrandawiad dro ar ôl tro a pharai hyn i Bwcle golli ei limpyn. Nid rhyfedd iddo gofnodi yn ei ddyddiadur ar 24 Awst 1740 am y Barnwr Roger

Holland: 'that Owl Roger Holland'. Dyma'r barnwr a wrthododd gais ei fam yn y llys i symud ei thenantiaid. Yn yr un modd nid oedd ganddo fawr o feddwl o Syr Nicholas Bayly o'r Plas Newydd ac, o ganlyniad, nid oedd ganddo fawr o olwg ar yr un barnwr a letyai yn y Plas Newydd dros y Sesiwn!

Mae'n amlwg ddigon y ceid llawer iawn o achosion dibwys rhwng tirfeddianwyr a'i gilydd ac yn amlach fyth rhwng tirfeddianwyr a'u tenantiaid. Yr oedd William Bwcle ei hun mor euog â neb yn hyn o beth. Y mae ganddo sawl cyfeiriad at achosion o ddyled a pha ryfedd mewn cymdeithas mor dlawd? Fel y cyfeiriwyd yn y bennod 'Gweinyddwr ei Stad' yr oedd Bwcle yn hynod o dosturiol wrth ei denantiaid tlawd, ond cyfeiriodd at ddau y bu raid eu troi o'u tyddynnod, gan nodi mewn cofnod am 26 Ebrill 1753: ' ... of which debt I am not to have a farthing'.

Bu Bwcle'n cyfreithio'n hir ynglŷn ag ewyllys ei chwaer, a fu farw ar 3 Tachwedd 1747. Yr oedd hi'n weddw i Lewis Edwards, mab Timothy Edwards, Nanhoron yn Llŷn. Daeth yr eiddo i John Lloyd o Iwerddon ac ef a drigai yn yr Hirdrefaig ym mhlwyf Llanffinan. Ond, yn gam neu'n gymwys, dadleuai William Bwcle y dylai llog eiddo'r ferch fynd i'r fam. Ond, fel gyda phob un o'r achosion eraill, colli fu hanes yr achos hwn hefyd gan adael William druan yn dlotach eto.

Fel y crybwyllais eisoes, yr oedd hen anghydfod rhwng y dyddiadurwr a William Lewis y Trysglwyn ar ôl i hwnnw wyrdroi cwrs y gyfraith i'w ddibenion ei hun ynglŷn ag ewyllys yr Henllys ac, yn ôl William, fe adawyd ei ferch, Mary Bwcle, allan o'r ewyllys. Byddai anghydfod o'r fath yn siŵr o gyfarfod yn y llys, ac yn wir bu i'r achos lusgo drwy'r llys am flynyddoedd – achos a gollodd William yn y diwedd er colled ariannol iddo.

Cwynodd William Bwcle yn go arw iddo fod yn Ynad Heddwch ers bron i ddeugain mlynedd ac na welodd erioed yn y cyfnod hwnnw i'r un Sirydd ei hepgor o fod yn un o'r Uchel Reithgor mewn unrhyw un o'r ddau lys. Ond pa ryfedd gan mai ei bennaf gelyn, William Lewis y Trysglwyn, oedd y Sirydd ar y pryd?

Ond er mor ddiymadferth yr ymddengys, yr oedd gan Ynad Heddwch ar ganol y ddeunawfed ganrif gryn awdurdod a grym dros lawer o faterion. Cymerai dystiolaeth ragarweiniol ar ladrad yn ogystal ag achosion llai ac fe allai anfon y cyhuddedig i'r Sesiwn Fawr. Disgwylid i'r Ynad hefyd osod rheolau dros dro ynglŷn ag iechyd a glanweithdra. Mewn achos o lofruddiaeth fe gawn William Bwcle yn holi tystion gan baratoi adroddiad i'r Sesiwn Fawr, er mai gwas y Brynddu oedd y dyn a lofruddiwyd. Trannoeth, ar 30 Mehefin 1742, bu'n arholi carcharor gan ei anfon gydag ymrwymiad i garchar. Fe weithreda gryn awdurdod eto mewn achos troseddol ar 10 Mawrth 1740:

> sent a Holyhead girl of 16 years of age to Goal for Burglary and Felony, after taking her own examination wherein she confess'd the fact, also the Examination of another Witness upon oath.

Fel Ynad yr oedd ganddo'r awdurdod i dyngu llw recriwt. Fe gofnododd fel y daeth cynifer â deunaw o Wyddelod gyda dau swyddog recriwtio i'r Brynddu. Daethant ar y cwch o Gaergybi i draeth Trefadog a cherdded oddi yno i Lanfechell a galw yn y Brynddu, yn ôl y cofnod am 17 Gorffennaf 1739: 'to be sworn and certified by me'.

Gyda'r un awdurdod yr oedd yn arwyddo tystysgrifau'r porthmyn. Yr oedd rhyw haint erchyll ar wartheg Lloegr ers dwy flynedd. Cafodd hyn effaith ddrwg ar y farchnad yng Nghymru gan y byddai'n rhaid i bob porthmon gael tystlythyr gan y person a werthodd y gwartheg iddynt; yna byddai'n rhaid cael Ynad Heddwch i arwyddo'r ddogfen honno. Cofnododd Bwcle hyn yn ei ddyddiadur am 14 Hydref 1747.

O bryd i'w gilydd fe ohirid achosion yn y Llys Chwarterol i'w gwrando yn Llannerch-y-medd gan ddau Ynad Heddwch profiadol – William Lewis, Llys Dulas a William Bwcle, Brynddu. Yr oedd pethau yn hynod o anniben yn y llys ym Miwmares yn Sesiwn Ebrill 1735. Dyma fel y cofnododd am 16 Ebrill 1735: '... Kept morning Court and adjourn it to be kept at the house of Richard Owen of Twrkelyn in Llanerchymedd on the 2nd May.' Yr oedd Llannerch-y-medd yn ganolfan hwylus iawn i'r ddau Ynad lleol. Mae'n ddiddorol sylwi fel y cynhelid llys mewn cartref.

Fel Ynad Heddwch y daeth William Bwcle i gysylltiad â'r Ymneilltuwyr ar y dechrau. Gresyn fod ail gyfrol y dyddiadur, a fyddai'n cynnwys blynyddoedd hollbwysig yn hanes y Methodistiaid, ar goll. Y mae'r manylion a geir yn y gyfrol gyntaf yn hynod o brin ond yn werthfawr iawn. Daw ei safbwynt ddiwinyddol yn amlwg yn y dyddiadur, pa un bynnag a ddisgwyliai i neb arall ei ddarllen ai peidio.

Erbyn dechrau pedwar degau'r ganrif yr oedd yr Ymneilltuwyr a'r Methodistiaid ar gynnydd ym Môn a dyna'r rheswm dros i Thomas Ellis (1711–92), curad egnïol a medrus o Gaergybi, baratoi traethawd manwl a maith yn amddiffyn yr Eglwys Sefydledig ac yn ymosod ar yr enwad newydd. Dyma fel y cyfeiriodd William Morris at y traethawd mewn llythyr at ei frawd, Richard, ar 3 Chwefror 1746/47: 'Dyma Mr Ellis wedi rhoddi allan bump o lyfr Cymraeg yn erbyn y Methodistiaid, y rhai a elwir yn y wlad yma pennau crynion.' Pwy fyddai fyth yn disgwyl i William Bwcle, uchelwr, Ynad Heddwch ac eglwyswr parchus feiddio llunio ateb i draethawd y curad? Brysiodd William Morris i hysbysu'i frawd o'r fath feiddgarwch mewn llythyr dyddiedig 5 Mehefin 1747:

> Dyma ryw walch gwamal (fe dybir mai un o Ustusiaid Heddwch ein gwlad) wedi ysgrifennu atteb i'w lyfr ac wedi ei dynnu'n dippiau oddi wrth ei gilydd, a hefyd wedi talu'r pwyth yn ôl o amarth, etc, gida llog!

Go brin fod Thomas Ellis wedi rhagweld yr atebid ei draethawd, yn arbennig gan ŵr o safle William Bwcle.[4]

Aeth Bwcle gam ymhellach eto gan roi cyngor i Ymneilltuwyr yr ynys yn wyneb erledigaeth. Mewn llythyr at y Brodyr yn y Gymdeithasfa ar 8 Hydref 1747 ysgrifennodd William Jones, Trefollwyn, Môn fel hyn:

> ... I waited on Mr Bulkely, the Justice of Peace, who is friendly and serviceable to us, yesterday. I aquainted him of all the ill-usage which Wm Harry and I received a week ago at the hands of a noted persecutor. He threatens my death; and boasts that he has often persecuted in Llŷn. He held me by the collr. and drag'd Wm Harry off the horse block with a

Bible in his hand, at Llanerchmedd. Mr Bulkeley advises me to indite him in the Assizes, as an example, for the Law is on our side.[5]

Nid rhyfedd i William Bwcle gofnodi am 22 Chwefror 1749:

Set my three farms in the Parish of Llanddeusant called by the name of Cnwchdernog Hir, Ty Croes and Cnwchdernog Fawr for the term of Twenty one years (21). To commence at Alls Saints next to Wm Pritchard now living at Bodlew, at the yearly rent of fifty pounds and fifteen shillings yearly in lieu of Presents, to allow him the land tax in case he pays his rent at or before Christmas yearly, I am to allow him for making up the Mear hedges and those joining on the high ways to be finished in the space of two years. I am to sow Cae'r Ogof with hay seeds this year and he is to leave that field or an equall quantity of ground in hay seed the last year of his Term. I am likewise to build him a Barn and a Cowhouse that will contain 20 heads of large cattle upon Cnwchdernog Ucha and to put the Houses in repair and he is to leave them in the like repair as also all the hedges and finally when the Lease is to be executed he is to pay one three Guineas by way of Earnest.

Dyma'r William Pritchard a erlidiwyd o Eifionydd draw i Fôn am ei ddaliadau Ymneilltuol. Yn ddiamau bu dyfodiad William Pritchard i blwyf Llanddeusant yn ddolur llygad i ysweiniaid a chlerigwyr y wlad a'r cylch. Ond fe fynn Dr Thomas Richards i'r holl symudiad fod yn fwyd a diod i'r direidi a'r pryfôc a oedd yng nghyfansoddiad William Bwcle. Mwynhâi weld wynebau hirion ei ddau frawd-yng-nghyfraith, William Lewis o Lys Dulas a'r Canghellor Robert Lewis o'r Siambar Wen.[6] Ond rhaid cofio fod William Bwcle yn llawdrwm iawn ar bregethu person Llanfechell cyn i'r un Ymneilltuwr na Methodist gynhyrfu'r dyfroedd ym Môn, a bu ei feriniadaeth yn gyson drwy'r blynyddoedd. Heb os, ar sail ei ddarllen yr oedd y dyddiadurwr yn gwybod beth oedd pregethu ac mae'n amlwg y cydymdeimlai â chwŷn yr Ymneilltuwyr yn llythyr William Jones: 'The Common people long to hear the Word, but are afraid of these great monsters.' Fe nododd Bwcle yn ei ddyddiadur wedi dychwelyd o'r Llan ar 24 Awst 1735: 'His preaching was dry insipid discourse, after the canting manner among Papists two hundred years ago.' Yn ei gofnod am 14 Mawrth 1736 y mae'n ddeifiol ei feirniadaeth o bob offeiriad: '... Priests of all Religion ... have the like sameness in Pride, ostentation, neglect of duty ... nobody more remiss in their duty'.

Mae llawer mwy na thropyn o ddireidi mewn geiriau mor ddeifiol, yn enwedig gan uchelwr o eglwyswr selog. Ar sail ei ddarllen eang fe fagodd farn gytbwys. Manteisiodd ar bob cyfle i brynu llyfr a châi ddau bapur newydd bob wythnos: y *Chester Journal* (31 Gorffennaf 1749) a'r *Chester Couvant* (12 Gorffennaf 1758). Tra'r oedd yn Iwerddon talodd bymtheg swllt am lyfrau – pedair cyfrol o *Arabian Tales* a *Salmon's Chronological History* (4 Rhagfyr 1735). Ar ddydd angladd Mrs Wynne, Bodewryd cofnododd iddo dalu hanner coron o danysgrifiad am lyfr o bregethau a gyhoeddid gan Farrington o Wrecsam. Ar 13 Mai 1743 rhoes ddeunaw swllt i William Morris yng Nghaergybi i dalu am lyfrau o Ddulyn: dwy gyfrol o *Clark's Paraphrase of the Four Gospel*; *Lock's paraphrase and notes on St Paul's Epistles* a *Syrena or Feighted Innocenced detected*. Rhoes eto, ar 29 Ionawr 1742, saith swllt i un Owen Hughes i brynu dau lyfr iddo yn yr Amwythig. Yn ychwanegol at y ddau bapur wythnosol a dderbyniai, cofnododd ar 13 Ebrill 1750 iddo dalu tri swllt ar hugain am bapur wythnosol arall – *Remembrancer*. Heb os, yr oedd William Bwcle yn ddyn diwylliedig iawn ac yn siŵr nid rhyw fympwy arwynebol oedd ei feirniadaeth o bregethu'r person. Wedi gwrando ar y person yn oedfa'r Pasg 1739, a chynifer â chant naw deg o gymunwyr yn cymuno, dyma'r hyn a gofnododd y dyddiadurwr ar ôl mynd adref:

> The parson preached on 2 Corinths chapter 6. verse 1. the most unintelligible discourse that ever I heard and the most unedifying. God forgive the clergy that they do not preach and enforce the love of God and morality which could only make men better and holier.

Tybed nad oes tueddiad os nad osgo at gredo'r Methodistiaid mewn beirniadaeth fel yna? Cawn enghraifft arall pan bregethodd y person eto ar 21 Gorffennaf 1751 o 2 Timotheus, pennod 2, adnod 1 – 'Felly ymnertha di, fy mab, yn y Gras sydd yng Nghrist Iesu.' Fel y tystia Bwcle yn ei gofnod bwriadwyd y bregeth i rybuddio ei gynulleidfa i dyfu mewn Gras ond: '...He did not explain the word Grace, as though he talked to them in Arabic – did he know himself?' Onid dyma hoff thema'r Methodistiaid yn eu pregethu cymhellgar?

Prif ddyletswydd William Bwcle fel Ynad Heddwch fyddai mynychu'r ddau Lys ym Miwmares ac fe wnaeth hynny yn bur ffyddlon a rhoes gryn sylw i'r teithio ac i waith y llys. Yr oedd cryn ugain milltir o daith o stablau'r Brynddu, Llanfechell i dref Biwmares ar sawdl yr ynys, er y torrai William Bwcle pob llathen o'r daith pan gâi gyfle. Dyma'r siwrnai hwyaf a gymerai a'r un fwyaf cyson.

Y mae William Morris, yn un o'i lythyrau, wedi'n hatgoffa am gyflwr ffyrdd Môn yn y ddeunawfed ganrif: 'Rwy'n llwyr gredu nad oes yn Lloegr na Chymru waeth ffyrdd nag sydd o'r Damares i Ddulas ac oddi yno yma.'[7] Y mae gan William Bwcle, yntau, sawl cyfeiriad at gyflwr y ffyrdd, megis ar 3 Gorffennaf 1736 cofnododd fod glaw sydyn, a barhaodd am deirawr cyn dydd, wedi lladd ei dyrcwn ifanc bob un ac: 'it filled the Highways with water'. Mi fedrai'r tywydd chwarae cryn hafog â'r teithiwr yn y ddeunawfed ganrif. Cwynodd Bwcle ei hun ar 8 Mai 1734: 'I had rain at the way I came to Maenaddwyn – tired and wett.' Ar achlysur arall, 7 Medi 1735, ac yntau ar ei ffordd i'r Sesiwn Fawr, dechreuodd fwrw. Pan oedd wrth y Glasgraig (Rhosgoch), daeth yn storm o fellt a tharanau, ond gyrrodd ymlaen nes cyrraedd y dref. Weithiau byddai'r tywydd yn rhy erwin iddo gario ymlaen. Ar 30 Awst 1736: 'Sett for Beaumaris overtaken with a very heavy rain upon the way to Lligwy and were forced to turn back.'

Eto, y mae William Bwcle yn ddigon prin ei feirniadaeth am gyflwr y ffyrdd, oherwydd fel Ynad Heddwch yr oedd yn gyfrifol am benodi Arolygwyr y Priffyrdd yn y sir. Byddai'r Arolygwyr hyn yn trefnu dyddiau arbennig pryd y byddai pawb a allai yn ymddangos hefo'i harfau a chert a cheffyl. Ni châi neb gyflog am y gwaith hwn. Yr oedd y ffordd o Lanfechell i Lannerch-y-medd yn terfynu â thiroedd William Bwcle am ran go helaeth o'r ffordd ac ymorolai i wneud ei ran i gadw ffyrdd y plwyf mewn cyflwr derbyniol.

Ar 8 Gorffennaf 1734 cofnododd: 'John Bwcle of Bychanan is building a stone wall betwix Bryniauduon and the Highway.' Ar achlysur arall fe gofnododd fod tri dyn o'r Brynddu a thri chert wrthi'n atgyweirio'r ffordd fawr ac wedi dechrau ar y gwaith am bump o'r gloch y bore ar 1 Gorffennaf 1735: 'Carrying stones and Rubbish from the Quarry to make a highway in Bryniauduon.' Bu i'r Llys ym Miwmares ar 13 Gorffennaf 1737 wneud cais am £20 er mwyn trwsio'r bont yn Rhyd-y-Bont. Mae pob sail i gredu fod y ffordd bost o Fiwmares i Gaergybi mewn llawer gwell cyflwr na'r ffordd ar ochr ogledd-orllewin y sir – y ffordd o Fiwmares i Ddulas ac ar draws gwlad i Lanfechell.

Mewn llythyr at ei frawd, Richard, ar 13 Mehefin 1752, ymffrostiodd William Morris: 'We have made a coach road from hence to Rhyd-y-Bont of nine to ten feet wide after the Irish Measures – a patern for the rest of the Country.'[8]

Ond nid oedd cyflwr y ffordd nag unrhyw dywydd garw yn ddigon i luddias William Bwcle rhag mynd i'r Llys i Fiwmares. Mynd ar droed neu ar farch oedd yr unig ddewis teithio yn yr oes honno neu, os oeddynt am deithio ymhell, yr oedd y goets fawr at eu gwasanaeth. Marchogaeth wnâi William Bwcle ar ei deithiau ar hyd a lled yr ynys. Yr oedd yntau fel sgweiriaid a boneddigion eraill yr ynys yn berchen ar y meirch gorau a'r addurniadau harddaf arnynt. Nid rhyfedd mai'r certmon a gâi'r cyflog uchaf o holl wasanaeth-yddion y plastai. Yr oedd yn y Brynddu ddwy stabl, un ag iddi bedair stâl a llofft uwch ei phen. Yna, fel y cofnododd yn ei ddyddiadur am 9 Awst 1735, bu William Matthew yno yn gorffen codi'r stabl newydd ar ben dwyreiniol y tŷ. Yr oedd pum stâl yn y stabl hon gyda llofft eang uwch ei phen. Yr oedd yno hefyd goetiws newydd i gynnwys tair carej. Daw'r rhodfa dan y coed talgryf at y plasty a chymryd cylch crwn heibio'r drws ffrynt ac yn ei hôl i ddal ei chynffon, nid oedd yn hawdd troi'n ôl hefo carej.

Ar fore'r Sesiwn deuai'r certmon a'r ddau geffyl, yn eu lifrau gorau, tu allan i'r plas yn gynnar. Bu'r certmon yn y stabl ers dwyawr yn porthi ac yn glanhau'r ceffylau, ac yn ei dro byddai'r Sgweier yn dod allan yn ei gôt ddu, sanau duon at ei ben-glin gyda byclau arian ar ei esgidiau duon. Yn ffodus iawn gadawodd y dyddiadurwr inni ddigon o awgrymiadau fel y gallwn ddilyn y ffordd a gymerai. Ar 7 Medi 1735 cofnododd: 'Sett out for Beaumaris Session at 3 p.m., began to rain at Glasgraig and continued to rain till we came to Rhosfawr... then it started to rain again from Red Wharf to Beaumaris.' Diolch am y glaw a'i gorfododd i nodi lleoedd o bwys ar y daith! Mae'n weddol glir y cymerai'r ffordd o Lanfechell i gyfeiriad Llannerch-y-medd trwy ardal Rhosgoch. Yna ymlaen gan braidd gyffwrdd Rhos-y-bol a dilyn y ffordd am Clorach, heibio i Garreg Lleidr. Câi gip i'r chwith ar Eglwys Llandyfrydog, ac yno yr oedd cyfaill da iddo yn gweinidogaethu – Lewis Davies, gŵr pur gefnog ac yn gefnogwr brwd i Ymladdfeydd Ceiliogod. Yna trwy Faenaddfwyn, gyrru yn syth ymlaen i Rosfawr ac oddi yno i'r chwith i lawr at y môr at bentref bychan Benllech. Ond cyn cyrraedd y pentref yna troi i'r dde i Lôn y Glyn câi'r meirch a'r marchogion saib yng Nghastell y Bylchgwyn. Deuai gŵr y llety allan a thywys y ceffylau i'w stablau lle y caent borthiant a châi William Bwcle a'i was bryd o fwyd a llymaid o gwrw.

Cyn hyn bu Bwlchgwyn (Castell Bylchgwyn) yn gartref uchelwyr ac yn gyrchfan beirdd. Tua 1455 fe ganodd Robin Ddu, bardd o Fôn mae'n debyg, farwnad i Dudur ap Dafydd ap Robert o Gastell Bylchgwyn. Ynddi fe dystia'r bardd fyned o Dudur ar ddwy bererindod, y naill i Rufain a'r llall i Santiago yn Sbaen. Dilynwyd Tudur gan ei fab, Hywel, ym Mwlchgwyn. Yr oedd ef yn hen daid i Tomos Fychan o Gastell Bwlchgwyn, un o wŷr bonheddig Môn ar ddiwedd yr unfed ganrif ar bymtheg ac yn brydydd pur fedrus.[9] Er i Fwlchgwyn, fel llawer cartref arall, beidio â rhoi nodded i'r beirdd ar ddiwedd yr unfed ganrif ar bymtheg, fe gafodd William Bwcle groeso ac ymgeledd yma ddwy ganrif yn ddiweddarach. Bu'r hen gastell hwn yn llety i fforddolion gydol y ddeunawfed ganrif. Wedi'r egwyl a'r dadflino byddai'r ddau yn gadael y gwesty yn sŵn morthwylio yn y chwarel. Yr oedd chwarel pur enwog yn y Bwlchgwyn ac anfonid meini melinau oddi yno i sawl melin. Yr oedd lôn fach gul yn rhedeg o'r chwarel i gyfeiriad y môr a elwid yn lôn dywad, ac mae'n debyg ei bod yn llwybr esmwyth i gael y meini i'r llongau.

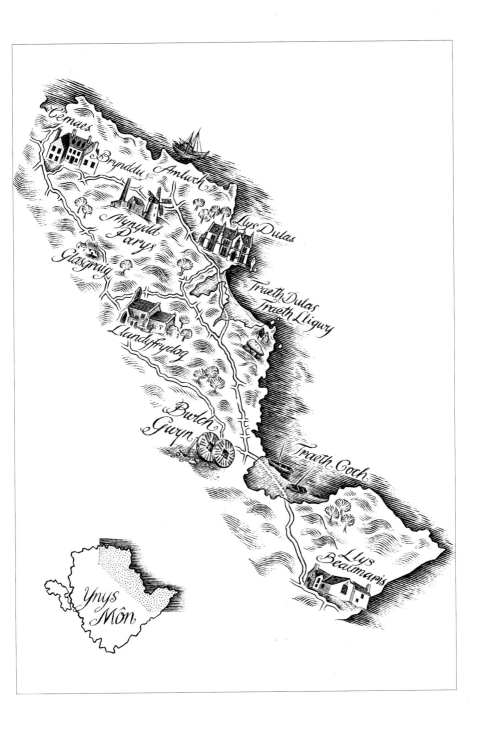

Wedi cyrraedd gwaelod Lôn y Glyn byddent yn mynd yn syth dros y bryncyn ar hyd lôn gul Plas Gwyn a chyrraedd Borthlongddu – porthladd digon prysur yn y ddeunawfed ganrif. Oddi yma, croesi traeth enwog y Traeth Coch a gellid croesi weithiau yn weddol agos at Landdona a thorri cryn dipyn o'r daith.

Er mwyn cadarnhau'r cyfeiriad sylwn ar gofnod gan Bwcle am y daith yn ôl o Fiwmares ar 13 Medi 1739: 'Sett home at 10, pd $4^{1}/_{2}$d. at Bwlchgwyn and called at Maenaddwyn to see my grandaughter, gave her nurse 2/6. Dined with Lewis Davies, person of Llandyfrydog.' Dyma enghraifft o dorri'r siwrnai ar aelwyd cydnabod neu ffrind. Gwelwn hefyd enghraifft arall o droi adref o'r dref; ar 1 Medi 1737 cofnododd iddo adael Biwmares am dri o'r gloch y pnawn a chyrraedd Bwlchgwyn erbyn pump o'r gloch. Bu'n rhaid wrth wasanaeth y gof ym Mwlchgwyn gan fod dwy o bedolau'r gaseg yn rhydd – costiodd y gof a thipyn o gwrw ddau swllt iddo. Cyrhaeddodd adref am hanner awr wedi wyth. Ar dro arall bu anffawd ar y ffordd ar 14 Ebrill 1735: 'Sett out for the Quarter Sessions about 2 p.m. came to Bwlchgwyn where I lit down to have my man's horse eased – pd. 6d for ale.' Yr oedd y gof yn hanfodol ar daith mor faith. Byddai'r porthmyn gynt yn mynd â'i gofaint gyda hwy a'i daclau mewn trol fach a mul! Cofnododd William Morris yntau hanes y daith hon heibio Plas Gwyn yn un o'i lythyrau, ac mae'n llawer mwy sylwgar na William Bwcle gan ei fod yn naturiol yn adnabod yr ardal yn llawer gwell: 'Myned oddiyno drwy yr Rhos Fawr heibiaw'r Frigen a Thy Oronwy Eyrych a'r Bwlch Gwyn lle codir meini melinau a'r Dafarn Berth.'[11]

Ar wahân i'r llwybr unionsyth hwn o Lanfechell i Fiwmares, cymerai William Bwcle ffordd arall weithiau, a hynny am resymau arbennig. Yr oedd William Lewis, ei frawd-yng-nghyfraith, yn byw yn Llys Dulas, plasty o gryn fri yn y ddeunawfed ganrif. Yr oedd William Lewis yn uchelwr mawr ym Môn a chyfrifid ef yn ŵr o farn. Cafodd William Bwcle well cefn a chynghorwr nag odid neb arall o'r teulu ynddo ef. Treuliai noswyl Calan ar aelwyd Llys Dulas a châi groeso yno ar ei deithiau. Dewisai Bwcle o bryd i'w gilydd alw heibio ei frawd-yng-nghyfraith ar ei ffordd i'r llys ac weithiau âi yno y noson cynt a chysgu yno gan gychwyn yn fore trannoeth gan gyd-farchogaeth â William Lewis.

Y ffordd fyrraf a ddewisai yma eto mae'n siŵr, gan ddilyn yr un ffordd ond torri ar draws gwlad trwy Landyfrydog ger godre Mynydd Parys ac yna i Lys Dulas. Cawn awgwrym yn y dyddiadur y byddai'n dilyn Traeth Dulas a Lligwy gan alw yn y plasty hwnnw weithiau. Megis ar 13 Ionawr 1742: 'Sett out of Town at 10a.m., called at Lligwy in our way to Llys Dulas, gave the maid 6d.' Yr oedd Plas Lligwy ym mhlwyf Penrhoslligwy, hen gartref y Llwydiaid a oedd yn byw ar y pryd yn Llanidan, gan osod Plas Lligwy i Roger Hughes. Dros yr afon oddi yno yr oedd Llys Dulas ym mhlwyf Llanwenllwyfo.

Rhwng popeth fe gostiai gryn dipyn i William Bwcle dreulio dyddiau oddi cartref yn y Llys. Byddai'n lletya yn aml gyda Magdalen Roberts yn y Galloway. Wedi cyrraedd yno ar 8 Medi 1735 a stablu'r ceffylau, talodd 15d am bryd o fwyd iddo'i hun a William Lewis. Talodd 18d am bwnsh i'w rannu â Hughes y person. Dro arall lletyai yn nhŷ Griffith Pritchard a elwid yn 'Young Castle' (enw diddorol iawn oherwydd i'r tŷ hwn gael ei adeiladu â cherrig y Castell). Byddai ei gostau yn amrywio cryn dipyn. Ar 14 Ebrill 1735, talodd 6d ym Mwlchgwyn ar ei ffordd am gwrw a swllt am ginio, a dau swllt am chwart o win. Talodd 8s 6d am frecwast a lletya drannoeth i Griffith Pritchard. Yr un diwrnod talodd ddeg swllt am berwig ac 11s 6d am ddau bâr o sanau duon. Ar 4 Medi 1736 talodd 9s am fwyd a diod i'r gwas ac am stablu'r ceffylau. Yna ar 12 Gorffennaf 1737 talodd fil y lletya i Magdalen Roberts – y lletya yn 7s 6d; y barbwr yn 6d, tybaco yn 6d a 12s 6d dros y gwas. Ar 1 Ebrill 1740 talodd 3s 7d am letya iddo'i hun a'r gwas am ddau ddiwrnod, a 5d am gwrw. Talodd 24s i Grace Parry y Bull Inn am boteli, 9s 8d am le'r ceffylau a 2s i'r barbwr.

Biwmares oedd prif dref yr ynys gyda'i henw Ffrengig yn cyfeirio at ei safle gorslyd, prydferthwch y môr a'r golygfeydd godidog. Adeiladodd Edward fur o gylch y dref a'i gwneud yn gorfforaeth gyda rhagorfreintiau neilltuol, a'i gwaddoli â thiroedd gwerthfawr. Ac, er i Syr John Wynn o Wydir nodi yn ei Driad am drigolion y tair tref gastellog ar lannau'r Fenai – cyfreithwyr Caernarfon, bonheddwyr Conwy a masnachwyr Biwmares – mynnai pobl Môn mai eu tref nhw oedd tref y gyfraith. Er mwyn sirchau diogelwch yr hyn a oresgynnwyd ganddo fe ymgymerodd Edward â rhaglen uchelgeisiol o godi cestyll, a chastell Biwmares oedd yr olaf o'r tri ym 1295. Ar gyfrif ei safle fel tref borthladdol codwyd tai heirdd i'r ymwelwyr a dyrrai yno. Yma, ym Miwmares yr oedd y prif lys, y carchar a, phan ddeuai i'r eithaf, yr oedd yma grogbren i ddienyddio'r troseddwyr gwaethaf. Yr oedd yn y dref hon, fel y cyfeiria'r dyddiadurwr yn gyson, bob darpariaeth ar gyfer pob gradd o ymwelwyr, yn arbennig i'r haen uchaf o'r gymdeithas. Yma, i'r dref hardd hon, y cyrchai holl sgweiriaid a bonheddwyr yr ynys i weinyddu'r gyfraith, ynghyd â'r Barnwyr. Gallwn ddychmygu'r olygfa a'r awyrgylch yn y dref dros gyfnod y Sesiwn, yn enwedig y Sesiwn Fawr. Byddai yno awyrgylch basiantaidd liwgar gyda sŵn pedolau'r meirch yn eco drwy'r dref a lliwiau heirdd gwisgoedd y boneddigion yn toddi i'w gilydd. Yr oedd pawb ym Miwmares ym mhasiantri'r Sesiwn Fawr – y bonedd a'r tlawd.

Ond os oedd awyrgylch o basiant a dathlu ar strydoedd Biwmares dros gyfnod y Sesiynau yr oedd awyrgylch cwbl wahanol yn y Llys, difrifwch a dwyster a nodweddai'r lle hwnnw. Yr oedd lliwiau'r gwisgoedd a'r iaith yn creu awyrgylch ddieithr ac afreal a sawl diffynnydd ar goll yn lân yno.

Ar 4 Ebrill 1735 cofnododd William Bwcle iddo dreulio'r diwrnod yn y Llys. Galwyd yr Uchel Reithgor gan Hugh Price, twrnai a thad-yng-nghyfraith Robert Lewis, ficer Llanidan ym mhlwyf Llanedwen. Yna, wedi i'r rheithgor dyngu llw, cyhoeddwyd yr achosion, sef un yn erbyn John Pritchard (mab Dic Llanllyfni) am fwrgleriaeth, un arall yn erbyn John David, melinydd y Frogwy ym mhlwyf Hen Eglwys, am ladd ei forwyn a'r olaf yn erbyn hen wraig o Langaffo am ladrata dwy bunt. Gan na fu i'r hen wraig ladrata o'r blaen ac mai dyma ei hymddangosiad cyntaf yn y llys penderfynodd y rheithgor losgi ei llaw â haearn poeth fel cosb. Cafwyd melinydd y Frogwy yn euog o ddyn-laddiad ac fe orchmynnwyd llosgi ei law yntau. Cafwyd John Pritchard yn euog o fwrglerio ac fe'i condemniwyd i'w grogi. Gresyn na fyddai gennym fwy o fanylion am yr achosion hyn gan yr ymddengys y dedfrydau mor anghyson.

Yr achos troseddol nesaf yw'r un a wrandawyd yn y Sesiwn Fawr yn Ebrill 1737. Ar yr 16eg gwrandawyd achos yn erbyn Joseph Davies, dyn o Gaer a chapten ar griwser. Cyhuddwyd Davies o ladd un o'r criw ym mae Caergybi trwy ei daro ar ei ben â phigyn miniog. Yr oedd swyddogion y Tolldy yn amddiffynnol iawn o'r Capten ond, er eu hymdrechion, dedfrydodd y rheithgor ef yn euog o lofruddiaeth. Bu i Gomisiynwyr y Tollau ddiswyddo amryw o'r criw a berthynai i'r llong am iddynt dystio yn erbyn y Capten ac oherwydd fod amryw ohonynt ar y lan y noson dan sylw. Fe ddeisebwyd y barnwr i ohirio'r ddedfryd yn yr achos hwn a darparwyd deiseb i'w chyflwyno i'r Brenin a'r cyngor am bardwn. Yr oedd William Bwcle yn bur amheus o'r dylanwadu hwn o'r tu allan ar benderfyniad y llys. Yr oedd ef ei hun yn eithaf pendant ynglŷn ag arwyddo'r ddeiseb, fel y cofnododd: '… but I absolutely refused.'

Ychydig iawn o fanylion a gawn am yr achos a wrandawyd ar 12 Medi 1739 pan fu i ryw ddihiryn, cwbl diegwyddor, gymryd mantais ar forwr a laniodd ar draeth Llanfwrog wedi llongddrylliad, a dwyn ei holl eiddo. Beth tybed a fu'r ddedfryd? Mae lle i gredu fod William Bwcle, fel ffermwyr eraill, yn rhy bryderus am y cynhaeaf ŷd oedd yn difetha yn y tywydd gwael, i gymryd rhyw lawer o sylw o achos llys dibwys. Ar 2 Medi y flwyddyn honno yr oedd y person wedi galw am Ddydd Gweddi yn y gobaith o gael hindda i gynhaeafu.

Ar 7 ac 8 Ebrill 1741 cafwyd achosion o ladrad i'w gwrando gerbron yr Uchel Reithgor. Dygwyd cyhuddiad yn erbyn dau a oedd wedi dwyn hwyliau a rigiau oddi ar long yn Llanfaelog. Yn anffodus nid yw'r dyddiadurwr yn cyfeirio at y ddedfryd a gawsant.

Bu achosion reit ddifrifol gerbron y Sesiwn Fawr ar 27 a 28 Ebrill 1742. Galwyd yr Uchel Reithgor, ac yn eu plith: *Yr Ysgweiriaid:* William Lewis, Llys Dulas (penrheithgor), Hugh Hughes, Plas Coch, William Bwcle, Brynddu, Henry

Morgan, Henblas, Robert Owen, Penrhos a Robert Bwcle, Gronant. *Y Bonheddwyr:* John Jones, Trefollwyn, Robert Williams, Carrog, Thomas Ellis, Tai Croesion, John Bwcle, Porthmel, Owen Roberts, Cleifiog, William Hughes, Neuadd, William Griffith, Cefn, John Prydderch, Cerrig Gwyddel a Thomas Lloyd, Hendre.

Fe'u galwyd i achos o ladrad yn erbyn Robert Owen, Llandisilio a fu'n ddigon haerllug i ddwyn ŷd o'r felin yn Llanddona. Fe'i dedfrydwyd trwy losgi ei law â haearn chwilboeth ac fe losgodd hwnnw drwy ei gnawd at yr asgwrn gan adael arno nod am byth. Trannoeth, ar 28 Ebrill 1742, cyhuddwyd Hugh Hughes, bachgen 12 oed o Fodwrog, o ladd bachgen arall 16 oed yn ddamweiniol trwy ei daro ar ei ben â ffon. Fe gyhuddwyd un arall hefyd, John Rowlands, am iddo helpu'r diffynnydd trwy estyn y ffon iddo a'i gymell i daro'r plentyn. Cafwyd y ddau yn euog o ddyn-laddiad ac fe'u dedfrydwyd i gael llosgi eu dwylo, ond â 'cold iron'. Beth tybed oedd ystyr hyn? Haearn heb fod yn chwilboeth efallai? Dyma fel y disgrifiodd gosbi'r lleidr Robert Owen: 'But the mill thief was burnt in earnest, the Iron burning half way thro his hand.' (28 Ebrill 1742)

Ar yr un dyddiad eisteddodd William Bwcle a William Lewis, Llys Dulas ar achos yn y Llys Chwarterol i wrando achos dau Wyddel o dras a ddisgrifiwyd fel 'dau ddihiryn diedifar'. Dyma fel y cofnododd William Bwcle'r ddau yn ei ddyddiadur:

> … two incorrigible rogues, Irish by birth, to be sent to the house of correction in Holyhead and to be kept there for a month at hard labour and every Saturday to be well whipt from Pepper Hall to the Cold Harbour, and afterwards to be transported to Ireland.

Crybwyllwyd eisoes am lofruddio gwas y Bryndu, a digwyddodd hynny ar 28 Mehefin 1742. Cofnododd William i George Warmingham, y gwas, fynd i wledd briodas yng Nghlegyrog, fferm gyfagos. Yn ôl y cofnod: 'he fought there with one Richard Mathew (son of Mathew Coch a Denbighshire runagade) servant of Rhydygroes. He received such inward bruises, that returning home by seven he went to bed and dyed in great agonies about ten.' Dyna achos a oedd yn ymwneud â dau gymydog, a'r ddau yn Ynadon Heddwch. Eisteddodd Thomas Morris, meistr y llofrudd, ar yr Uchel Reithgor i benderfynu'r achos, a daethant i'r casgliad nad oedd achos yn erbyn Richard Mathew. Nid rhyfedd i William Bwcle fytheirio'n fileinig am y fath benderfyniad gan y byddai yntau'n naturiol am amddiffyn cam ei was. Ar 28 Mehefin cofnododd Bwcle iddo holi tystion ynglŷn â'r achos anffodus hwn. Cyflwynwyd y dystiolaeth i'r Sesiwn Fawr nesaf ond, fel y dywedodd William, byddai'n bur anodd newid dedfryd y Crwner: 'The Coroner's Inquest state on the body and brought their verdict – "manslaughter".'

Ond nid ar chwarae bach y tawelodd y siarad am ddedfryd amheus y Crwner ar George Warmingham. Ar 5 Medi 1742 cofnododd y dyddiadurwr am Ŵyl Mabsant Llanrhyddlad ac fel yr oedd y lle yn ferw o feirniadaeth am benderfyniad yr Uchel Reithgor. Yn wir, mynnai'r bobl wneud esiampl o'r pedwar ar y rheithgor:

Llanrhyddlad Wake took example for the four Villannes on the Grand Jury last Session who refused to find the Bill of Indictment against the murderer of George Warmingham. The four worthy persons were: John Owen Presaeddfed, Mr Rowland Caerau, William Lewis Trysglwyn and Thomas Morris Rhydygroes – whose servant the murderer. Llanrhyddlad people, I say, took example from ye impunity of Murderers, one man was in this Wake so barbarously beaten that 'tis thought he can't recover. These are the good, the honest, the fine Gentlemen of the Country as they are called.

Ar y Sadwrn, 14 Ebrill 1753, y mae William Bwcle yn cychwyn o'r Brynddu am y Sesiwn Fawr a oedd yn dechrau fore Llun. Tybed a oedd yn hapus i farchogaeth ar y Sul? Lletyodd dros y Sul yn Llys Dulas, yna fore Llun cawn ef a William Lewis yn cyd-farchogaeth i Fiwmares. Ar 17 Ebrill 1753 cofnododd iddo eistedd ar achos diddorol iawn yn y Sesiwn ac mae'n cofnodi'r achos yn llawn. Yn ystod y gaeaf fe foddodd pedlar o Scotyn ar draeth Lafan oherwydd i ddau fferïwr anwybyddu ei alwad yn y tywyllwch. Yr oedd croesi'r traeth hwn yn orchwyl beryglus iawn. Byddai rhai teithwyr yn cyrraedd y rhigol a chael nad oedd yno gwch i'w croesi. Gwaeddent yn groch fel arfer i dynnu sylw'r cychwyr a fyddai, gan amlaf, yn llymeitian yn nhafarndai'r dref. Collwyd sawl teithiwr ar ei ffordd o Abergwyngregyn mewn niwl neu nos ar y traeth enwog hwn.[12] Felly y bu hi yn hanes y Scotyn hwn, na fu dim ateb i'w waedd yn y nos.

Trannoeth aeth y ddau gychwr di-hid i archwilio'r corff, gan rwygo'i bocedi a dwyn ei arian a chladdu'i becyn tan y graean a'r gwymon. Ond fe'u gwelwyd gan rai o'r dref, gan ddau forwr a dau adeiladydd llongau. Aethant hwythau i'r traeth a chymryd y pecyn a guddiwyd gan rannu ei gynnwys rhyngddynt. Gwelodd William Bwcle achos i gondemnio'r Ynadon eto gan iddynt anwybyddu'r achos, ynghyd ag Ynadon o'r wlad. Mae'n anodd penderfynu ai anwybyddu'r achos a wnaethant ynteu gwrthod archwilio'r achos er mwyn dal y troseddwyr. Mynnodd y barnwyr Taylor Whyte a Roger Holland gael gwrandawiad trylwyr ac ymchwiliad manwl. Galwasant ar William Lewis, Llys Dulas a William Bwcle i wrando'r achos; dyma brawf y cyfrifid y ddau Ynad hyn yn ddynion cyfrifol.

Pobl leol oedd y troseddwyr hyn o fwrdeistref Biwmares a dygwyd hwy gerbron y rheithgor gan gwnstabliaid y dref. Bu'r fainc yn gwrando'r achos am dridiau ond, yn anffodus, nid oes ganddo unrhyw gyfeiriad at y ddedfryd. Cawn yma eto, yn ôl cofnod William Bwcle, yr Ynadon yn ymddwyn braidd yn anystyriol ac ymddengys fel pe bai'r ddau Farnwr yn gwybod mwy am fanylion yr achos.

Mae'n wir mai gweinyddu'r gyfraith fyddai prif swyddogaeth yr Ynadon yn ystod y ddau sesiwn a gyfarfyddai ym Miwmares, ond o wneud hynny caent gyfle da i gymdeithasu â'i gilydd hefyd. Yr oedd yno westai moethus gyda bwydydd a diod o safon arbennig ac onid yma yr oedd plasty enwog prif sgweiriaid yr ynys, Baron Hill a theulu'r Bwcleaid? O bryd i'w gilydd câi'r Uchel Reithgor, yr Ynadon a'r Barnwr eu gwahodd i'r plasty hwn i giniawa'n foethus. Er y mynnai William Bwcle gadw hyd braich oddi wrth y teulu (er mai sbrigyn o'r boncyff Bwcleaidd hwn oedd teulu'r Brynddu), ymunodd yntau, fel y cofnododd ar 10 Mai 1734: 'All the gentlemen in town dined at Baron Hill; there were 3 tables set in the dining room, 11 or 12 at each table; the entertainment was handsome and elegant.' Yn ddiddorol iawn wedi ciniawa fe ddidolai'r gwahoddedigion yn ddau ddosbarth, yr ysmygwyr a'r di-ysmygwyr! Mae'n ddiddorol sylwi fod William Bwcle ymhlith yr ysmygwyr ynghyd â Dr Price o'r Rhiwlas, y Bala ac eraill.

Dyma achlysur arall, ar raddfa llai, ar 10 Medi 1739: '... spent the evening merrily at Mr Henry Jones' House, Gave the Trumpeter a shilling.' Dyna awgrym o noson ddigon swnllyd! Ar achlysur arall fe'i cawn yn y Red Lyon (23 Ebrill 1734): 'Dined this day at Red Lyon with Mr Bodvell, William Lewis and others: Mr Bodvell paid all ye reckoning that day. Paid 1s for ale and 6d to the Harper.' Cawn sawl cyfeiriad at y delyn mewn achlysuron o'r math hwn yn y ddeunawfed ganrif.

Ar achlysur mawreddog arall bu i'r Uchel Reithgor estyn gwahoddiad:

> The Grand Jury dined at Miles Bull's House, they had invited the Judges, High Sherriff and all the councell and several other gentlemen and paid 2s ordinary for 48 persons of the first table and 1s for the other tables. Tom Morris of Rhydygroes, (who was their steward) paid Bull – £14 14s 0d for the dinner.

Byddai'r sgweiriaid a'r boneddigion i gyd yn y dref ar gyfer Etholiad Cyffredinol gan fod ganddynt bleidlais. Bu etholiad 1734 yn gryn achlysur, fel y cofnododd Wiliam Bwcle: 'The Elected Member with all the electors dined at the Bull's Head Inn where a grand entertainment was made, three Barrels of ale were given to the populace at the cross to drink.'

Dro arall, yng Ngorffennaf 1737, bu Bwcle yn mwynhau gyda chwmni dethol: ei gefnder Morgan, Mr Jones, Plas Gwyn (Pentraeth), John Owen, Presaeddfed ac Owens o'r Penrhos. Dyma fel y cofnododd yr achlysur yn ei ddyddiadur am 16 Gorffennaf 1737: 'I being so cut I was helped to my lodgings'!

[1] Llwyd, Angharad, *A History of the Island of Mona*, Rhuthun, 1833. t. 402.

[2] Evans, G. Nesta, *Religion and Politics in Mid-Eighteenth Century Anglesey*, Gwasg Prifysgol Caerdydd, 1953.

[3] Williams, W. R., *The History of the Great Sessions in Wales 1542–1830*, Brecknock, 1899.

[4] Wiliam, D. W., 'Traethawd Gwrth Ymneilltuol', *Y Cofiadur*, (Cylchgrawn Cymdeithas Hanes yr Annibynwyr), Medi 1980.

[5] Matthew, Richard (Nebo): 'Methodistiaeth Fore Môn', *Cylchgrawn Cymdeithas Hanes y Methodistiaid Calfinaidd*, Cyfrol xi.

[6] Richards, Thomas (Dr), 'William Pritchard, Cnwchdernog', *Y Dysgedydd*, Cyfrol xi, 1944.

[7] *ML I*, t. 340 (10 Ebrill 1753).

[8] *ibid*, t. 202 (13 Mehefin 1752).

[9] Wiliam, D. W., 'Mawl y Beirdd i Deulu Castell Bylchwyn', T.C.H.N.M., 1987, tt. 27–33.

[11] *ML II*, t. 82 (Awst 1758).

[12] Richards, E., *Porthmyn Môn*, Gwasg Pantycelyn, 1998, tt. 267–68.

BWRDD Y PLAS
gan Ruth Richards

Fe gymer oriau lawer i ddarllen dyddiaduron William Bwcle fel llenyddiaeth, a misoedd lawer o gofnodion i werthfawrogi eu cyfaredd rhyfeddol. Does ynddynt fawr o glecs na chyfeiriadau at achlysuron mwy tanbaid ein hanes. Yn wahanol i Samuel Pepys ac Evelyn (annheg ac eto anorfod yw tynnu cymhariaeth) anaml y caiff rhywun groesgyfeiriadau uniongyrchol â'r hyn a ystyrir yn ddigwyddiadau allweddol y ganrif. Y mae William Bwcle yn amharod ac yn anfodlon datgelu rhyw lawer amdano'i hun na'i fywyd personol, ac eto mae'r dyddiadur yn ddogfen amhrisiadwy o fywyd Môn yn y cyfnod dan sylw ac yn bortread digyfaddawd o un o'i chymeriadau. Peidied neb â disgwyl casglu'r wybodaeth hon o ambell frawddeg neu gofnod o'r dyddiadur; mae'n gofyn am amynedd ac amser, ac yn mynnu fod y darllenydd yn pwyllo i lefel y ddeunawfed ganrif, i ddefodau'r stad, i newidiadau'r tywydd ac yn cyfyngu ei hun i fyd ac i ddelfryd William Bwcle.

Anodd tu hwnt, yn y byd sydd ohoni, yw llwyddo i osgoi unrhyw wefr ac eto, i'r neb ag amser, amynedd a llygaid go dda, mae darllen dyddiadur William Bwcle yn gallu bod yn fath o broses gynyddol bleserus. Cael ymgolli yn rhythmau oes a chanrif a fu; teimlo'r un parch at dywydd a thymhorau a'r cylchoedd o hau, plannu a medi, prynu, cynhyrchu a bwyta. Yn wir, yn fuan iawn, fe sylweddolir i ba raddau yr ydym wedi colli'r cyswllt hwn rhwng y tymhorau, y tir a'r hyn sy'n ein cynnal.

Yn oes yr archfarchnad ymddengys bywyd a bwyd y Brynddu yn rhamantus a delfrydol. Gyda'n llysiau merfaidd a'n plant na ŵyr mai mewn codau y tyf pys, ein cig yn beth i'w ofni a'n caws yn gaeedig mewn plastig a'n llefrith mewn carton, fe yswn, o ganlyniad, am gynnyrch ffres organig a lleol. Er yn gwerthfawrogi'r dewis, hiraethwn am ddisgyb-

Iaeth ac addasrwydd trefnu ein prydau yn unol â'r tymhorau. Mynnwn, pe bai amser gennym, y byddem yn ailhawlio'r berthynas â'r byd naturiol ac yn ailddarganfod y pleser o blannu, meithrin a chynhyrchu bwyd. A dyma, debygwn i, yw un o ffantasïau mawr dosbarth canol y gorllewin ar ddechrau'r unfed ganrif ar hugain. Mewn cymdeithas sydd â pherthynas mor gymhleth â bwyd, mor braf fyddai symleiddio'r berthynas hon a mwynhau heb ofn nac euogrwydd. Dyma'r math o ddelfryd sy'n cael ei atseinio dro ar ôl tro yn ein cylchgronau, ein llyfrau coginio a'r cyfryngau torfol, a rhyfedd iawn yw gweld y gymhariaeth rhwng un o'n hobsesiynau cyfoes a'r hyn a gymerai William Bwcle yn gwbl ganiataol.

Nid oedd William yn amddifad o hiwmor na sensitifrwydd, eto cymeriad eithaf llwm a llythrennol a ddatgelir yn nhudalennau ac yn ysgrifen fân ei ddyddiadur. Byddai'n synnu, os nad yn wfftio, at neb a orfoleddai neu a bleserai ynglŷn â bwyta.

Cofnododd yn fanwl yr hyn a brynai ym marchnad Llanfechell a Llannerch-y-medd. Yn yr un modd, nododd yn fanwl, fanwl, yr hyn a blannai ac a cynlluniai yn ei ardd, a disgrifiodd gynnyrch ei laethdy a'i fragdy. Ond, er bod ganddo doreth o wybodaeth digon amrwd, pur anaml y soniodd am y ffurf a'r ffordd y cyrhaeddai'r holl gynnyrch hwn y bwrdd. Anamlach fyth y mae'n sôn am fwynhau unrhyw bryd a phan y gwna, mae ei sylwadau yn hynod lugoer. I'r neb â diddordeb mewn coginio o safbwynt hanesyddol ymarferol neu synhwyrol, mae hyn yn gryn siomiant. Mae'n amlwg y teimlai William Bwcle nad oedd ffin ei brofiad yn ymestyn i'r gegin ac nid yw'n cofnodi pwy oedd yn trefnu'r prydau hyd yn oed. Mae'n debyg mai'r howscipar, neu ei fam, a ddarparai'r prydau. Ceir ganddo gofnod i'w fam ddarparu cinio i deulu'r Henblas gan iddynt gyrraedd yn ddirybudd, a'r bwyd wrth y bwrdd pan gyrhaeddodd William gartref.

I lenwi rhai o'r bylchau rhaid troi at lyfrau'r cyfnod, a'r ddau amlycaf yw gwaith Hannah Glasse ac Elizabeth Raffald.[1] Mae gennym hefyd, yn ffodus, ffynonellau mwy lleol na'r rhain, sef llawysgrifau'r Henblas, Llangristiolus,

Bwrdd y Plas

sy'n cynnwys ryseitiau o'r cyfnod 1734–1770. Mae'r ddogfen hon yn dyddio o ddyddiau Henry Morgan ac mae'n naturiol mai at y ryseitiau hyn y cyfeiria ei wraig, Elizabeth, a drigai yn yr Henblas o 1732 i 1773. Nid yn unig y mae'r ryseitiau hyn yn fras gyfoes â dyddiadur William Bwcle, maent hefyd yn nodi'r math o brydau a ddarparwyd ar gyfer bwrdd y Sgweier ym Môn yn y ddeunawfed ganrif. Yn wir, mae'n debyg i William Bwcle brofi amryw o'r ryseitiau hyn gan ei fod yn gefnder i Henry Morgan ac yn cofnodi sawl ymweliad â 'Cousin Morgan'.

Yr oedd y newydd a'r unigryw, o unrhyw fath, yn apelio'n fawr at William Bwcle ac felly hefyd gyda bwyd. Os âi i drafferth i sôn am unrhyw bryd o fwyd mewn manylder, y tebygrwydd yw ei fod yn cyfeirio at ryw brofiad hynod neu newydd. Er iddo sôn yn ddigon didaro am dalu swllt am alarch ym 1739, nid oedd hyn yn ddim o'i gymharu â'i brofiad o gael anrheg o Grwban y Môr ar ddydd Gŵyl Dewi 1739 gan Owen Jones, Peibron, Llanbadrig. Yn wir yr oedd hwn yn bryd mor anarferol fel y bu iddo gofnodi'r darparu a'r blasu gyda chryn fanyldra:

Owen James Peibron made me present this day of a Turtle: drove on shore in the great storm of the 27th past: it was alive when he first found it, and lived a piece of that day there was none ever seen upon the Coasts of England before as I could learn but they are very common in the West Indies, and some people guessed it might come from a ship that perished in that great storm. I had the guts taken out which were near as large as those of a Cow – had a prodigious quantity of blood and when washed clean I had a great quantity of the flesh cut out of it and dressed like Beef Steaks and some of it I had stewed and it eat very like Beef, it had a Bladder as large as a sheep's. What flesh remained within the Shell I had it salted and hung in the air and sun to dry ... We dined today upon the Turtle, part of it was boiled at the fire and part was stewed. All of it eat well enough not much unlike the beef steaks but I think the boild pieces were best.

Mae'n ddiddorol iawn cymharu'r sylwadau hyn ynglŷn â darparu'r Crwban â rysáit yr Henblas a rhai Hannah Glasse ac Elizabeth Raffald. Ar yr olwg gyntaf mae'n anodd gweld unrhyw debygrwydd rhyngddynt gan fod y ryseitiau hynny mor fanwl ac yn hynod o gymhleth ac mae'n amlwg ddigon fod y pryd gorffenedig ar gyfer achlysur mawreddog. Bwriad ryseitiau'r cyfnod oedd gwneud defnydd o bob darn o'r bwystfil (gan gynnwys y pen, y perfedd a'r esgyll) i greu sawl dysgl, gyda pheth o'r cig wedi'i gyflwyno yn y gragen. Nid yw William Bwcle yn sôn dim am gynhwysion eraill, tra bod y ryseitiau yn galw, ymysg elfennau eraill, am win madeira, pergibyn, perlysiau a phupur Cayenne. Hawdd fyddai credu, yn ôl disgrifiad y dyddiadur, mai fersiwn digon cyntefig a diglem a roddid ar fwrdd y Brynddu. Ond cofiwn na fyddai William Bwcle wedi cymryd ryw lawer o sylw o'r broses o'i goginio. Iddo ef y ffaith fod perfeddion y crwban cymaint â pherfedd buwch a'i bledren cymaint ag un dafad oedd o ddiddordeb iddo ef, nid y darparu a'r coginio. O ystyried hyn, gwelwn fod yna beth tebygrwydd yn y modd y darparwyd Crwban y Môr yn y Brynddu â ryseitiau'r cyfnod wedi'r cwbl.

Yn wir yr oedd darparu bwyd yn y Brynddu yn cyfateb yn weddol agos i ffasiwn y dydd, yn enwedig o sylwi fod ryseitiau'r Henblas (sef stad gymharol) mor debyg i'r rhai a welwn yn llyfrau'r cyfnod. Mae cofnod Elizabeth Morgan o ddarparu Crwban Môr bron yn union yr un fath â chyfarwyddyd Hannah Glasse, a gwelwn debygrwydd hefyd yn y modd y mae'r ddwy yn stiwio cig eidion. Yn wir, yn yr achos hwn, mae fersiwn Elizabeth Morgan yn swnio'n llawer mwy blasus a'r arddull yn llawer mwy dealladwy. Yn sicr byddai llawer iawn o rannu ac addasu ryseitiau ac un feirniadaeth ar lyfrau coginio'r cyfnod oedd y byddai'r awduron yn dwyn syniadau o ryseitiau eraill.

Sylwyd eisoes fod gan William Bwcle ddiddordeb mawr yn y newydd a'r arbennig ym myd bwydydd. Ar ymweliad â Dulyn ar nos Calan Gaeaf 1735 profodd bryd godidog – Colcannon:

> Dined at coz William Parry and also supped there upon a shoulder of mutton roasted and what they call there Cael Callen which is cabbage, boild potatoes and parsnips all mixed together, they eat well enough and is a dish always had in this kingdom at this night.

Dyna awgrym diddorol yn cyfeirio at bryd arbennig o fwyd ar achlysur neilltuol, sef Calan Gaeaf. Gan fod William Bwcle yn sôn am blannu pob un o'r llysiau hyn mae pob lle i gredu i Cael-Colcannon gael ei ddarparu yn y Brynddu yn ogystal yn dilyn ymweliad William ag Iwerddon.

Fe gasglai syniadau yn fwy lleol hefyd ar gyfer darparu bwyd, ond rhaid cofio mai tlawd oedd eu byd a byddai'n rhaid gwneud y gorau o'r gwaethaf yn aml. Ar 28 Ionawr 1752 nododd yn ei ddyddiadur: 'gave to William Pritchard Cnwchdernog wife 5s for coming hither to showing servants the way her country in salting beef.' Yr oedd halltu cigoedd yn gelfyddyd arbennig iawn a cheid amrywiaeth yn y dulliau o wneud hynny mewn gwahanol ardaloedd. Mae'n amlwg fod hyn yn bwysig iawn yng ngolwg William Bwcle gan iddo dalu swm anrhydeddus i'r wraig o Eifionydd. Mae'n amlwg ddigon, yn ôl y dyddiadur, fod cig o bob math yn rhan allweddol o'i ddeiet. Ym mis Gorffennaf 1750 cofnododd iddo brynu'r canlynol: ochr o gig oen am 15d; cig llo 1s; cig dafad 2s; cig llo 14s; cig llo (eto) 2s; cig maharen 13d a rhoes 15d am bum hwyaden. Yn ychwanegol at hyn, o fewn y mis, byddai ganddo gig a laddwyd ac a halltwyd gartref. Derbyniai beth cigoedd (cywion ieir) fel anrhegion rhent gan ei denantiaid, ond gan amlaf, prynai ei gig a'i bysgod ym marchnad Llanfechell neu Lannerch-y-medd ac ymddengys mai anwadal iawn fyddai ansawdd ac amrywiaeth y cynnyrch. Ar 5 Mawrth 1742 nododd:

> No butcher's meat to-day at Llanfechell, nor has there been any to speak of this six week and but very little at Llanerchymedd and that poor and excesive and dear; the two last severe winters having made all eatables very scarce and dear.

Os oedd hyn yn bryder i ŵr y plas, gyda stad y Brynddu y tu cefn iddo, byddai'r sefyllfa'n argyfyngus i'r tyddynwyr druan.

Mae'n amlwg y byddai cryn ddarpariaeth yn y Brynddu ar gyfer gwleddoedd rhai o'r gwyliau. Ar gyfer y Pasg 1742 fe gofnododd: 'Killed a heffer against Easter holydays,' ac yn unol ag arferiad y cyfnod, ychwanegodd: 'I gave a Siloyn to the parson, Rump to Richard Williams Carrog and Brisket to Tom Morris Rhydygroes.' Mae'n amlwg fod amser y Pasg yn achlysur i wledda'n fras. Yr oedd gŵyl y Calan yn achlysur llawn pwysicach pryd y byddai'r cymdogion yn cymdeithasu â'i gilydd. Cofnododd gyda chryn fanylder am y cwmni a eisteddodd i ginio yn Llys Dulas ar 1 Ionawr 1737:

> Staying at Llysdulas; they were great company to-day at dinner (such as they were). The men were Rowland Hughes of Lligwy; Robert Jones, person of Llanallgo, Thomas Roberts of Trefeibion, Meyrick that marryed Revd. Jenkin Davies' daughter, Thomas Bryan, Richard Williams, curate of Amlwch, William Prydderch of Llysdulas and one Brisco a Custom-house officer that marryed the widow of Tregayan; the women were Brisco's wife, the parson of Llaneilian's wife, Robert Williams late of Bodwine's wife, Mrs Jane Llwyd of Llwydiarth, Mrs Peggy Prydderch, Brisco's wife sister, Bryan's wife, Mr Vickers' (of Holyhead) wife. Spent 1/6 in mumming.

Heb os, teimlodd Wiliam Bwcle fod y fath achlysur yn werth ei gofnodi gan enwi'r cwmni dethol a'u hachau hefyd! Yr oedd yno gynifer ag un ar bymtheg o wahoddedigion heb gyfrif y teulu a William Bwcle ei hun. Gresyn na fyddai wedi manylu cymaint ynghylch y wledd a gafwyd yno. Mae'n debyg y byddai cyfrif digon tebyg o gylch bwrdd y Brynddu hefyd, ar amser y gwyliau.

Ond nid cigoedd o'r farchnad neu gig hallt gartref yn unig a welid ar fwrdd y Brynddu. Yr oedd pysgod a bwyd môr yn chwarae rhan flaenllaw ar y fwydlen, gyda sawl cofnod yn sôn am brynu penwaig, crancod a chimychiaid. Yr oedd y cynhaeaf penwaig yn dymor pwysig iawn i drigolion Llanbadrig a Llanfechell ac, er bod y pris yn isel, byddai'r rhwydi llawn yn ildio cyflog di-fai am eu trafferth. Gwyddai pob pysgotwr yn yr ardal fod y Brynddu yn lle da bob amser i werthu pysgod neu unrhyw ddarn o gig. Ond, yn wahanol i sgweiriaid y cyfnod, nid oedd William Bwcle yn fawr o heliwr na saethwr. Cofnododd am 27 Hydref 1739 (ac amryw eraill tebyg): 'Went out with Cos. Morgan [Henblas] out with our guns, walked a good deal but shot no birds.' Ond os na châi hwyl fel heliwr yr oedd yn arddwr penigamp. Yn wir mae darllen am ei gynlluniau a'r pleser a gâi yn hau a phlannu, yn dewis y llysiau, y ffrwythau amrywiol a'r perlysiau, yn un o elfennau mwyaf hudolus y dyddiadur. Yr oedd cynnyrch ei ardd a'i berllan mor amrywiol ac eang – popeth o datws i ffigys – a châi hwyl dda ar y goeden oren, gan lwyddo i'w gwarchod rhag y barrug a gwynt y dwyrain. Ar 1 Awst 1739 mae'n sôn iddo blannu: 'Several sorts of lettuces, spinach, cresses, radish, onions, carrots, turnips, cabbage and cauly flower seeds.' Ddwy flynedd ynghynt (ym 1737) y bu iddo gau'r ardd hon, a alwai yn 'ardd y gegin', ac yno yr heuodd yr hadau amrywiol hyn.

Yr oedd diddordeb anghyffredin yn y gerddi gan fonheddwyr y ddeunawfed ganrif. Pan ddaeth William Robinson o Sir Ddinbych i gael golwg ar ei stad newydd – Mynachdy, Llanfair-yng-Nghornwy – daeth â'i arddwr i'w ganlyn. Dyma fel y cofnododd William Bwcle ar 15 Awst 1739: '... accompanyed by one of Mr Edwards of Stansty Co Denbigh and a gardener that came along with him to the country from Holywell to lay out ground for gardens and plantations of trees...'

Yr oedd William Bwcle yntau yn ddyfal i droi pob llecyn o gylch y Brynddu yn ardd ffrwythlon. Yn Chwefror 1740 cofnododd: 'my gardiner sowed to-day, pease, and beans in the new orchard, planted garlick, sowed spinage, lettuce, endive, cresses, parsley and radish.' Yna trannoeth: 'planted to-day in the new orchard currants and goosberries.' Yn ychwanegol at hyn fe sonia yn y dyddiadur am goed cnau, ffrwythau'r berllan, perlysiau melys, saets a rhosmari. Er bod ganddo'r fath amrywiaeth o ffrwythau yn tyfu yn ei ardd a'r perllannau nid yw fyth yn sôn am bwdin o unrhyw fath, er iddo nodi yn swta wedi'r pryd hwnnw yn Nulyn: 'Apples, nuts, ale etc after supper.' Dylid nodi mai syml iawn fyddai darpariaeth llawer iawn o'r llysiau yn y cyfnod hwn. Ond, gyda chynnyrch ffres, dichon na fyddai angen llawer mwy na berwi a thoddi ychydig o fenyn drostynt.

Ar wahân i gynhyrchion gwerthfawr yr ardd fe gâi hefyd 'Chwyn hallt' (Samphire), a dyfai ar y creigiau ger y glannau. Byddai'r rhain yn cyd-fynd yn berffaith â bwyd môr, yn ogystal â rhoi cic i ambell salad. Sonia iddo anfon at Mary, y ferch, a'i gŵr: 'thirteen lobsters alive and a bage of Samphire'. Er nad oedd gan William Bwcle feddwl yn y byd o'i fab-yng-nghyfraith, Fortunatus Wright, fe swnia hyn, i ddarllenydd o'r unfed ganrif ar hugain, yn anrheg dderbyniol dros ben!

Mae cyfeiriad cyson yn y dyddiadur at dri math o ddiod – cwrw, gwin a the. Byddai hefyd yn bragu cwrw sawdl y fuwch (*cowslip*) a llawer iawn o win cyrains, yn ogystal â blasu cwrw gyda chyrains duon. Cofnododd ar 27 Gorffennaf 1734 i Mary botelu cynifer â phump ar hugain o boteli o win cyrains duon. Yr oedd ganddo hefyd laethdy a chofnododd ar 3 Mehefin 1735 iddo ofyn i Hugh Williams, saer o Lannerch-y-medd, a'i brentis wneud Gwasg-Caws iddo. Yn dilyn hyn mae'n sôn iddo werthu caws ym marchnad Llannerch-y-medd. Fe werthodd gynifer â phedwar cant wyth deg o bwysi o gaws ym marchnad Amlwch ar 21 Tachwedd 1747, am geiniog a dimau y pwys.

Yr oedd y llaethdy yn adnodd pwysig iawn ar stad y Brynddu. Yr oedd menyn a hufen ymysg cynnyrch mwyaf afradlon y cyfnod, gyda menyn yn costio dwywaith cymaint â'r rhan fwyaf o'r cigoedd. Eto, yn ôl y ryseitiau, ystyrid menyn yn hanfodol ar lefel ymarferol ac o ran rhoi blas. Er y byddai bwrdd y Brynddu yn dibynnu'n llwyr ar gynnyrch y fferm mewn llaeth a menyn, eto ar rai amseroedd, fe brynai William Bwcle fenyn yn y marchnadoedd lleol. Credai gŵr y Brynddu mewn cadw llawndra o fenyn ac fe dystia'r ryseitiau y byddai pob cogydd yn llawdrwm iawn hefo'r menyn ym mhob dysgl.

Er bod gerddi a pherllannau'r Brynddu yn hynod o gynhyrchiol, ac y cynhelid marchnadoedd yn gyson yn Llanfechell a Llannerch-y-medd, eto yr oedd yn gryn achos pryder i William Bwcle gael cynhaliaeth gyson drwy'r flwyddyn. Nid oedd sicrwydd o gynnyrch bwytadwy yn y marchnadoedd drwy'r flwyddyn; yr oedd y tywydd yn hynod o anwadal i gael y cynhaeaf. Roedd yr ofn hwn yn bryder amlwg yn y ddeunawfed ganrif gan effeithio ar iechyd dyn ac anifail. Dyna paham fod William yn ddyn mor ddarbodus ac yn mynnu gwneud y defnydd gorau o'r ddaear a'i chynnyrch. Mae ryseitiau'r cyfnod yn tystio i'r un ffaith, yn arbennig ryseitiau'r Henblas, gyda'r rhan helaethaf ohonynt yn trafod sut i gadw, potelu, sychu a phiclo pob math o ffrwythau, cnau a llysiau ar gyfer y misoedd llwm. Yn yr un modd gallwn ddychmygu nad oedd unrhyw wastraffu yn y Brynddu, gyda defnydd i bopeth, o flodau'r caeau yn cael eu defnyddio i wneud gwin a holl ffrwythau'r haf a'r hydref yn cael eu potelu'n dwt ar gyfer y pantri. Byddent yn halltu llawer iawn o'r cigoedd i'w cadw. Yn ogystal â rhoi cyfarwyddyd ar halltu porc a bacwn, mae Elizabeth Morgan yn cynnig ryseitiau i biclo cig eidion a cholomennod, a sut i botio eog a chimychiaid. Rhydd hefyd gyngor ar sut i gadw 'artichoak bottoms for winter use', a 'to keep carrots till spring'.

Mae un peth yn gyffredin ac amlwg yn llyfrau a ryseitiau Hannah Glasse ac Elizabeth Raffald, ac yn wir yn llawysgrifau'r Henblas, a hynny yw'r pwyslais a roddent ar gynildeb a darbodaeth ac osgoi unrhyw fath o wastraffu – ym mhopeth ac eithrio menyn, gwin a sbeisys. Mae ryseitiau'r cyfnod yn ddiarbed ynglŷn â'r cynhyrchion hyn. Ond yn ddiamau, tu ôl i bob darpariaeth o fwyd mae'r pryder a'r ansicrwydd parhaus – 'o ble y daw'r pryd nesaf?'

Nid fel gwyddonydd yr edrychai William Bwcle drwy'r ffenestr wrth godi'r bore, yn hytrach ofni am ydlan wag yr oedd. Pan ddeffroai'n blygeiniol oherwydd sŵn y terfysg a'r glaw, yn anad unpeth arall, pryderu am y cywion tyrcwns a'r cywion gwyddau y byddai. Yr oedd cael hindda i hau yn gynnar yn llawer iawn pwysicach yn ei olwg na dyfalu pa win neu saws a fyddai'n gweddu i gig alarch. Ac eto, ar flwyddyn ffrwythlon dda, gyda chynhaeaf toreithiog, byddai eistedd wrth fwrdd y Brynddu yn un o'r profiadau difyrraf. Dyfalaf y byddai dull Elizabeth Morgan o stiwio crwmp cig eidion yn apelio'n fawr at William Bwcle, sef yr un wedi'i stwffio gyda pherlysiau wystrus, bacwn ac anchofi ac wedi'i stiwio mewn stoc a gwin claret gydag ychydig bupur a phergibyn, tusw o berlysiau a nionyn!

[1] Glasse, Hannah, *The Art of Cookery made plain and easy*, 1747.
Raffald, Elizabeth, *The Experienced English Housekeeper*, 1789.